王道

我要特别忠告青少年朋友们，希望你们读过《王道》这本书后，能更真实地感悟主人公张保皋历尽千辛万苦，最终实现梦想的辉煌历程，坚强地树立起自己伟大的理想。

——崔仁浩

目录
contents

代 序

大多数历史人物，不是获得巨大的成功，就是取得辉煌的胜利，并因此而闻名于世。而张保皋则与众不同，他竟惨遭暗杀，以悲剧结束了一生。编纂《三国史记》的金富轼曾在书中写道：“张保皋是一个曾企图谋反的叛逆者。”《三国遗事》中也记述说：“张保皋为出身低微的海岛之人，后生叛乱之心，被其部下阎长暗杀。”

当然，历史是胜利者编纂的，它无法对悲剧命运的人物如张保皋做出客观而正确的历史评价。正是由于这种历史因素，一直以来，人们对张保皋形成了一种与事实截然相反的认识。

作为此书的作者，我曾经也对张保皋有过一些误解，认为他不过是一个富有成就的民间商人，以及一个怀有政治野心却未成功的革命者。

但是，张保皋不同于洪景来等革命者，他的目的是为了解决社会矛盾和阶级的不平等，《三国史记》中说：“他因自己的女儿没有被封为王妃而怀恨在心进而谋反。”因此我曾经以为，从某种意义上讲，张保皋是一个因贪图个人荣华富贵而谋反的叛逆者。

由于以上种种误解，尽管很久以前，我就对张保皋怀有作家的强烈好奇心，但却一直没有提笔的勇气。然而今天，当我一踏上追溯张保皋历史足迹的长途征程，一切误解竟然如烟云般渐渐消散了。

与我国历史上的否定评论截然相反，中国晚唐最杰出的诗人杜牧对张保皋的评价极高，他夸赞张保皋是一位仁德义重的天下英雄，甚至认为张保皋在历史上的地位比平定安禄山之乱的唐朝大英雄郭子仪还要高出一筹。

因此，以研究圆仁而著名的美国驻日大使莱莎渥（1920～1991）在他的论文里写道：“毫无疑问，张保皋是建立了一个商业帝国的伟大的贸易王。”

尽管张保皋在韩国历史上是一个悲惨的失败者和卑劣的叛逆者，但是，在中国和日本等邻国，张保皋却被誉为辉煌的胜利者。由此可见，张保皋是一位超越国界的国际历史人物。

于是，2002年我在《中央日报》连载了以张保皋为主人公的小说《王道》；同时，还在KBS电视台播放了探寻张保皋足迹的相关纪录片。

我越来越感觉到，张保皋是一位能令二十一世纪的韩国民族引以为豪的伟大人物。

张保皋遭到暗杀，并非是出于要使自己的女儿册封为王妃，以助自己飞黄腾达未果而招致横祸，而是由于以金阳为中心的新罗贵族，企图在腐败混乱中掌握新罗政权，因畏惧张保皋的强大势力而将他杀害。张保皋死后，他的冤魂在日本被神化，称为新罗明神、赤山明神。

张保皋，在历史中重新复活的海神张保皋。

当看到被海盗贩卖为奴的同族新罗人民，他愤怒不已，立志剿匪，担负起一位人文主义者的使命。而当韩国佛教史上以达摩禅法为宗旨的九山禅门首次传入韩国时，他又积极予以支持，成为一名宗教改革家和思想家。虽然他以一个卑微的海岛之人出生于摇摇欲坠的百济王国，但是，他却对自己低贱的身份从不绝望。为了梦想，他只身来到中国，在招募义军中立下赫赫战功，被封为军中小将。后来，为了使居住在唐朝的新罗人团结一心，他还建造了赤山法华院，成为一代民族领袖。

如莱莎渥所述，张保皋是一位通过新罗、中国和日本三边贸易，建立了商业帝国的海洋之王和贸易大王。我认为张保皋最大的魅力正是在于，他曾跨越国界活跃在韩、中、日三国领海的舞台上，是韩国历史上十分罕见的国际人物。

如此，张保皋便是指挥无敌船队纵横于南海之间，统治着属于他的海上王国的世界主义者。

如果说，地中海诞生了驾驭着金光闪闪的宝马战车驰骋于大海的海神波塞冬，那么，我们的多岛海就诞生了张保皋！

张保皋，在众多船舶往来穿梭的大海上创造我们韩国民族神话的惟一英雄！

2004 年 3 月于海仁堂

崔仁浩

第二部 疾风怒涛

第一章　新罗明神之谜

从京都出发的火车驶入一条长长的隧道，车内顿时暗了下来。当火车驶出隧道时，我的眼前顿时一亮，一片波光粼粼的湖面一闪一闪地映入眼帘。火车出发时，天上还下着淅淅沥沥的春雨，而此时天色已经放晴，雨后的湖水在阳光的照耀下显得更加耀眼夺目。这是琵琶湖，沿着湖水极目远眺，是一座座连绵不绝的皑皑雪山。

“啊！雪！”我望着窗外，不觉惊叫起来。

那是四月的春雪吗？

哦不，那不是春雪，那是樱花。

盛开的樱花漫山遍野，好像前一晚刚刚下过一场大雪；放眼望去，仿佛一座座白雪皑皑的雪山。

樱花不仅开满了山野，急速行驶的火车外瞬息闪过的一间间独特的日本住宅门前也开满了各种各样的樱花，就像耀眼的瓦斯灯一样不停地闪耀。

望着眼前的景色，我不觉想起川端康成的小说《雪国》，“穿过长长的隧道就是雪国。浓浓的夜色中，地上一片雪亮，火车在信号所徐徐停下来……”

如同川端康成在《雪国》中的描写，“穿过长长的隧道就是雪国”一样，只是，我眼前出现的不是白雪覆盖的雪国，而是樱花盛开的花国。连同第一眼的感觉也如川端康成所说的“地上一片雪亮”一样，火车刚刚驶出隧道，波光闪闪的琵琶湖和沿着湖水盛开的雪白的樱花，让人不觉眼前一亮。

琵琶湖，日本内陆地区最大的湖水。

自古以来，日本人就把这里称作近江地区。由于雨量丰富，湖面宽广，这里成为以韩半岛移民为主的外来人的居住地，直到现在这儿仍保留着一些外来人的遗址。因此，对研究古代历史的人来说，这里是他们的必访之处。

“下一站是大津站，下一站是大津站。”当火车播音员的声音从车顶的扬声器传来，我便从座位上站了起来。

“下一站是大津站，有下车的旅客请从右侧下车。”

播音员亲切而柔和的声音再次从扬声器里传来，几乎与此同时，火车停在了站台上。

我按照播音员的引导，从右侧下了车。

从东京出发向湖水东岸行驶的火车，停在了湖水地区最大的城市大津。大津站有几个干线交叉行驶的交点，所以旅客很多，车站上一派繁忙景像。旅客大部分都是去湖水地区的名胜古迹游玩的观光客，因为今天不是休息天，因此，观光客大部分都是平日闲暇的老人。老人们都穿着轻便的运动鞋，背着装了简易饭盒的背包。他们一边慢慢走着，一边悠闲地欣赏湖边盛开的樱花，沉浸在美丽春色之中。

以琵琶湖沿岸的大津市为中心，有被称作琵琵库线的东海道本线和向湖水西部行驶的湖西线。另外还有其他几个支线，一并呈放射线状向四处散开。

车站内人潮涌动，热闹非凡。

蚂蚁窝。每次在日本旅行时，我都有这种感觉，因为日本的铁路和地铁铺设得非常科学，各种交通连接得十分精巧，因此总有一种像一个蚂蚁群建筑的庞大的蚁穴。日本人通过这巨大的蚁穴，来来往往于任何一个地方，就像一只只又盖房子，又找食物，从早到晚不辞辛苦的蚂蚁。

我从车站走出来，走到车站广场上。

这是一个明媚的春天，和煦的阳光暖暖地照在身上。广场上，出租车依次排开等候着客人。我本想也乘一辆出租车，却转而点了一支香烟，然后抬手看看表，还不到九点半，时间还早呢。

记得去年秋天我第一次来这里时，由于环境的陌生，一出车站便搭了一辆出租车。可是，没想到还不到十分钟就到了我的目的地三井寺。我想从车站走到三井寺也用不了三十分钟吧，于是，便慢慢向三井寺走去。

沿着湖水西岸建成的道路叫做坂本，就像坂本二字一样，是一道缓缓倾斜的山坡。这个山坡一直连接到长等山，我要去的三井寺就座落在长等山下。继去年秋天以来，这是我第二次来到三井寺。

走上山坡，越往上道路越狭窄。沿着山坡是一排排日式小木屋，木屋前凡是有空地的地方，都做成精致的小花园，每个小花园里，都开满了洁白的樱花。

一看到樱花，我便不由得联想到日本女人性感的后颈。我觉得日本女人最性感的部位就是后颈。因此，日本女人穿上传统的和服之后，都要在后颈和后背上敷上香粉，而脸部则像戴上面具一样擦得雪白。

天暖暖的，没有一丝风，樱花却好像情不自禁似的，纷纷飘落下来，如一个思春的风尘女子，再也无法掩饰成熟女人的魅力和娇态，将后颈和后背袒露出来。

花瓣撒着娇，含羞带笑地纷纷飘落，仿佛嫉妒春天的春雪，随风飞扬。上山的路上，堆满了飘落的花瓣，一片雪白。

这样美丽的花瓣怎会如此无情的飘落呢?

这样美丽的春天又怎会如此无情的消逝呢?

这一带过去叫做大友乡，而现在叫做坂本，正如其名，这一带原来是大友姓氏的聚居村。

大友姓氏的人，大部分都是从韩国渡海迁移而来的移民。他们在这一带形成一股强大的势力，选出自己的族长，并以独特的“村主”一词来称呼自己的领袖。

古代日本语中，“村主”发音为“斯古里”。据证实，这一发音源于韩语发音。著名的历史学家佐伯有清说：“在历史长河中演变而来的‘村主’一词的含义，很难从单一的某个方面解释。‘村主’一词与族长有一定关联。这一称呼成为新罗的官职名称之前，由归化人把表示族长名称的‘村主’带入日本，并用做对归化人集团领袖的敬称或尊称。”居住在这一带的大友姓氏人，以新罗地区土著势力使用的“村主”名称称呼自己的族长，表明自己是从新罗迁移而来的移民。

据记载，三井寺原名圆城寺，建于672年。该寺建立的背后隐藏着一段历史悲剧，而大友王子正是这个时候死的。因此，在这儿有必要向读者简单介绍一下大友王子临死之际日本的历史背景。

公元660年百济即将灭亡时，当时义子王的胞妹——日本女王齐明为了拯救百济，不顾众多臣子的反对，向百济派遣了三万余名士兵，支援百济。但是这支军队在白江却遭遇罗唐联军（新罗与唐朝）的袭击，竟全军覆没。至此，百济彻底灭亡。

齐明女王也在这场战争中丧命，其子天智登上王位。天智的胞弟天武，与力主拯救百济的天智不同，他主张在日本建立一个独立王国，断绝与百济的渊源。然而最终，其兄天智接纳了百济流民。为了创建“新百济”，他还从飞鸟迁都琶琶湖附近的大津。今天，在大津仍能看到当年创立新百济时建造的天智宫殿遗址和守护天智亡灵的近江神宫。

但是这种局面，随着天智的去世而告终。天智和其子大友王子在位期间，曾以僧侣身份度日如年的天武，于兄长去世之后，在这个湖畔展开了一场新的战争，这就是著名的“壬申之难”。

这场战争最终以天武的胜利而结束。身为叔父的天武弑杀了自己的侄子大友，篡夺王位，并把王都重新迁回飞鸟，建立了独立王国，也就是现在的“日本”。

叔父天武给死去的大友王子赐谥号为“弘文”，葬在长等山下，并举行了盛大的葬礼。另外，他还下令在大友葬身之地修建寺庙。一年后，寺庙建成，天武亲笔赐字“圆城寺”。从此，圆城寺即三井寺，成为居住在这一带的大友姓氏的宗祠。

那么，在琶琶湖沿岸建立新百济的天智之子大友王子的名字该如何解释呢？或许这正是大友王子与栖息此地的外来移民，即曾是百济和新罗移民的大友姓氏之间具有某种渊源的有力佐证。

因此，我推测我所要探寻的新罗三郎与曾是新罗移民的大友姓氏有着某种历史渊源，这种推测使我得到了意想不到的惊人收获。

去年秋天，我在偶然寻访三井寺时，意外地发现了传说中的红色铠甲，就是那件日本历史上最具传奇色彩的武士家族——武田家世代留传的铠甲，那件武田家族的始祖——新罗三郎曾经穿过的红铠甲。它是世上任何锋利的刀枪无法穿透的“盾无”红铠甲。

不仅如此，我还获得了比发现红铠甲更惊人的收获，在三井寺，我不仅发现了那件传说中的红铠甲，还发现了活生生的新罗三郎。那不是虚构成新罗三郎的“影武者”，而是真正的活生生的新罗三郎。

去年秋天我踏访三井寺时，正是满山红叶的晚秋季节。三井寺是近江地区历史最悠久的寺庙，藏有日本三大名钟之一的晚钟。

晚钟铸造于 1601 年。尽管铸造年代并不悠远，但是凭其优美的形态和独特的钟声，被列为近江八景之一。

三井寺成为真正的名寺，是在建造一百多年以后。天台宗五祖圆珍自唐朝归来，成为三井寺第一任住持长吏，自此，三井寺从单纯的新罗土著势力大友姓氏的宗祠，成为全日本的佛教中心。圆珍圆寂后，君王赐谥号为“智证大师”。在日本，君王赐僧侣大师谥号极其罕见。

三井寺收藏着圆珍从唐朝带回的大量经书和佛经，以传法道场广为盛传。

我仔细考察了三井寺，它座落于长等山脚下的大伽蓝，金堂位于正中央。金堂又称为大雄宝殿，收藏着三井寺的各种国宝级文物。

我漫步于众多林立的建筑之间，仔细观察着这些建筑。由于大部分建筑禁止外人出入，所以，我可以入内探访的建筑屈指可数。尽管如此，为了在有限的范围内找到有力证据，我像一个刑事侦探一样，仔细查看了所有的建筑和各种文物。但是，一无所获。

在三井寺内的任何地方，我都没有找到有关新罗三郎的痕迹。无论是有关新罗三郎曾经身经百战的传说中的红铠甲，还是新罗三郎的出生与大友姓氏居住地，特别是大友姓氏人的精神寄托——三井寺有着某种渊源的推测，全部落空了。

无奈，那天下午我极度失望地离开了三井寺。但是，我不想就此罢手。这时，我突然想起在售票处购买的介绍有关三井寺历史的小册子上说，离寺院不远处有弘文天皇陵。

弘文天皇不就是大友王子的谥号吗?

大友王子获得弘文天皇之称，是在他惨死一千三百多年后的二战之后。

当年，尽管天武在他自己亲手弑杀的侄子、日本历史上最具悲剧色彩的大友王子的陵墓前修建了寺院，但是，有关大友王子的死因却被深深埋入历史长河之中。不，把悲剧王子大友的秘密埋入坟墓中的人，绝不是天武一人。时至今日，日本历史还在对大友王子的死因缄口不语。

既已至此，我决定去寻找悲剧性的人物——大友王子的陵墓。大友王子的陵墓位于三井寺外围，大概是三井寺向市里捐赠了部分土地，三井寺境内有高等学校、消防署、警察署等许多公共机构。

我沿着这条路快步走着。虽然天色还早，但是在晚秋时节，不知什么时候太阳就会落山。大约走了十多分钟，我发现路边立着一个小石碑，上面写着“弘文天皇御陵”，沿着石碑所指的方向，我上了山。

弘文天皇的陵墓就坐落在长等山上，山上立着一块木牌：“弘文天皇长等山前陵”。

虽然说是弘文天皇陵墓，实际上不过是一座极其简陋的坟墓而已。我看过许多日本王的奢华王陵，而面对如此简陋的悲剧王子大友的陵墓，令人不由得感慨万分。

我再一次陷入沉思。

我毫不留恋地离开了大友王子墓，毕竟，我千里迢迢来到三井寺，并不是为了大友王子墓。

当我两手空空地下山时，在一个三岔口我停了下来，点上了一支烟。我一边吸烟，一边随意地四处张望，无意中却发现这个岔路口立有一个石碑，上面写着“国宝新罗善神堂”。我心中一动，手中的香烟差一点掉在地上。

“新罗善神堂?”我不禁喃喃自语。

我寻访三井寺就是为了证实新罗三郎和三井寺是否有某种渊源。虽然我只是盲目地凭着一种预感，并没有确切的证据，但是，我却对此深信不疑。我在三井寺仔细考察了一整天，也未能找到与新罗三郎有关的蛛丝马迹。可是，就在我不甘心放弃，去看大友王子墓后回来的路上，却意外地发现了“新罗”的名字。

“新罗善神堂。”我继续自语道，“那不就是供奉新罗善神之处吗?”

我对新罗三郎的武士之名感到疑惑不解的是，为什么与高句丽、百济一样曾是韩国古代国名的新罗，会成为日本著名武士的姓氏呢？同样，“新罗”为什么会用作建筑名称呢？

善神，即恶神的反义词，顾名思义，与给人们带来灾难的魔鬼截然相反，是给人们带来幸运的神灵。既然如此，那么，为什么在供奉善神的建筑物前，会出现新罗三郎的“新罗”二字呢？

我沿着石碑所指示的方向走过去。走到小路尽头，我看到一座建筑。尽管这也在三井寺内，但是由于地处寺院的最外围，如今已变成了人迹罕至的荒地。我绕过建筑物的侧面，走到正门，才发现大门用铁锁锁着。透过栅栏向神堂里面望去，我看到在一块平整的空地上，立着一个小巧的建筑物。刚才因发现新罗二字而兴奋不已的我，现在却只看到了一个常见的日本普通建筑，顿时心生难以言表的失望之情。

难道就是这个吗？如此平凡的小屋就是国宝吗？如此简陋的小屋，怎么会使用“新罗”二字？

透过栅栏，我再次仔细端详那座建筑。那是一座再普通不过的具有日本传统风格的建筑物，屋顶用树皮连接而成，屋顶前面的斜度比后面大，具有神社的独特风格。建筑由几根柱子支撑，十几级台阶顺势而上。

台阶上面有一个日本式的房屋，但是房门紧锁，大概那间房内供奉着与新罗二字有关的善神。也就是说，被列为国宝的那座小房子，就是供奉着被称为新罗善神的神堂。

善神堂前面的院子里，有一棵看起来饱经几百年沧桑的枯死的参天大树。树下，立着一块介绍这座建筑的说明牌，于是我急忙跑过去细看。

以大津市名义介绍的说明牌内容如下：

“新罗善神堂由三间四房组成，屋顶由老松树皮制成，古朴典雅，被列为国宝级文物。历应三年（即公元1339年），由足立尊重建。这里供奉的新罗明神是圆城寺始祖智证大师的守护神，本尊新罗明神坐像亦是国宝级文物……”

读着读着，我兴奋得呼吸急促起来。正如我所预想的，这个善神堂就是供奉新罗明神的地方。如上所述，新罗明神不仅是国宝，而且是这个神堂的核心主佛。

读到说明牌的结尾处，我却又受到令人窒息般的冲击：

“源赖义之子源义光在这里举行了成人仪式，并改名为新罗三郎。”

我差一点跌倒在地上，扶着那个说明牌，才勉强保持了平衡。

我再次将目光转移到说明牌上。找到了，终于找到了。我终于在三井寺找到了新罗三郎的痕迹。

当时，日本的成人仪式通常在十三岁左右举行。也就是说，日本武士之父，即曾经平定日本历史上安倍叛乱的英雄源赖义，当第三个儿子源义光十三岁时，在这个新罗善神堂为其举行了成人仪式，并将儿子的名字改为新罗三郎。当时是1058年左右，显然，源赖义把这个神堂供奉的新罗明神视为自己的守护神。

我掏出火柴想点一支香烟，但是手抖得厉害，点了几次都没有点着。好不容易点着之后，我一下坐在地上。

我终于找到了答案。新罗三郎的父亲源赖义把这个神堂供奉的新罗明神视为自己的守护神，否则，他怎么会在自己的儿子十三岁时，在这里为其举行成人仪式，并将儿子的名字改为新罗三郎呢？这也证实在这一带地区势力强大的源氏家族正是百济和新罗人的后裔。

那么，供奉在神堂内的新罗明神从何而来？

说明牌上对新罗明神作了如下解释：

“新罗明神是圆城寺始祖智证大师的守护神，本尊新罗明神坐像亦是国宝……”

智证大师，就是三井寺的开山鼻祖圆珍。圆珍生于公元814年，卒于公元891年，是天台宗门第五代座祖。853年，搭乘新罗商人钦良晖的商船入唐，在唐朝学习了五年，于858年回国。圆珍回国时，从唐朝带回四百一十一卷经文，收藏在三井寺内，并成为本寺第一任住持。

供奉在神堂内的新罗明神与智证大师究竟有什么样的渊源？为什么新罗明神会成为智证大师的守护神？信仰佛教的僧侣，理应供奉释迦牟尼，并把释迦牟尼视为自己的守护神。但是，智证大师为什么要把新罗明神当作自己的本尊和守护神呢？

一连串的问题浮现在我的脑海，挥之不去。可是我的追踪不得不在到此为止，因为，晚秋的夕阳一眨眼的工夫就已落下山去，夜幕随即降临大地。由于神堂地处偏僻，周围没有任何照明设施，瞬间变得一片漆黑。若是能有一点儿光亮，我也会毫不迟疑地跃过栅栏走进神堂，亲眼目睹一下供奉在这里的新罗明神。然而无奈之下，我只好逃离似的在夜色中沿着山间小路快步奔下山去。

以上便是我去年秋天首次三井寺之旅的收获。在那次旅行中，我意外地发现三井寺与新罗三郎之间的渊源，但这一切只不过是一个开始而已。

之后，我又发现了新的疑问，新罗三郎的父亲源赖义为什么如此崇尚新罗明神，以至于在新罗明神前为第三个儿子举行了成人仪式，并将儿子的名字改为新罗三郎？而且，介绍牌中还写道，三井寺的开山鼻祖智证大师把新罗明神当作自己的守护神，那么，新罗明神究竟是何方神圣？

回到韩国之后，我仔细阅读了在三井寺购买的导游小册子，却对这些问题的疑惑越来越深。

小册子中的“圆城寺龙华会缘记”记载了以下内容：

公元858年6月，智证大师搭乘渤海国商人李延孝的商船从唐朝回国。途中突遇风暴，大难将至，于是大师便跪在船上祈祷平安。这时，突然有一位老翁出现在大师面前说道：“我是新罗明神。从现在起，我将护持你的佛法，并将保护你所带回的经文。只是你要答应我，在近江国滋贺郡建造圆城寺，并将佛经置于寺内。”

话音刚落，老翁立即消失，暴风雨也随即停止，海面恢复了平静。之后，智证大师平安归国，并按新罗明神旨意，入主大友姓氏的宗祠圆城寺，并建造供奉新罗明神的神堂。因此，新罗明神成为智证大师的守护神。

读完介绍三井寺，即过去称为圆城寺的小册子之后，我关注的焦点竟完全由新罗三郎转向了新罗明神。

由于新罗明神是日本武士之父源赖义的守护神，因此源赖义在儿子十三岁时，于供奉新罗明神的神堂前为其举行了成人仪式，并将儿子的名字改为新罗三郎。不仅如此，新罗明神还是三井寺的开山鼻祖智证大师的守护神。

据《缘记》记载，若不是那位守护神，智证大师搭乘的商船必将沉入海底，众人也将葬身大海。当然，智证大师所携带的四百一十一卷经文也将消失于滚滚浪涛之中。

新罗明神，在智证大师危难之际护持佛法，并指点大师建造三井寺的守护神!

智证大师平安归国之后，立即入主新罗明神指定的大友姓氏宗祠三井寺，并于859年就任第一代住持。

智证大师还让画工绘制了自己亲眼所见的新罗明神坐像，并建造了命名为“新罗寺”的建筑，将新罗明神坐像供奉在神堂内，当作自己的本尊和守护神。

那么，这位守护神是谁呢？在疾风暴雨的汹涌波涛中，智证大师遇到的那位老翁究竟是谁？既然是在大海上遇到的神明，那么他一定是大海之神，海神!

海神，在希腊神话中称之为“波塞冬”。传说中的波塞冬居住在海底宫殿，驾驭着青铜马掌和黄金缰绳装饰的宝马战车驰骋大海。每当波塞冬出现在大海上，海面便会风平浪静。

难道智证大师遇到的那位老翁就是海神波塞冬？不，不会的，因为那位海神分明说道：“我是新罗明神。从现在起，我将护持你的佛法和经文。”

新罗明神，这位智证大师在公元 858 年 6 月的暴风雨中遇到的大海之神，他究竟是谁？从何而来？

从此，我关注的焦点从新罗三郎转向了新罗明神。

在介绍三井寺小册子的最后一页，我幸运地找到了三井寺长吏谱，第一代从圆珍开始，最后一行是第一百六十二代俊明。如此，三井寺现在的住持应是第一百六十二代长吏俊明。

于是去年冬天，我立即动笔给住持写了一封长信。信中，我首先详细地介绍了我自己，然后说明了我追溯新罗三郎和新罗神明情况，最后征询能否有亲自拜见新罗明神像的机会。

寄信的同时，我还寄去一套自己最近在日本出版的作品，《失落的王国》全五卷。

事实上我很清楚，谁都不会向外人随意展示本国的国宝，这是情理之中的事情。除非他对我有充分的信任，否则，我这个外国人要想亲眼目睹是绝不可能的。

不管怎样，当我将书信寄出之后，便焦急地等待回音。可是，一个月过去了，二个月过去了，仍然杳无音讯。我坚信无论答应与否，对方一定会回信的，因为这是日本人的特点。于是，我固执而耐心地等待着。上周，我终于收到了盼望已久的回信。

在信箱里看到回信的一刹那，我的心激动得狂跳不止。信封上，用红色明朝体写着“三井寺长吏俊明”，而信中的内容与两个多月的等待相比，相对简单多了。

回信中写到：

“接到您的来信，未能及时回信，有一些不得已的原因。

您在信中提到能否拜见新罗明神像，我不敢自作主张，立即与我寺全体僧侣慎重商议，最后一致同意您的请求，不过有个条件：允许您出于个人原因进行拍摄，但不允许以此来作舆论报道或宣传。在此我再强调一下，您要求拜见的新罗明神本尊是日本国宝中的国宝，从未向外人公开展示过。

最后希望您同宗务所联系，有关您拜见的日期和时间，宗务所会协助安排。”

信的结尾，附有宗务所的联系电话，并且说明我拜见新罗明神时，如果情况允许，俊明住持可能会亲自接待我。

于是，我又立即通过国际电话与宗务所取得了联系。这可是亲眼目睹日本国宝中的国宝、至今尚未对外人公开过的新罗明神秘佛的绝好机会，如果一天一天拖延下去，就有可能会失去这个千载难逢的机会。结果宗务所只提了一个要求，周末游人较多，比较拥挤，所以希望我尽量能选择某个工作日。

从大津站沿着坂本山路走了三十多分钟以后，便远远地看到了三井寺的大门仁王门，不知不觉我的额头上冒出些许汗珠。虽然是平日，但是由于三井寺内的樱花远近闻名，因此，停车场里停了好几辆观光客车，卖茶水和食品的小商亭前十分拥挤。

我看了一下手表，快到上午十点了。

昨天晚上，我在京都下榻的酒店与宗务所通过电话，约好上午十点左右到达三井寺售票处前，还好比较准时。

穿过仁王门，便看到了被称为志纳所的售票处。志纳所里有两位老人，一人卖票，另一人卖书和神符等。

“您好！”我笑着向老人问好，老人以为我是买票的游客，不解地看着我。

“我是来拜访住持师父的。”我说道。

听我提起住持师父，老人神情慌张地问道：“……您约好了吗？”

“是的。昨天晚上和宗务所约好了，今天上午十点在这里通电话。”

“啊，是这样。”老人点头说道，“请稍等片刻。”说罢，老人便向宗务所挂了电话。

我望着远处通往金堂的山路，那里也变成了樱花的世界。有人说，不胜春情的樱花纷纷飘落的景色远远胜于樱花盛开之时。每当春风轻轻吹过，樱花便随着春风起舞纷飞，化为洁白的花雨轻轻飘落，将通往金堂的山间小路铺得一片雪白。

“施主。”陶醉在樱花中的我，被老人唤醒。

“已经联系好了，请您稍等片刻，马上就会有人给您带路。”

“啊，是吗？太谢谢了！”我躬身向他道谢。

志纳所前有一小小的空地，看来是境内观光车临时停车的停车场。那些观赏樱花的游客，三五成群地经过收票口，沿着台阶前往本堂。这时，从本堂传来了钟声，好像是金堂旁边钟楼上晚钟的声音。三井寺的晚钟是日本著名的三大名钟之一，因为钟声于浓浓雾霭中传来而被列为近江八大美景之一。

当，当，当……

近江地区由于靠近琵琶湖，天气常是云蒸雾绕。而今天这里却春光明媚，漫天飞舞的樱花取代了沉沉雾霭。正在我静静倾听远处传来的钟声之时，忽然有一辆汽车停在我的身边，一位身着僧袍的僧侣从车里走了出来。

“请问您是崔先生吗？”

“是的，我就是……”

“请上车，我是来给您带路的。”

上车后，那位僧人一边开车一边对我说：“昨天晚上接到您的电话，我就立即通报了俊明师父。师父也想见您，正在等您呢。师父一向事务繁忙，幸运的是今天上午可以抽出点儿时间。”

汽车穿过金堂，驶入右边的小路。小路顺阶而上，仿佛是樱花从中开辟出来的樱花隧道。

“您来的正是时候，今天是欣赏樱花的最后一天。天气预报说今天晚上有雨，如果下雨，一夜之间所有的樱花都会凋谢下来。”

每当这个季节，日本的媒体都会争相报道赏花资讯。听到僧侣说这么多的樱花一夜之间就会香消玉殒，我不禁想起一代名僧一休大师的诗句：

折枝难寻樱花影

春来花开天地间

一休是王侯和宫女的私生子，后来被妒火中烧的王妃赶了出来。由于生活所迫，他曾以卖香为生计艰难度日，直到二十岁才成为真正的僧侣。二十七岁时，他听到乌鸦的叫声，看到满园盛开的樱花，幡然醒悟，写下了这首著名的诗句。

就像一休的诗句一样，不久前还空空如也的樱花，如今却是无处不在，而明天，又会消失得无影无踪。樱花从哪里来，又到哪里去了。

我正在想着，汽车已经停了下来。我的眼前出现了一个用鹅卵石铺就的院子，院旁的一栋房子门前，挂着一个牌匾：光净院。这好像是一个接待香客的客殿，处理一些临时访问之类的事情。

“请进。”僧侣走在前面为我带路。

走上台阶，经过一个木廊再往里走，是一间宽敞的榻榻米房间。房间的后门敞开着，可以看到后院里有一个莲花池，池边在茂盛的树丛里盛开的樱花，一枝一枝朝着莲花池弯下了枝头。

“师父一会儿就到了，请一边喝茶一边等候吧。”僧人似乎早有准备，将已经烧开的热水倒入茶壶中。不一会儿，屋子里就氤氲着淡淡的茶香。僧侣熟练地泡着热茶，递给我一杯。

我一边喝着热茶，一边环顾了一下室内。从这个房间的家俱和摆设来看，这不像是为僧侣准备的，而像是为了接待外来的客人。

这时，从后面木廊上传来一阵脚步声。房间的门开了，走进来一位披着深红袈裟，身材高大的僧侣，我立刻站了起来。

“施主请坐，我就是俊明。”

俊明师父比我想像的老一些，但是身材高大魁梧，好像一位健壮的摔跤选手。后来我才知道，俊明师父已过八十高龄，虽说他是一位名校毕业生，却因其高大的身材，豪爽的性情，倒更像一位武士。

“您从远道而来，真是辛苦了！”

我和俊明师父在茶几两边相对而坐。当他从茶几上的一个小盒里取出自己的名片递给我时，我也递给他一张名片。然后，俊明师父轻轻说道：“您送给我的书我还没有看完，只看了一半吧。近江这个地区，您不是第一次来吧？”

“是的。”

我刚说完。俊明师父就大笑着说道：“近江地区，自古以来就是外来人的故乡。”

俊明师父一边喝茶，一边看着我。他的头没有用剃刀刮光，而是留了短短的头发。大概是因为这个缘故，他给我的总体印像不是犀利，而是温和。

“这个人……，”我看着他的眼神想着，“从第一代开山之祖圆珍传下来，如今已经过了一千二百多年。作为第一百六十二代传人，俊明师父的血液里一定流淌着圆珍的灵魂。”

“我首先说明一下，”互相问候之后，俊明师父开口说道，“其实，直到现在为止，我几乎没有向外界展示过这件宝物。虽然曾经只有过一次，但是，那是二十多年前的事了，而且那次是京都国立博物馆特别为三井寺所藏宝物举办的一次展览。除了那次，像现在这样的展示是从来没有过的。因此，收到先生的信之后，我迟迟没有回信，因为我们三井寺内也没有达成一致的意见。而且，新罗明神是我们寺院收藏的宝物中最为重要的藏品，堪称国宝中的国宝。您也一定非常了解吧，新罗明神是我们三井寺的开山之祖圆珍师父的守护神，当年，圆珍师父从唐朝回国时，遭遇不测，是新罗明神出现在船上，才解救了师父性命。”

“以前，新罗明神是供奉在寺院外的新罗善神堂，是我后来将其保存在金堂内，因为新罗明神具有无法估量的价值。与其珍贵的历史文化价值相比，更重要的是其象征的深远含义。是的，先生，新罗明神就是我们三井寺的象征。”

俊明师父兴致勃勃，侃侃而谈。

“不过，我们寺院的全体成员聚在一起商议之后，终于达成了一致意见，同意让你亲眼目睹一下我们的宝物。不管怎么说，新罗明神是与韩国有关的神佛，这个神佛的存在应该让韩国人知道。”

“谢谢您。”我郑重向他道谢。

“不必客气”，俊明师父摆摆手，说道：“应该感谢的不是我们，而是你们。因为新罗明神既是圆珍师父的守护神，也是我们三井寺的守护神。一千二百多年来，我们三井寺作为一个重要的佛法道场，一直香火不断，全都是因为新罗明神在保佑我们。”说着，俊明师父向带我进来的那位僧人递了一个眼色，那人便心领神会，后退着离开了房间。

“今天，我给先生看的新罗明神有两件，第一件是用绢本绘制的画像。这幅画像虽然不是国宝，但是，已经被列为重要的文化遗产。”

不一会儿，刚刚离开的僧侣小心翼翼地拎着一件东西走了进来，那是一幅高及僧侣双肩的古画，大约有一米左右宽吧。以前为了保存方便，便将其制成一幅卷画。再后来，为了便于欣赏，又重新进行了装裱。

不知道什么时候，那僧人已经戴上了白手套。

俊明师父继续介绍道：“以前，我们寺院收藏了三幅新罗明神像，虽然略有差异，但是形象非常相似。其中有一件过于陈旧，已经模糊不清了。不过，给您看的这幅新罗明神像是保存最好，也最清晰的一幅。”

俊明师父又示意了一下，那位僧人便将手中的画像放在了茶几上。

“我可以看看吗？”我问道。

俊明师父爽快地回答：“当然可以了。”

于是我走近那幅画细看。那是一幅画在细绢上的彩色肖像，果然如俊明师父所说的，画面清晰，保存完好。

画的中央是一把椅子，上面坐着一位姿势十分独特的老人。老人的右腿放在桌子下面，左腿却搭在椅子上，目视着左前方。他的右手拿着一些东西，仔细一看，是一卷纸，左手则持一根锡杖。在佛教里，文殊菩萨象征智慧，普贤菩萨象征仁德。如果这样分析，那么，画中人右手拿着卷纸应该象征文殊菩萨，左手握着锡杖又象征普贤菩萨。

不过，更引人注意的还是老人的面容，他白须垂胸，目光炯炯，头戴黑色头巾。那独特的黑色头巾像一顶官帽，一顶古人常戴的乌纱帽。尽管我不知这黑头巾源自何处，不过，有一点不争的事实是，在日本是绝对看不到这样的头巾的。再细细端详，老人的样子非常像韩国历史剧中经常出现的身穿传统官服的古代官员。是的，一句话，新罗明神不是日本民俗画中出现的人物形象，倒是与敦煌莫高窟里头戴鸟羽冠的新罗史神一模一样。

新罗明神的头顶上，有一个像太阳一样火红的圆圈，圆圈里面画的是本地佛——文殊菩萨。

我的视线又被坐在新罗明神脚下的武士吸引住了。武士身穿黑色官服，一副日本传统武士的装扮坐在新罗明神旁边。武士右边坐着两位女子，既像他夫人，又像他女儿，也是身着日本传统服装，双手端着供品。可以一眼断定，这两个女子一定是武士的家人。

这位身穿黑色官服的武士到底是谁呢？我看着坐在新罗明神脚下，对明神表露出无限恭敬的武士，心里充满了好奇。

猛地，我想起去年秋天在新罗善神堂偶然看到的那个简介。

“新罗善神堂：本堂由三间四房组成，屋顶由老松树皮制成，古朴典雅，被列为国宝，历应三年（公元 1339 年），由足利尊重新修建。”

如果该简介所写的内容属实，那么，新罗善神堂于 1339 年重新修建，修建新罗善神堂的人是足利尊。足利尊于 1305 年出生，1558 年去世，是幕府时代非常有名的将军。

“这幅画是什么时候画的呢？”我一边看着画像，一边问俊明师父。

俊明师父答道：“我不知道确切的时间，大概是幕府后期的作品。”

开创幕府时代的人便是新罗三郎的父亲源赖义的后裔源赖朝，从此以后，武士掌握了政权，建立了中世纪的封建社会。幕府时代持续了四百多年。

如果像俊明师父推测的那样，这幅新罗明神像画于幕府时代后期，那么，坐在新罗明神脚下敬拜明神的武士，很可能就是重新修建新罗善神堂的足利尊将军。

“虽然尚未得到考证，但是，据说画这幅新罗明神像的画家是幕府后期的冷泉为恭。冷泉为恭画的一个模子现在还保存在京都的圣护院。”

听俊明师父这样说，我更加好奇了，于是指着坐在新罗明神脚下武士问俊明师父：“那么，您认为这位身穿黑色衣服的武士就是幕府时代有名的足利尊将军吗？足利尊重新修建了新罗善神堂，那么，画家画新罗明神像时，是不是也将足利尊将军画进去了呢？”

“不是的。”俊明师父摆手答道。

“这位身穿黑色衣服的武士不是重新修建新罗善神堂的足利尊将军。当然，新罗善神堂是由足利尊将军于1339年重新修建的，这幅画画于数十年后的十五世纪幕府后期，当时，足利尊将军是最有权势的人，所以也有人推测画家把足利尊将军也画了进去。不过，我不这样认为。”

俊明师父停下来，喝了一口茶，望了望后院的樱花，继续说道：“我认为，这位身穿黑色衣服的武士不是足利尊将军，而是另外一个人。”

“那个人是谁呢？”

俊明师父简短地回答道：“新罗三郎。”

听到俊明师父说出这个熟悉的名字，我的心都要跳出来了。

俊明师父继续说道：“您也知道，新罗三郎的父亲源赖义在1051年出征之前，曾来到这里的善神堂，向新罗明神祈祷，并且发誓，如果取得胜利，他将把自己的一个儿子献给明神。

后来在那场战争中，源赖义果然大获全胜。于是他不负誓言，带着第三个儿子源义光来到这里，举行了成人仪式，并将儿子的名字改为新罗三郎。

再后来，新罗三郎的长子觉义出家为僧，在新罗善神堂西南建了一座寺院，起名为金光院。另外还有记载，他的女儿患眼疾时，也曾在这里祈祷以尽快痊愈。

由此可以判断，坐在新罗明神脚下的武士一定是新罗三郎，坐在对面的两名女子则是新罗三郎的夫人和女儿。”

俊明师父的解释言简意赅，令人信服。

“现在，新罗善神堂后面还有一座新罗三郎墓，还保留着他儿子修建的寺院遗址。新罗三郎死前就已嘱咐，要将自己的坟墓建在善神堂附近，足见他对新罗明神的崇敬之心。”

一切终于真相大白，我的心仍狂跳不止，异常激动。

由此可见，三井寺所在的近江地区就是新罗三郎的故乡，而且，他死后也埋在这里。武田家族的始祖——新罗三郎是从韩半岛迁移而来的外来人。另外，新罗三郎在三井寺珍藏的新罗明神像中也留下了自己的画像，以此证明自己的守护神只有新罗明神。

“我可以拍这幅画吗？”我问道。

俊明师父随即爽快地答道：“当然可以了。”

作为一个先决条件，我答应过俊明师父拍摄的照片不用于公开报道，而是只用于个人目的，所以，无论我怎么拍照，拍摄多少，他们都没有阻拦。

拍摄结束之后，俊明师父又向另一个僧人示意了一下，那人立即小心翼翼地收起新罗明神像退了出去。

我想起刚才俊明师父曾经说过，他要将这个寺院收藏的两件新罗明神像都展示给我看，于是便坐下来默默地等待另一幅明神像。

但是，我的期待却落空了。刚才收起新罗明神像退出去的僧人再次回到房间时，却两手空空。

俊明师父好像看透了我的心思，一边向我的茶杯续茶，一边说道：“如果想看第二幅新罗明神像，我们得换一个地方，在这里是看不到的。因为那幅新罗明神像是国宝中的国宝，不是可以从保存的地方随意挪动的。”

我明白了，默默地喝着他倒的绿茶抬头向后院望去，从树上飘落的樱花在静静的莲池上飞舞。

“刚才看到的新罗明神像是幕府后期的绘画作品，最多不过五百年，是一幅想像中的画像。不过，这次要给您看的却是一千两百多年前的雕像。我们寺院的圆珍师父在狂风暴雨的海面上因新罗明神的保护得以平安归来，所以回国后的第一件事，就是请来画匠，按照自己在海面上看到的新罗明神的样子，雕刻了一尊新罗明神坐像。雕像完成之后，圆珍师父亲自命名为‘新罗明神坐像’。随后，圆珍师父又修建了善神堂，将这尊神像当作主佛供奉在堂内。现在要看的这尊新罗明神像就是圆珍师父当年在狂风暴雨的大海上遇到的那位守护神的真实面目。”

俊明师父说得很对，“新罗明神坐像”是具有一千二百年的国宝至尊，当然不能从供奉的位置随意挪动了。

“那么，”我谨慎地问道，“供奉新罗明神坐像的地方在哪呢?”

“以前，供奉新罗明神坐像的地方在您去年秋天去过的新罗善神堂。但是由于这个地方过于偏僻，安全状况不佳。不久前，转移到了金堂。”

三井寺金堂，其建筑本身就是一件国宝，是日本境内最大的佛堂。与韩国的寺刹相比，可以说是日本的大雄宝殿。它在1590年由丰臣秀吉兴建，是这一带建筑中首屈一指的大杰作。

“那么，我们一起去看看吧！”俊明师父倏地站起来，于是我们急急地离开了客殿。

在铺着鹅卵石的院子里，俊明师父快步走在前面，一副不拘礼节、自然随意的样子竟令人无法相信他已是八十高龄的老人。

几名正在参拜的香客，看到俊明师父慌忙行礼。我们跟随俊明师父走上台阶，向金堂走去。

去年秋天，我曾参观过一次金堂。与韩国的大雄宝殿不同且令人不解的是，作为三井寺的核心建筑，金堂没有供奉主佛，而只供奉着叫做须弥壇的小佛壇。这个佛壇叫做厨子，这种形式的佛殿主要是在禅宗的寺刹中使用。从这种含义上理解，金堂与其说是供奉佛教本尊释迦牟尼的佛堂，还不如说是供奉和展示三井寺收藏的各种珍贵文物的博物馆。

俊明师父在佛壇前简单行了礼。正如俊明师父所说，将三井寺所收藏的国宝中的国宝——新罗明神坐像展示给非佛教人士的外人之前，首先应该通报守护神明神。俊明师父的样子好像是为了击退无恶不作的恶神而向神佛祭礼。这时，我也站在口中念念有词的俊明师父后面，双手合掌，在心里真诚地祈祷。

简单的礼拜很快就结束了。我烧了一炷香之后，我们便向金堂内室走去，一路上都能看到三井寺收藏的各种文物：从三井寺的开山祖师智证大师坐像起，一直到千手观音立像，十一面观音立像，不动明王立像，护法善神立像，吉祥天立像等众多佛像。在金堂朦朦胧胧的灯光下，这些佛像显得更加诡异神奇。

走在前面的俊明师父停下了脚步，用手指着一个地方问道：“您知道这是什么吗?”

我顺着他指的方向望去，那里摆着一个座钟，高不足一米，大约有 80 厘米，是一个不大不小的座钟。忽然，我看到钟顶刻着龙的形状，用龙头修饰钟，这不是韩国钟的特点吗?

“这不是韩国钟吗?”我自语地说着。

俊明师父笑着说道：“是的，这是韩国钟，我们都叫它‘朝鲜钟’。”

就如俊明师父所说的，那果然是一座朝鲜钟。不仅从钟顶上刻着的龙，从钟体上刻着的飞天像，也可以看出此钟是由韩国制造的。将飞天像和龙头刻在钟上，是韩国钟独有的一个特征。

随即，我在撞钟的“撞座”旁边看到了雕刻的铭文。我走到前面仔细看起来。雕刻的铭文比较清晰，内容如下：

大平十二年壬申十二月日青凫大寺
钟百七斤大匠位金庆门栋

我正看着，俊明师父对我说道：“大平就是中国辽国的年号，大平十二年相当于德宗元年，即公元1032年。由此可以推断，这是一千年前制造的法钟。

这一千年前制造的朝鲜钟是如何来到我们三井寺的呢？没有一个人知道其中的缘由，只知道这里雕刻的‘青凫大寺’是韩国古代的一个地名，就是现在的庆尚北道青松郡。这大概是青松郡的某一个寺院用过的法钟，经过几番周折，来到了这里吧。”

俊明师父用手抚摸着钟的表面，继续说道：“这座法钟在三井寺金堂内保存很久了。自古以来，许多文人墨客看到此钟以后留下了不少诗画。他们留下的诗画现在还陈列在文化馆里。由此可见，这座朝鲜钟一直十分受人喜爱。”

我虽然没有开口说什么，但是我心里想：“我却知道这座钟如何来到日本的缘由。确如俊明师父所说，这座钟是于1032年由金庆门制造的。它若真是庆尚北道青松郡某一个寺院用过的法钟，那么一定是五百年之后，发生壬辰倭乱时这座钟被强行掠夺后运到了日本。”

非常巧合的是，保存这座法钟的金堂，是1598年统一天下的丰臣秀吉兴建的。那么，一定是丰臣秀吉命令把倭军掠夺的朝鲜钟放在自己兴建的金堂内。

我的心不由得沉重起来。

俊明师父知道吗？这座朝鲜钟是应该归还给韩国的，是被掠夺的文化遗产。

俊明师父走进一个狭窄的地下通道，通道门口挂着“禁止出入”牌子。从这里起，好像就是禁止外人进入的金壇区。

我们踏着地下通道的台阶，慢慢走下去，一股凉气缓缓袭来。金堂地下，另外还有一个收藏库，那里配有可以长年保持恒温的特殊设备。

这是日本独特的传统，即使是没有多少艺术价值或历史价值的文物，日本人也认为神体神圣而珍贵地保护起来。

走在前面的俊明师父从口袋里拿出什么，从声音听来是一串钥匙。在台阶的尽头，一扇厚厚的铁门挡住了去路，像银行金库厚厚的防盗门一样，俊明师父用了三四把钥匙，又按了几个号码，终于，“当啷”一声，门开了。

俊明师父先进去打开电灯，电灯闪了几下照亮了全室。

“请进吧”俊明师父的手伸向室内向我说道，于是我走了进去。

这个收藏库被几个陈列柜分隔成几个不同的空间，而其他陈列柜则像博物馆一样，靠墙立着。陈列柜上摆放的全都是收藏在三井寺的国宝级文物。

首先映入我眼帘的是三井寺的开山鼻祖智证大师坐像。以前，我也曾看过几尊智证大师坐像，在此之前刚刚参拜的须弥壇佛壇，也有一尊智证大师坐像。

“我们称这尊坐像为御骨大师。”俊明师父好像看透我的心思，开口说道，“因为在这尊坐像的脸上有大师的遗骨和舍利子，这尊坐像里面也放着大师的舍利子。”

在佛教里，被称作活佛的高僧圆寂之后，将按照他圆寂时的样子造一尊佛像。虽然这尊智证大师坐像并不是按照他圆寂时的样子制造的，但是由于内部存有智证大师的遗骨，而且其大小几乎和真人一模一样，所以，当我看到被称作御骨大师的智证大师坐像，眼前仿佛如真人一般感到栩栩如生。

俊明师父在智证大师坐像前合掌敬拜之后，向前走了几步，指着下一个陈列柜对我说道：“现在，先生看到的就是新罗明神坐像。”

陈列柜里摆放的也是一尊坐像。

我走到俊明师父指的那个陈列柜前面，瞬间，仿佛一股电流穿过我的全身。

这尊雕像比智证大师的御骨大师坐像更加逼真。我恍惚觉得陈列柜里分明坐着一个活人，头戴一顶三角形的黑色帽子，银须髯髯，垂到胸前。老人面带微笑，嘴唇红润，仿佛随时就要开口说话。

最能打动人心的是他的两只眼睛，眉眼细长，眼角低垂，眼眸像充血似的有点发红，好像一个精力旺盛的青壮年，熠熠生辉。在此之前看到的新罗明神像是用细绢绘制的画像，而现在看到的明神像却是木雕的立体的形象，感觉更加栩栩如生。经过一千二百多年的漫长岁月，雕像依然色彩鲜明，白润的脸庞，深深的皱纹，高挺的鼻子，犀利的目光……棱角分明，极具个性，一身飘逸的道袍盖住了整个身体，道袍上精美的花纹也清晰可见。他的右手张开着，好像托着什么，左手则五指合拢，好像握着什么，从他的手指形状来看，像新罗明神画像一样，右手应该曾经托着经卷，左手曾经握着锡杖。

整尊雕像不断地冲击着我的心灵，一次次让我感觉到他生动的形象和真切的面容。是的，他活着，他分明是一个鲜活的生命。

我一边看着三井寺收藏的至尊秘佛——新罗明神坐像，一边想：“今天，我终于亲眼看到了新罗明神。新罗明神既是圆珍师父的守护神，也是新罗三郎的守护神。源赖义就是根据新罗明神的名字，将儿子的名字改为新罗三郎的。一千二百多年前，圆珍在风雨交加的海上有幸遇到新罗明神，然后雕刻成像保存在这里。但是，这不仅仅是一尊雕像，即使已经度过了一千二百多年的岁月，现在他仍然是一位活生生的神明。”

尽管这尊明神坐像高约 70 厘米，比真人略小一点，但是，依然能令人感受到他超凡的领袖气质和创造奇迹的卓越才能。在此之前，我在日本看过不少神像，但是像这尊如此奇特的神像，还是第一次目睹。

关于这尊新罗明神坐像，三井寺编纂的书上有详细说明：

此为木制新罗明神坐像（高70.8厘米）。

此像保存在三井寺北院的中心佛堂"新罗善神堂"内，被称为秘佛，是日本神像雕刻史中最具代表性的杰作。

神像色彩鲜明，极具异国特色。神像的由来，也极具神秘色彩。

新罗明神头戴山形头冠，身披精美道袍，下装宽松，盘腿而坐。

神像手中所持之物已不知去向，据说，其右手托一卷经，左手握一锡杖，而今双手空空，令人略感惶恐。

神像身首一体，由一棵老松雕刻而成，着色鲜艳。山形头冠着黑色，面容手足着白色，眼眉与眼睛轮廓为黑色，而眼白则为红色。其瞳仁黑亮，口唇红润，银须白发皆飘逸如丝。

神像所披道袍为茶色，上绘黑色宝相花纹（宝相花纹：佛教中的一种奇花异草）与银色菊花花纹，精美绝伦。袖口宽大，其内红色内衣隐约可见。

神像腰系青绿佩带，下身白裤印有黑色霰文与菊花纹饰。

整座雕像，服装与色彩搭配简洁明快，自然流畅。

神像面部尤其极具特色，令人印象深刻。其异国神灵和护法神明的形象十分突出，仿佛智证大师在海上所遇新罗明神之神话重现眼前……神像手指形状奇妙，令神像更具神秘色彩……

此神不仅为护法神明，且有调伏外敌之神力，故其奇异形象与其他神像截然不同。此形象在韩国众多的护法神中，亦极具特色。

即使不读有关三井寺的详细说明，通过亲眼所见我也能够感受到，这尊新罗明神坐像是在日本其他任何一个地方也看不到的奇特的神像。

是的，这尊神像正如其名，吸取了新罗人的特点。新罗人，即具有代表性的韩国人。

在此次三井寺之行中，我终于亲眼看到了新罗明神坐像，实现了我的愿望。

当我向俊明师父告辞时，俊明师父诚恳地挽留我共进午餐，被我婉言谢绝。俊明师父让我亲眼目睹了从来没有公开过的新罗明神像，而且，还特许我拍摄，对此我已感激不尽，无以言表了。

那天下午，我便离开了三井寺。

我向俊明师父匆匆道别还有另外一个原因，那就是为了去参观俊明师父提到的新罗三郎墓。俊明师父不是说这样的话吗？“现在，新罗善神堂后面还有一座新罗三郎墓，还保留有他的儿子兴建的金光院遗址。新罗三郎死前嘱咐将自己的坟墓建在善神堂附近，可见他对新罗明神的崇敬之心。”

我想，既然已经来到这里，就应该去参观一下新罗三郎墓。于是，我问过俊明师父：“您说的新罗三郎墓在哪里呢？”

俊明师父便给了我一本供游览客阅读的小册子，小册子上印着三井寺的平面图。很快，我便在上面找到了“新罗三郎义光墓”。

找到新罗三郎墓的位置后我感到非常惊讶，因为，它就在我去年秋天去过的大友王子，弘文天皇墓的附近。不仅如此，它还更靠近我路过大友王子墓时偶然发现的新罗善神堂，即供奉新罗明神的佛堂。

因为去年秋天已经去过一次，所以，辞别俊明师父之后，我没有半点迟疑，走过仁王门，便向左转去。

此时已经过了午餐时间，但是，我没有一点儿饥饿感。在仁王门前的停车场里停满了接送赏花客人的观光客车，由于游客太多，即使到了下午，餐厅也是人满为患。

我快步走在狭窄的小路上，路边有一条清澈的小溪缓缓的流淌，小溪里不时有飘落的樱花和落叶顺流而下，遇上水中的石头，便停在那里，在水中堆成一座一座花瓣山……

走在去年秋天曾经走过的小路上，我自我安慰道：“我和俊明师父分开之后，连午饭也不吃便急匆匆地去新罗三郎墓，是有原因的。”

是的，从看到新罗明神像那一刻起，我的头脑里就开始浮想联翩了。我想这里一定有一个秘密，但是，我理不出头绪，也想不出结果。在所有的想像消失之前，我必须尽快理清思路，于是，我加快脚步向新罗三郎墓赶去。

公元 858 年 6 月，在风雨交加的船上出现的新罗明神究竟是谁呢？圆珍遇见的可能是大海之神，海神。

所有的神话中的神，都是将真人神化了的神，因此，曾说着：“我是新罗明神，从现在起，我将护持你的佛法”的新罗明神，应该有一个现实生活中曾经存在的真人，如果没有真人，那么，圆珍遇到的新罗明神只不过是幽灵而已。

在前往新罗三郎墓的寂静的路上，我一边急步走着，一边想：“那么，他究竟是谁呢？”

如果说保护义湘的华严思想的海神是善妙的化身，那么，保护圆珍的法华思想的海神——新罗明神的原型究竟是谁呢？

我忽然想起看完新罗明神之后，俊明师父给我看过的另一件文物。

“这是我们三井寺收藏的另一件珍贵文物，这件文物也曾被列为国宝。”即将分别之时，俊明师父将收藏库中单独收藏的一本书拿出来，一边给我看一边对我说：“这件文物，是我们三井寺的开山之祖智证大师 858 年从唐朝归国时，当时还留在唐朝的新罗僧道玄写给大师的送别诗。”

这首送别诗题目为：

谨呈，珍内供奉上人，从秦归东送别诗。

诗的题目下面，写着诗人的名字："镇西老释道玄"。

镇西府就是现在日本九州的太宰府。从这首诗中可以看出，从743年到745年，新罗僧道玄曾在古代称镇西府的九州太宰府居住过。因此，道玄称自己："镇西老释道玄上"。

走着走着，我觉得有些累了。路边有一条为等候乘坐客车的人准备的长椅，长椅后面还有一个自动售货机。于是我从口袋里取出硬币买了一听咖啡，然后坐在长椅上取出了小册子。小册子上印着俊明师父在三井寺金堂给我看过的送别诗。

我慢慢喝着咖啡，一边读着这首送别诗。这是一首难懂的中文诗，被我差一点忽略过。还好，我又重新发现了它。我拿出笔和纸，认认真真地抄了下来。如果当时我不抄下这首诗，那么，我有可能永远陷在迷宫里，永远不能发现新罗明神的真实原型。是的，正是通过新罗僧道玄的这首写给圆珍的送别诗，我解开了新罗明神之谜。从这个意义上讲，对我而言，这首送别诗是开启秘密之门的一把钥匙。

我一边喝着凉爽的咖啡，一边一字一字地读着这首诗：

一时倾盖恩如旧，
岂敢情论白发新。
贰岳知踪拾玉早，
海藏迷路阻玄津。
龙宫入者虽多客，
独得骊珠宝髻珍。
若与善根分付了，
台山有室待□□。

就是这样一首七言律诗，由于年代过久，最后一行最后两个字已经无法判别，所以就这样空着。

真是一首难以理解的诗，我一字一字的理解诗的大意之后，对新罗僧道玄产生了新的疑问："新罗僧道玄，他是谁呢?"

从"镇西老释道玄"的题名中可以看出，他曾经在镇西府生活过，既然镇西府就是指历史上九州地区的贸易中心太宰府，那么，道玄就应该是曾在日本生活过的新罗僧人，他精通日本语和新罗语，曾经做过翻译官。

如果说，在圆仁游记中出现的道玄和为圆珍写送别诗的道玄是同一个人，那么，新罗僧道玄一定是839年~858年之间存在的真实的历史人物。

虽然没有资料显示新罗僧道玄何年出生何年去世的生平记录，也没有关于他行迹的记载，但是可以肯定的是，至少从839年~858年之间，道玄确实存在。他自由来往于日本、唐朝和新罗之间，精通三国语言，不仅做过翻译官，而且还与日本佛教史上最优秀的高僧圆仁大师和圆珍大师建立了深厚的友谊。

那么在新罗僧实际存在的839年~858年之间，究竟发生了哪些历史事件呢?

突然，我的脑海中闪过一个大胆的猜想，令我一下从座位上站了起来。

张保皋。

在那一瞬间，浮上我脑海的人就是张保皋。

我尚不清楚张保皋何时出生，但是他于新罗文成王三年即公元841年去世。因此，张保皋是历史上在839年~858年间最著名的人物。张保皋不仅统治着连接唐朝、新罗和日本的海域，被称为海洋之王，而且还是指挥强大的新罗船队的盟主。因此，无论是日本的遣唐使，还是入唐求法的僧人，如果不通过张保皋指挥的新罗船队，任何人都无法入唐，甚至，那时的日本人竟称张保皋的新罗船队为"遣唐船"。

不仅如此，精通中文和日文的翻译官，也都是张保皋手下的新罗人。他们不仅做翻译，还为遣唐使提供各种便利，如购买和修理船舶，同政府机关和公共机关交涉，同在唐的新罗人联系，为求法

僧人安排授学、巡礼、回国等事宜。他们是擅长处理和解决这类问题的精英人物。

与马可波罗的《东方见闻录》和玄奘的《大唐西域记》齐名的世界三大游记之一《入唐求法巡礼行记》中，圆仁记录了有关张保皋的内容。尤其在张保皋生前的一段日子里，圆仁在自己的日记中曾有三四次提到过张保皋的名字。

公元839年4月2日

风向西南。大使召集各船的官吏共同商议出发的问题，让每个官吏发表自己的意见。第二艘船的官吏说道：‘我想，大周山在新罗的正西方，如果我们到了那里之后再回日本，无疑是一场灾难。当前，张保皋在新罗发起内乱，如果遇到西风或西北风，我们就会被送到敌国新罗……’

公元839年4月20日

一大清早，新罗人乘着小船前来转告，张保皋与新罗王子合谋发动叛乱，使王子登上王位。空中刮着强烈的南风，小船在巨浪中剧烈摇晃。

公元839年6月7日

正午时分，刮起西北风，便升起船帆。下午二三时左右，船到达赤山东海岸，西北风刮得更猛烈了。

赤山完全由岩石组成，高耸入云。赤山脚下，就是文登县清宁乡赤山村。山上有一座寺院，叫做赤山法华院，这是张保皋建造的第一座寺院，他拥有这一片土地，用以补给粮食。

那片土地一年能产大米500石……

寺院南面有一块刀削一般的巨大岩石，山上的泉水经过正院由东向西缓缓流淌，东面是广阔无垠的大海，西南面是连绵不绝的山峰，只有西南面有一个山坡……

公元839年6月27日

听说张保皋的两艘交关船到达了赤山浦……

如上所述，圆仁在日记中详细记载了当时的海上英雄张保皋。

张保皋曾发动政变弑杀了闵哀王，让神武王即位。他还在一年能产五百石大米的赤山村建造了一座大寺院——法华寺，并同中国进行频繁的贸易往来，还曾向中国派遣贸易使节“遣唐购物使”。圆仁把这种贸易船称为交关船。通过圆仁的日记，可以间接地了解到当时张保皋巨大的影响力。

此外，圆仁日记中还有一段更能体现海上王张保皋的威严。840年2月17日，圆仁为了经张保皋的总本部清海镇回日本，曾给张保皋的部下，后任清海镇兵马使的崔晕写过一封信。圆仁的信虽然是写给崔晕的，但是，他的真实用意是希望通过崔晕转交给张保皋。如今，这封信成为了解张保皋的珍贵资料。

圆仁在那封信中称自己是“日本求法僧传灯法师位圆仁”，他在日本僧位中高居第四长达七百六十年。由此可见，圆仁在日本佛教中的地位十分重要。

圆仁在这封信中称收信人张保皋为“清海镇张大使麾下谨空”。清海镇张大使是张保皋的尊称，从中可以看出，圆仁对张保皋非常敬重。圆仁离开故乡时，筑前太守给张保皋写过一封信也是事实，当时的太守名叫小野，由此可见，那时如果想从日本去唐朝，必须经过清海镇大使张保皋的领海。

是的。

我用颤抖的手点了一支烟，然后把喝完的咖啡罐扔进垃圾箱。我深吸一口气，试图平静一下我激动的心情。

那段时期，张保皋是大海的英雄，是统治大海的海神。

“那么，”我不由得喃喃自语起来，“在暴风雨中，出现在圆珍面前的新罗明神，不就是张保皋吗?”

曾经叱咤风云的张保皋结局悲惨地死于公元 841 年，而圆珍从唐朝回国的时间是 858 年 6 月。虽然相隔十七年，但是，正是张保皋的死使他化身为海神，成为大海之神，就像善妙死后变成海龙成为女神一样。

是的，张保皋就是新罗明神。现身于圆珍面前说："我是新罗明神。从现在起，我将护持你的佛法"的新罗明神，正是张保皋化身的海神。由此可以断定，我刚刚在三井寺金堂看到的新罗明神就是一千二百年前死去的张保皋的肖像。

跨过时间与空间，我跟随时间之神回到一千二百年前的世界，用自己的双眼亲自确认了张保皋的面容。

我异常激动，无法平静自己的心情。我一边深呼吸，一边再次走上小路。

"弘文天王御陵"。

在一个岔口，我又看到了这块立着的石碑。去年秋天，我寻访大友王子墓时曾见过这个路标。

那时，我为了探寻新罗三郎的真实身份来到三井寺，却偶然发现了弘文天王墓。而在祭拜弘文天王回来的路上，又意外地发现了新罗善神堂。我才得知，新罗三郎就是在这座新罗善神堂里举行了成人仪式。从那以后，我开始对供奉在善神堂里的新罗明神产生了浓厚的兴趣，而彻底忘记了新罗三郎和他的那件红色铠甲。

我一边走在去年秋天曾经走过的山路，一边想："真没想到，在去参拜新罗三郎墓的途中，我看到了张保皋的肖像，才发现新罗明神的原型竟然就是张保皋。"

圆仁，日本佛教史上最出众的高僧，俗姓壬生，公元 794 年出生于日本的下野。他十五岁出家，随日本天台宗创始人最澄修行，成为日本天台宗第一高僧。不仅如此，838 年在他四十五岁时，还搭乘遣唐船入唐。

圆仁在延历寺收集《天台教义》，并先后在扬州、五台山、长安等地拜访高僧，学习佛法、梵文和中文。历经种种艰苦和磨难，最后于唐武宗会昌年间，即公元 847 年，带着长疏、曼荼罗等 589 部 794 卷资料回到日本。

圆仁回国之后，潜心研究从五台山带来的佛经，并建造了法华总持院。公元 864 年正月 14 日，他七十一岁时圆寂，当时的天皇清和赐他谥号慈觉大师。由此，在日本佛教史上，第一次出现了大师之称。

慈觉大师圆仁，他曾在唐朝生活十年，有形无形地接受了新罗人，尤其得到当时新罗人盟主张保皋的不少帮助。

如圆仁日记所述，他在张保皋建造的法华寺居住了一段时间，为了回到日本，还曾给张保皋写过书信，称"虽有生以来，未曾拜会，但久闻大使之名。春意正浓，天气和暖，恭祝大使大人身体安康！圆仁远在千里，深受鸿恩，敬仰之心，无以言表。"

还能有比这样的尊称，比这样的语言更恭敬的吗？得到日本最著名的高僧慈觉大师如此尊敬的人，就是张保皋大使。

山路越来越狭窄了，起初还能看到路边连成一排的房屋，但越往上走，却越没有人迹。狭窄的林中小路，能勉强经过一辆汽车。

树林里枝叶茂盛，绿树成荫。我一边在树林中寻找新罗三郎墓，一边想：是的，源义光就是在新罗明神前举行了成人仪式，既而成为张保皋的后裔。因此可以说，新罗三郎是张保皋的养子。

虽然源义光的亲生父亲是源赖义，但是，源赖义只是给了源义光一个肉身而已。由于源义光在新罗明神前举行了成人仪式，并改名为新罗三郎，所以，新罗明神才是源义光的真正父亲，成为新罗明神原型张保皋的后裔。日本最高武士武田信玄的始祖虽然是新罗三郎，但是，灵魂的始祖却是张保皋。

新罗三郎，1045 年出生，1127 年去世，日本传奇性的武士。

关于这位武士，学者三善为康曾经记载：

新罗三郎，即源义光，他曾让儿子觉义出家，使他成为金光院的初祖，而新罗三郎晚年就居住在新罗善神堂附近的金光院，一心念佛，祈祷极乐往生。

在这座寺院里，新罗三郎一心在为过去的战争中战死的敌我将士祈祷冥福，祈祷极乐往生，以此度过了自己的余生。

新罗三郎在寺院里一心念佛，一有时间就静静地吹笙。新罗三郎是当时最出色的奏笙名人，

当他吹奏笙的时候，连天上的飞鸟也会停下来聆听，连夜空中浓密的乌云也会悄然散开，让皎洁的月光洒落清辉。有一天，新罗三郎在金光院吹笙，吹着吹着，在余音缭绕的音乐里，安静地闭上了眼睛。他的遗体火葬后，埋在寺院后面……

新罗三郎不仅是一位传奇性的武士，还是一位出色的笙演奏家，通过三善为康的这段描述，让人感觉到新罗三郎悲壮而美好的余生。

为了帮助兄长源义家，曾身穿红色铠甲，手挥“风林火山”战旗，平定了清原叛军的新罗三郎，从他开始，便诞生了日本传奇性的武士名门，武田家族。

新罗三郎，一个平生在战场上度过的武士，晚年却削发为僧，身披袈裟，为自己杀死的敌人的灵魂静静祈祷，以笙代剑度过余生。难道不是在感叹人生无常，人生虚无吗？

山中一个行人也没有，寂静无声。附近也没有一处房屋，连一个问路的人都找不到。

“一定就在附近”，我拨开及膝的杂草，摸索着在树丛中到处寻找。

忽然，我看到一处相对平整的平地，一眼就能看出，平地上曾建有某种建筑。那一刻，我的耳边想起了俊明师父的声音：“直到现在为止，新罗善神堂后面还留有新罗三郎墓，还留着新罗三郎的儿子觉义建造的寺院遗迹。”

如果俊明师父所言属实，那么这里一定就是新罗三郎的儿子觉

义建造的金光院遗址。

我拨开杂草，大致看了一下四周。果然，杂草丛中有础石出现，从础石的大小看，这座寺院不大。不管怎样，新罗三郎就在这里度过了晚年，祈祷极乐往生，祈祷被自己杀死的敌人，并且在这里一边吹奏着笙，一边感叹人生虚无，然后静静地停止了呼吸。

“如果真是这样，”我一边观察四周，一边想：“如果这里就是新罗三郎的儿子建造的寺院遗址，那么，新罗三郎墓一定就在附近。”

我猜对了。从平地走出不远，又出现了一条弯弯的小路，路口立着一块石碑，石碑被杂草覆盖，看不清楚，我走过去，拨开杂草看见了石碑上的刻字：“新罗三郎源义光墓”。

“找到了，”我一边用手背擦着额头上的汗水，一边自言自语：“新罗三郎墓，终于找到了。”

沿着石头铺成的台阶走进树林深处，我看到了一个用石头砌成的坟墓。坟墓周围用石柱围成一个防栏，为防外人随意闯入，还安装了一道铁门，但是，铁门敞开着。坟墓前，立着一根类似幢杆的柱子。

墓的周围开满了樱花，置身其中，依稀听到有几只小鸟落在树枝上莺莺啼鸣。由于樱花开得太热烈了，即使是非常微弱的声音，满枝的樱花也仿佛受了惊吓似的，纷纷飘落。纷飞的樱花落在新罗三郎墓上，一片雪白。

我默默地低头看着新罗三郎墓，继续想着：“我为什么要来这里呢？是为了赞美新罗三郎之魂吗？或者是为了寻找新罗三郎曾经穿过的红铠甲？当我发现新罗三郎和三井寺的渊源后，我从来没有想过，我还会发现新罗明神的存在。”

新罗明神。

我可以十分肯定地说，新罗明神的原型就是张保皋，难道这一切都是偶然吗？不是的，我摇头否认。

这不是偶然，而是一种必然。武田信玄的无敌骑兵用过的战旗和穿过的红铠甲，对我而言，只不过是挂在鱼线上的浮标而已。那浮标上挂着的鱼饵才是吸引我跨入历史探求的诱因。

用鱼饵吸引着我跨入历史探求的人是谁呢？是谁用这种巧妙的方法，让我沉溺于历史的海洋？

张保皋。

新罗贵族曾轻蔑地称岛民出身的张保皋为海岛人，然而将我带入历史海洋的人，就是海岛人张保皋。

“如此，”我取出插在香炉里还没有燃尽的香，想到：“带我来到这里的人，不是新罗三郎，而是张保皋。他用这种巧妙的方法，将我吸引到这里。我在这里发现的不是新罗三郎，而是新罗三郎的守护神大海之神，张保皋。”

我从口袋里取出打火机，点燃了香。顿时，香气四散开来。我又把香重新插入香炉里。

我想，我可以到此为止了。

我想，追慕新罗三郎之魂的焚香，可以结束了，我已经没有理由继续留在这里了。于是，我毫不留恋地离开了新罗三郎墓。

从茂盛的树林里走出来，我开始感到有点饥饿。已经过了下午三点，午餐时间早已过了。但是，我并不想吃什么，我的心里，因发现了新的历史追踪对象而激动不已。

我再次想起新罗僧道玄写给圆仁的送别诗：

海藏迷路阴玄津

龙宫入者虽多客

“是啊，”我自言自语着，“大海里，仍然有许多迷路，仍然有许多人想去大海深处的龙宫。但是，在那数不清的迷宫之中，在那大海深处，海岛人张保皋将我带到了这条迷路上。”

在那大海深处，张保皋是怎样成为大海之神的呢？文成王三年，即公元841年，被自己的部下暗害而惨死的张保皋，是怎样打开大海深处的迷路，成为海神的呢？

我走过树林，从狭窄的山路上，快步向山下走去，站在大路上，我犹豫着："我是走路回大津市呢，还是坐出租车？"

忽然，我看见马路对面有一个小站，是一个开往京都外围地区的郊外线。与以前途经汉城的电车相似，这是一种狭轨列车。我想，坐狭轨列车回京都一定很有趣味。

我毫不犹豫地买了车票，走入车站。与普通列车的地下车站不同，这是一个没有屋顶的简易车站，车站里只备有长条椅。虽然那里贴着前往各地的列车时刻表，但是我无心留意。我想，只要静静等候，无论什么时候，一定会有列车开来。于是，我安然地坐在椅子上，悠闲地吸着烟。

小站里也开满了樱花，遮住了整个小站，仿佛大白天挂着一串串雪白的灯笼。

"现在一切都结束了。"我坐在椅子上，伸着懒腰想着："可能再也没有机会来三井寺了，与花开同喜，与花落同悲的春天，樱花开得如此灿烂，如此辉煌的春天，可能再也看不到了。"

郊外线列车穿过樱花驶入车站，我站起来，踏上列车。

就这样，我的历史追踪开启了新的一页，对张保皋的历史追踪就这样开始了。

我很喜欢用这种方法来开始这种历史小说。人们通常都会对作家们是如何接近生活在千年以前的历史人物充满疑问。作家不是生而知之的，因此交待作家的写作动机和写作及调研过程是及其重要的。这种交待会给读者一些警示：不要把读到的东西完全照单全收，同时也给读者一些启示：你们也可以用同样的方法去亲近一个历史人物。

这部历史小说，就像一颗小种子，源于一个小小的问题"张保皋是谁？"而同任何问题一同产生的是问题的答案，如果答案暂时没有，那就继续追问下去，一直到水落石出。

第二章 清海镇大使

1

兴德大王三年，即公元828年4月。

有一人从远方风尘仆仆而来，他要到新罗王都萨拉伯尔谒见兴德大王。这个人便是张保皋，原名弓福，也叫弓巴，意为善射者。

张保皋年轻之时曾在中国唐朝加入徐州的武宁军，为镇压叛军立下了赫赫战功，被唐朝朝廷封为军中小将。

然而，这次张保皋入京萨拉伯尔求见兴德大王，却遭到几乎所有大臣的极力反对。尤其是侍中金祐徵，他曾这样对大王劝谏说："大王，海岛之贱民张保皋出身卑微，令如此低下之人入宫实在有悖于我朝例律。"但是兴德大王却不这样认为。

这位新罗第四十二代皇帝兴德大王原名秀宗，也称景晖，是以五十知天命之年登上王位的，因此所有大臣都比他要年轻。

金祐徵劝罢，只听兴德大王说道："朕也听闻张保皋为贱民出身的海岛之人，但他早年入唐，为唐朝立下赫赫战功而被封为军中小将。如此，他既为唐朝功臣，亦为我新罗功臣。"

"可是，"金祐徵并不罢休，继续反驳道："张保皋出生于清海，而清海先前为百济领土，由此可见张保皋为百济人。大王，允许百济人入京，即意为允许敌军后裔进入王都啊。"

语音落毕，兴德大王哈哈大笑着说道："不错，清海确实曾为百济领土，但那却是几百年前之事了。以此为由不允许张保皋入宫，未免太过牵强。何况如今为统一新罗之王国，哪里还有百济，哪里还有高句丽呢？"

兴德大王所言句句是实。

现代史学界将新罗一千年的历史分为早、中、晚三个时期。早期从建国至公元 654 年，当金春秋继真德女王之后成为太宗武烈王为止；中期则从太宗武烈王登基至公元 780 年新罗发生王室贵族的叛乱为界；那之后，当宣德王即位之时便开始称为新罗晚期。

然而，新罗早已在第三十代王，即文武大王于公元 676 年便完成了统一三国的大业。如今都过了十二代，其历史已有一百五十二年之久。所以，当兴德大王听到侍中金祐徵竟以近二百年前的矛盾冲突，将百姓划分为新罗、百济及高句丽人，他自然会对此表示否定。

兴德大王登基之时，统一新罗正处于日渐衰退的晚期，政局混乱，腐败盛行。面对这种局面，性格强硬果断的兴德大王积极推动改革，堪称为一位出色的政治改革家。

处于新罗晚期的兴德大王全力以赴地致力于改革腐败堕落的新罗王朝，这可以通过留存至现今的新罗王国陵碑文之兴德大王陵碑的断石上得到考证。

1930 年在庆州北部安康邑，庆州国立博物馆考察团发现了六块兴德大王陵碑断石。至1977年8月，那里相继发现了六十块陵碑断石，迄今已经发现了九十多块。

从这些断石上所刻文字不难发现，兴德大王为人个性鲜明，碑文上称“神谋决断”。

神谋决断，即拥有神一样的智慧谋略和果断。这是新罗人对兴德大王作出的高度评价。回顾历史，如果没有兴德大王的智慧和果断，也许就不会诞生海上之王张保皋。

通常凡是改革者，大多对己毫无节制，而对彼却严格要求。但是兴德大王截然不同，他在日常生活中也是以身作则，严于律己。

比如，兴德大王登基之后不久便失去了王妃章和夫人，即定穆王后。从此兴德大王竟连周围的侍女都不允许靠近，过着清心寡欲的生活，由此可见他身体力行非同于其他帝王。

兴德大王所言之孤鸟，出自这样一个缘由：据《三国史记》记载，兴德大王即位不久，唐朝信使曾送给他一对鹦鹉。不久，雌鹦鹉死了，而大王不忍心看着雄鹦鹉伤心欲绝的样子，便在雄鹦鹉前挂了一面镜子。

镜中之影。

雄鹦鹉以为镜子里的鹦鹉就是自己的伴侣，不停地用嘴啄着镜子。当它明白镜子里的鹦鹉只是一个影子之后，不久也伤心过度而死。为此，兴德大王还曾作过一首词，不过这首词没有被流传下来。

如同恩爱的鹦鹉一样，兴德大王如此深爱和怀念亡妻，怎么可能再娶新王妃呢？因此，兴德大王独自一人度过了余生，死后与亡妻合葬在一起。这座合葬兴德大王和定穆王后的兴德王陵，直到现在还留在庆州市江西面六通里。

如此一位对外推行政治改革，对内严格要求自己的兴德大王，尽管受到所有大臣的极力反对，但他仍以自己的神谋决断，坚持自己的主张同意了张保皋的求见。若是当时没有兴德大王的坚定意志，那么，张保皋也只不过成为一个来往于唐朝、新罗和日本的大商人而已，永远也不会成为一个将自己的生涯载入史册的伟大的历史人物。

以金祐徵为首的新罗贵族之所以极力反对张保皋入宫，主要是因为张保皋寒微的出身，而且，张保皋的故乡属于古代百济的领土，新罗人从来不以百济人为新罗百姓。但是，这些却恰恰成为兴德大王允许张保皋入宫的重要理由，使得张保皋成为兴德大王推行改革的惟一一位合适的候选人，日后也成为兴德大王手中的一张王牌。

然而，新罗朝廷之内并不是所有的人都强烈反对兴德大王的主张，只有一个人除外，他便是金忠恭。

金忠恭是兴德大王的胞弟，在朝中职任上大等（译注：新罗官职名称），位居群臣之首，而且失去王妃又膝下无子的兴德大王最信任和最依赖的人。

原来，兴德大王是新罗第三十八代元圣王之孙，其父为金仁谦。金仁谦共有四子，长子俊邕登基为第四十代昭圣王，其后次子彦升为第四十一代宪德王。兴德大王是金仁谦的第三个儿子，金忠恭则是兴德大王惟一的胞弟。和兴德大王一样，金忠恭也积极支持改革。由于兴德大王没有后嗣，他便有意将王位传给胞弟金忠恭。

有史料证明，当时兴德大王与其弟金忠恭的想法不谋而合，都试图整治腐败的新罗王朝，革新混乱的政治体制。

正如史书记载，兴德大王和金忠恭继承大业，全力以赴铲除邪道，拯救国家。

如果当时位居群臣之首的金忠恭也反对张保皋入宫，那么，兴德大王便极有可能不会接受张保皋了。

“上大等大人是怎么想的?”遭到以金祐徵为首的几乎所有大臣强烈反对之后，兴德大王向金忠恭问道。

立时，群臣的目光一下都汇聚于金忠恭的身上，因为大臣们十分清楚，尽管兴德大王神谋决断，但若受到上大等金忠恭的反对，那兴德大王绝不会独断专行。

此时只听金忠恭答道："大王，臣不敢在此断言令张保皋入宫是否英明，臣只想将臣之所思禀报大王，以作大王参考之用！"

之后，金忠恭便跪在大王面前，挥笔书写，待墨迹干后双手呈送大王。

兴德大王小心翼翼地打开那纸，脸上露出了微笑。

"对极！"大王双手拍着大腿，笑着说道，"上大等大人与本王真乃心有灵犀啊！好了，令张保皋快快入宫，如再有多言者，以国法严加论处。"

君王之语严如秋霜，从此无人再敢进言。

当天晚上，兴德大王将金忠恭召到自己的寝殿，二人由君臣恢复为亲密的兄弟关系，在酒桌旁闲谈起来。

兴德大王一面饮酒，一面打开弟弟金忠恭在朝上上呈的那纸，向他问道："能否向我解释一下，这几个字是什么意思？"

兴德大王打开那纸，纸上写着短短的六个字：远水能救近火。

这正是金忠恭的回答。他竟以如此简短的言语便使大王果断地做出了决定。

这时，金忠恭笑着答道："大王不是知道吗？怎么还问臣弟呢？"

兴德大王却摇摇头，面露迷惑之色，说道："不对啊。古语说，远水救不了近火。但是，你写的意思却恰恰相反，远水能救近火。这不就是说远处的水也能救近处的火吗？那我怎么能知道是什么意思呢！"

在遥远的春秋时代，鲁国穆公派自己的的儿子前往晋国和荆国谋取高位。当时，鲁国受到邻国齐国的威胁，因此穆公希望鲁国危急时刻，能够得到像晋国和荆国这样强国的帮助。但是，他的想法却过于简单，为此一大臣向他谏言："若有人落入河里却向越国人求救，那么，即使越国人水性再好也来不及救他。若房上起火却去远海取水，那么，即使大海里的水再多也来不及扑灭。所谓远水救不了近火。如果鲁国受到邻国齐国的攻击，那么，即使晋国和荆国再强大，也不能挽救鲁国的危难啊。”

然而，金忠恭的意思却截然相反，即远水也能救近火。

那么，兴德大王和金忠恭要救的近火是什么呢?

那便是新罗王朝位高权重的贵族势力。

新罗贵族依靠金春秋和金有信的联合势力平定毗昙之乱后，新罗王朝的势力便被金春秋的后裔所控制，这些贵族势力奢侈豪华，位高权重，甚至与君王平起平坐。

关于新罗真骨贵族势力的奢侈豪华，在《新唐书》的《新罗传》中有如下记载：

宰相府有奴僮三千余人，牛马猪羊则不计其数。家畜散养于山，以供随时猎取。

兴德大王和金忠恭认为，这些贵族势力就是使国家混乱不堪的近火，只有扑灭这场近火，才能消除旧制度，开创新时代。

六年前先王宪德王在位之时，就曾发生过血雨腥风的骨肉相残，即金宪昌的叛乱。

金宪昌是太宗武烈王的第七代子孙。宣德王死后，金宪昌的父亲金周元是继承王位的第一候选人。可是，本应由金周元继承的王位却被金敬信继承，成为第三十八代元圣王，即兴德大王的祖父。

至此，从金春秋沿袭下来的武烈王王位世袭制度宣告结束，元圣王家族自称是新罗奈勿王的后裔，王位世袭制度由元圣王后裔所继承。然而一百多年来，一直是武烈王的后裔自称为新罗统一贵族，享有种种特权和荣华。于是，他们在被剥夺了特权之后，终于发动了叛乱。这就是金宪昌之乱。

因为金宪昌认为，宣德王驾崩之后，理应由自己的父亲金周元继承王位，然而却被金敬信继承，所以他千方百计地企图推翻篡夺王位的非法政权。

由此可见，王位原本该由金周元继承，但是，金敬信却以暴雨为由，以上天的旨意为借口，发动政变篡夺了王位。

从此以后，金周元之子金宪昌成为武烈王后裔的代表人物，与武珍、菁州、熊州等地的地方官吏频繁往来，威胁中央政权。终于，公元822年在熊州发动叛乱，定国号长安，年号庆云，建立了一个新国家。

此后，叛军势力迅速占领了武珍、完山等四个州，如燎原之火迅速向全国蔓延。

为了挽救岌岌可危的国家命运，金忠恭曾亲自骑马奔赴战场，把守城门。

后来，金宪昌的重要据点熊津城陷落，他嘱咐家人将自己的头和身体分别埋到其它地方，随后自杀身亡。

这不过是六年前的事。此后刚过三年，金宪昌之子梵文与高达山山贼寿神一起再次发动叛乱，但很快被镇压下去。由于贵族势力发动的叛乱频繁不断，整个国家苦不堪言。

亲眼目睹并经历两场惨剧的兴德大王与金忠恭，比任何人都强烈地意识到，如果不改革中央旧贵族势力，国家未来必将黯淡无光。

兴德大王放下酒杯，仍要打破沙锅问到底。于是，金忠恭便笑着答道："大王，臣弟怎么会不知道大王的心情呢？现在，大王让张保皋入宫，不就是意在引进远水吗？若想救火必须用水，可是，近处只有烈火，没有水源。如此，哪怕是远水也要引进才可行啊。"

金忠恭所言极是。若想挽救日益腐朽的新罗朝廷，必须以清水。可是，近处根本没有能够熄灭中央贵族势力之火的水源，从这种意义上理解，张保皋便是能够熄灭这场熊熊大火的惟一水源。

是的，张保皋就是兴德大王和金忠恭选择的远水，灭火之水。

就这样，几天之后，张保皋率部下张建荣、李顺行等进入王都萨拉伯尔。那时正值四月的春天，鲜花争相开放。萨拉伯尔南山绿意盎然，花香四溢。

萨拉伯尔是新罗开国八百多年、历时近一千年的王都，起初最早由朴赫居世在南山西侧高墟村建造了宫殿。新罗统一三国之后，此地迅速发展，充分展现出统一新罗的王都地位。

公元674年文武大王在宫内建造假山莲池，栽种奇花异草，养殖珍稀动物。从有关雁鸭池的记载中可以看出，新罗按照唐朝王都长安，在王都萨拉伯尔大兴土木，重新建造了一座新城。后来，日本建造王都时，也曾以新罗王都萨拉伯尔为标准，由此可见，当时的萨拉伯尔就像围棋棋盘一样整齐规范，而且非常繁华。

张保皋沿着前往宫庭的宽敞大道，策马慢行，他的部下紧随其后。行在最后的人力车里则装满了献给兴德大王的珍贵礼物。

走在队伍前面的张保皋，身长过六尺，高大魁梧，气宇轩昂。据记载，张保皋十五、六岁时，身高就超过六尺，而且为人刚正秉直，富有正义感，深受邻里百姓的称赞。

听说张保皋一行进京，萨拉伯尔人争相走出家门围观。

“他是谁啊？”人们对张保皋指指点点，议论纷纷。

“他就是在中国立下大功的军中小将张保皋啊。”

当时，萨拉伯尔是一座拥有十八万户人口的大城市。据《三国史记》记载，新罗全盛时期，首都人口十七万八千九百三十六户，一千三百六十万坊，金入宅三十五套……

金入宅是指富人居住的高级住宅。由此可见，当时的萨拉伯尔是一个多么繁华的城市。即使一户人家五口，十八万户就近一百万人。而且，萨拉伯尔人大部分是头品以上的贵族，平民是不能随便入城的。

“那不是海岛人张保皋吗？”面对威风凛凛的张保皋，摩肩接踵的围观人群中突然有人大声说道，“而且，他不是百济人吗？即使他在唐朝立大功，做了军中小将，也不能让贱民入京，如此堂而皇之地入宫谒见大王呢?"他不顾围观者的反应，大声喊着。

这位高声议论的人名叫金阳，是太宗武烈王的第九代子孙。他的家族原本属于名门中的名门，却不幸由于六年前发生的金宪昌之乱而遭到了贬庶。

金宪昌是太宗武烈王的第七代子孙，由此可知，金阳的祖父金宗基和金宪昌是同胞兄弟，他曾任新罗朝廷的苏判，而金阳的父亲曾任波珍餐。

当时，金阳正任固城郡太守，这是兴德大王镇压金宪昌之乱以后，为了安抚武烈王后裔的不满情绪而赐给他的一个官职。这位从边防固城来萨拉伯尔办差的金阳，正是一个二十岁的热血青年，他夹在拥挤的人群里，看到骑着高头大马威风凛凛入宫的张保皋，不禁热血沸腾。

"看哪，那不是百济人吗?竟然还能这样堂堂正正地进宫谒见大王。和他相比，我算什么呢?"金阳暗自咬牙切齿地说道，"我是太宗武烈王的第九代子孙，身上流着完成统一三国大业的太宗武烈王的血液，如今却只任职于小小边防太守而艰难度日，可百济人张保皋却身着军服，一派威风凛凛的架势。"

殊不知，对于张保皋而言，日后金阳竟成为他一生的宿敌。两个宿敌就这样不期而遇，而张保皋却毫无察觉。

此时的张保皋正如金阳所说，身穿唐朝武宁军军中小将之军服，头盔和铠甲在阳光的照射下闪闪发光。他骑在高头大马上，气宇轩昂，越发地显示出他在战场上立下战功、凯旋而归的勃勃英姿。

在京都百姓的围观之中，张保皋一行已经走到了仁化门，他们被守门的卫兵拦住去路。张保皋随即下马，解下身上的所有武器，然后经过仁化门，走入宫殿，而他的部下则在仁化门前等候。

新罗统一三国之前，只有大宫，梁宫，沙梁宫三个宫殿。统一之后相继兴建了临海殿、讲武殿、崇礼殿、永昌宫、平议殿、月池宫等宫殿。

兴德大王在朝元殿接见了张保皋，朝元殿不属大王与文武百官商议国事的政厅，而是会见外国使节的宫殿。在特殊的日子里，这儿也是大王接受文武百官贺礼的对外活动场所。

张保皋步入朝元殿时，兴德大王、上大等金忠恭和侍中金祐徵等所有君臣都在等着张保皋。

群臣都在揣摩大王的心思，而上大等金忠恭则用犀利的目光打量着张保皋，他要看透这个海岛人是否具有出众的才能，是否可以起到远水的作用，熄灭中央贵族势力这场近火。金忠恭之子大阿餐（译注：新罗官职名称）金明也站在父亲旁边注视着张保皋。

金忠恭父子和兴德大王一样，都是改革派，因此对张保皋充满了善意。但是，侍中金祐徵和父亲金均贞却从心底里蔑视张保皋。然而，人生无常，前途难料。后来，曾对张保皋充满善意的金忠恭之子金明继承王位成为闵哀王，却被张保皋的五千军士所害。而曾对张保皋十分反感的金祐徵，却得到张保皋的帮助继承王位成为神武王。这真是历史的辛辣讽刺。

是的，所谓权力就是利益驱动的产物。今天的敌人就有可能成为明天盟友；而今日的盟友，到了明日又是将匕首刺入胸堂的敌人。在权利如云似雾笼罩的世界里，令人无法辨清每个人的真面目。

“臣张保皋拜见大王。”张保皋一面行大礼，一面说道。

“平身，朕对你早有耳闻。”坐在御座上的兴德大王笑着说，“弓福不就是箭福之意吗？箭福又是善射之意嘛。”

兴德大王满怀好奇，继续问道：“你的箭究竟射得如何？果然像你的名字吗？”

“臣略懂一二。”张保皋躬腰答道。

“朕想看看你的箭法如何，能在此表演吗？”兴德大王问道。

当时，新罗非常盛行射箭，兴德大王的祖父元圣王在位之时，还曾通过射箭选拔人才。元圣王通过制定《读书三品科》区分文武，而在此之前，一直只是通过射箭选拔人才。

据《隋书》记载：每年八月十五日，新罗举行盛大宴会，所有大臣射箭助兴，并奖赏马匹和布料。

由此可见，每年八月由大王主持举行的弓箭手大会，已成为宫中风俗，令大臣之间的关系更加融洽。此外，朝廷还通过弓箭手大会选拔善射者，为他们安排合适的职位，充分发挥他们的武艺才能。

为此，兴德大王特意在尊礼门前建造了一个射箭场，并经常亲临射箭场，观看军士射箭。

于是，大王随即命令一侍从取来角弓。角弓也叫貊弓，是韩国传统弓箭中最坚硬的一种弓。

此时，朝元殿前的梅花开得正艳，树枝上有一只唧唧喳喳欢唱的小鸟。

“能射落梅花树上的那只小鸟吗？”上大等金忠恭一边把箭递给张保皋一边问道。

张保皋接过弓箭，以蜂蜜涂在箭上使箭更加光滑，更具穿透力。从张保皋所立之位至那棵梅花树大约有一百步左右。

只见张保皋缓缓抬起弓箭，徐徐拉满弓弦，瞄准梅花树上的小鸟。小鸟对自己的危险处境毫无察觉，还在欢快地鸣叫着。“嗖”的一声，张保皋手中的箭离弦而出，不偏不倚，眼见射中鸟身，而与此同时，“砰”的一下又见什么东西正坠落。在座的所有人都以为，是那只小鸟被张保皋命中而落地吧。

然而却并非如此。那应声落地的不是小鸟，而是树枝。在刚才一刹那间，受惊的小鸟仿佛一下失去了知觉，从树上掉下来却在还未等落地之时，旋即又飞走了。

张保皋的箭射空了。不过，这又无法称之为射空，因为虽然小鸟没有命中落地，但毕竟小鸟从树上落了下来。

“大王，小臣不胜惶恐，”张保皋收起弓箭说道：“小臣箭术不精，未能射落树上的小鸟。”

不料，兴德大王却大笑起来，说道：“非也，非也，你果然是一个神箭手。古时候，中国有个叫甘蝇的神箭手，当有人问他何为弓道时，他回答说：‘我不会为射落一只小鸟而发箭，若我真正得到弓道，即使我不射箭，也能让飞鸟落下来。’

所以说，虽然你没有射中小鸟，但是，你能令小鸟落下之后飞走，不愧为真正的活弓。令小鸟落下即可，没有必要射死小鸟啊。”

兴德大王说得很对，张保皋的确并没有射中小鸟。

兴德大王的话出自《列子》里的一个著名故事：有人问甘蝇如何不射箭又能让小鸟落下来呢？甘蝇没有说什么，而是用行动回答了他。只见他举起无箭之弓描准空中的小鸟，对小鸟说道：“落。”小鸟便应声落到地上。

甘蝇再次举起无箭之弓对其他动物说道：“倒。”它也应声而倒。

然后甘蝇说道：“以射箭令小鸟掉落为弓术，用箭。不以射箭也令小鸟掉落下为弓道，不用箭。若是不射箭也令小鸟落下，我又何必射死小鸟呢？此谓活弓。出色的神箭手当忘记弓与箭。”

“不射的神箭”，就是出自这里。

兴德大王立刻明白了张保皋不射中小鸟，却让小鸟落下来的用意。

那天下午，张保皋还将他从唐朝带来的礼物敬献给兴德大王。那些都是新罗闻所未闻新奇而珍贵的礼物。

张保皋献给大王的外国珍品大致如下：塔什干阿拉尔海东岸的绿宝石、柬埔寨的翡翠毛、爪哇海龟壳制的玳瑁、苏门答腊的香木紫檀、越南南部国家出产的香料沉香、波斯的毛织品等等……

望着这些从未见过的令人眼花缭乱的贵重物品，兴德大王吃惊地问道：“这些东西都是从何而来？”

张保皋立即回答：“大王，这些东西都是从唐朝扬州带来的。”

扬州是淮南节度使本营所在地，城市排位在唐朝王都长安，前朝王都洛阳之后，是唐朝第三大城市。当时，阿拉伯、越南和波斯等地的商人在此地频繁交易，颇有些类似于今日的国际贸易中心。

“都是唐朝出产的吗？”兴德大王不解地问道。

“大王，这并不是唐朝出产的。”张保皋答道。

“那就是说，世界上还有唐朝以外的国家喽？”兴德大王问道。

“是的，大王。从我新罗跨越大海便是唐朝，但是，这不是全部。自唐朝再越过大海，还有一个叫占婆的国家，那里就出这种香料；再远一点，还有一个大食国。普天之下，沃土之上，还有许多我们不知道的人和国家，他们源源不断地出产出这样珍贵的物品。如果现在去唐朝的扬州，仍有数不清的外国商人在那里出售他们国家的商品，然后再购买唐朝的商品回国。”

张保皋的话犹如一声惊雷，令大王和众臣惊讶不已。一直以为天底之下惟唐朝至上的新罗根本想像不到，越过大海还有许多鲜为人知的人和国家竟能出产出这样珍贵的物品，并乘船往来交易。

张保皋所言确是事实，摆在眼前的这些物品，不就是一个很好的证明吗？而且，张保皋敬献给兴德大王的礼物还不止这些，他又双手呈上一个用周纸制成的画谱。

“这是何物？”兴德大王问道。

“大王看看就知道了”张保皋笑着答道。

兴德大王打开卷成一卷的画谱，眼前出现了一首诗，兴德大王念道：

座右铭

千里始足下

高山起微尘

吾道亦如此

行之贵如新

兴德大王把画谱递给站在一旁的胞弟金忠恭，问道：“你知道这是谁的诗吗？”

金忠恭看了一眼，答道："我知道。"

"是谁的诗？"

"是白居易的诗。"

白居易（公元 772 ~ 846 年）是中国中唐时期最出色的诗人，字乐天，号醉吟先生，于李白死后十年，杜甫死后两年出生，和同时期的韩愈并称"李杜韩白"。

白居易五十六岁时才得以出任杭州刺史，赴任后被杭州的美景深深吸引，创作了无数优美的诗歌，并与早年相识的文学知己元稹一起合著了《白氏长庆集》。

《白氏长庆集》共五十卷，于张保皋谒见兴德大王前四年，即 824 年编辑成书。这本诗集中有一段文字意味深长：

新罗商人中一人，言受宰相之托，每现白居易诗时，不惜以重金购买……

《白氏长庆集》描述的新罗商人，是否就是指以张保皋为首的新罗船队呢？白居易的《白氏长庆集》，也是日本文人争相吟咏的读物。

白居易在日本广为人知是过了二十年后的公元 844 年。当时，入唐僧人惠乐在苏州的南禅寺手抄白居易文集带回日本，从此在日本广为流传。

兴德大王和新罗百官对白居易的诗早已耳熟能详，尤其是白居易四十四岁时写的《草堂重集》，是所有新罗贵族早已熟知的名诗中的名诗。

张保皋敬献给兴德大王白居易诗，而且是含有"座右铭"的白居易诗，这是当时不可思议的惊人事件。

当时，新罗和唐朝贸易往来频繁，新罗向唐朝出口的商品主要有金属工艺品、金、银、铜、纺织品、药材、香油、海兽皮等；而新罗从唐朝进口的商品主要有各种工艺品、丝绸、茶等。然而今日，张保皋带来的这些礼物令兴德大王和新罗贵族大开眼界，让他们更加激动的是这幅白居易诗，这是当时根本无法设想的。这不仅仅是越过汪洋大海，同新的国家、新的世界进行文化交流，更重要的是一种新精神、新思想的交流。可以说，张保皋打开了眺望新世界的窗户，对兴德大王和中央贵族势力的冲击完全超乎想像之外。

不仅如此，最后，张保皋又拿出了一件更加吸引兴德大王的礼物——周昉的画。

当时白居易是最出众的诗人，而周昉则是最优秀的画家。

周昉出生于唐朝王都长安，在文艺和书画方面造诣很深，尤其擅长道释人物画，其画色彩柔丽、衣装劲单、菩萨端严，世人对此评价甚高。周昉因其代表作，即为唐朝第九代皇帝德宗（公元780～805年）在章敬寺绘制的壁画而备受称赞，并受到皇帝亲自赐予的“神奇艺术”的赞誉。

张保皋敬献给兴德大王的最后一件礼物便是周昉的水月观音像。周昉所画的水月观音像，以其创造的一种新画风而闻名。

当这幅水月观音像呈现在兴德大王面前时，兴德大王不由得发出了一声惊叹：“天哪！”对绘画有一种独特的审美眼光的兴德大王，一眼便看出这幅画出自周昉之手，“这不是周昉的画吗？”

“是的，大王。”张保皋大声答道：“这是景元的画。”

周昉，号景元。在水月观音像下面，果然有景元二字。

根据北宋郭若虚于1076年完成的《图画见闻志》，可以看到有关新罗商人购画的记载：

唐贞元（公元785～804年）年间，新罗商人在楚州和扬州地区，高价购买著名画家周昉的作品。

这些新罗商人一定是指张保皋指挥的新罗船队。

兴德大王对佛教非常虔诚，王妃去世之后他终身未娶，正是由于这个缘故。

据《三国史记》记载，当兴德大王身体虚弱，身患疾病时，曾让一百五十人度僧，即成为僧侣。兴德大王即位之后，高句丽遗民出身的僧侣丘德从唐朝带佛经回国时，大王曾召集所有寺院的僧侣迎接。对这样一位虔诚信奉佛教的兴德大王来说，张保皋带来周昉的水月观音像无疑是一件最好的礼物。

水月观音。

在观音像中，最常见的是以月光辉映的海面为背景，观世音菩萨站在一片莲叶之上。而周昉的水月观音像却是观世音面朝大海，坐在一块岩石上会见善财童子，这幅画描绘的是华严经入法界品。

当时，新罗十分盛行华严思想。新罗王室将佛教思想当作实现三国统一，保护国家权力的护国思想，使得国内形成一种强烈的佛教神圣观念，将佛教和国家命运紧密联系在一起，并且推动其不断发展。尤其是成为前朝王权核心精神的华严思想极其盛行，兴德大王兄长哀庄王三年（公元 802 年），王室还特意建造了华严宗寺刹海印寺。

正是在这个时候，张保皋将代表华严海印思想的唐朝最高画家周昉的水月观音像敬献给了兴德大王。

“这绝非凡人之作，此乃天神之笔呀。”

正如兴德大王所作的高度评价，周昉的水月观音像巧夺天工，独具神韵。画中观音面朝大海坐在一块岩石上，身旁有一棵青竹和一个插着柳枝的净瓶，善财童子双膝跪在观音面前。观音四周被一圈柔和亮丽的光环所包围，将观音菩萨的华美庄严展现无遗，体现出周昉无与伦比的高超技法。

“你的手真是神奇，竟然能送来如此精美的画作。”兴德大王一遍一遍地看着水月观音像，不停地发出感叹。在张保皋敬献的礼物中，白居易诗和周昉的画比任何礼物都震撼着兴德大王。

事实上为了达到这个目的，张保皋可谓费尽心机。这些年，张保皋通过唐朝和日本之间的国际贸易积累了大量财富，成为远近闻名的巨商。回国之前，张保皋为了能够紧紧抓住兴德大王的心，千方百计地打探兴德大王的兴趣和爱好。当他得知兴德大王信仰佛教时，他觉得献给大王的最好礼物莫过于周昉的水月观音像，于是便不惜重金购买，献给兴德大王。

“你一定有一千只手吧?”兴德大王感叹道。

张保皋躬腰答道：“大王过奖了，有千只手的人不是小臣，而是另有他人。”

大臣们窃窃私语道：“那是何人呢?”

大王笑着问道：“难道天底下还有另外一位千手菩萨吗?”

“是的，大王。如果大王说小臣有十只手的话，那么，他则有百只手；如果小臣有千只手的话，他便是有万只手、万万只手的人，而绝非凡人。”张保皋答道。

“不是凡人，那一定是神佛了?”大王问道。

“是的，大王。千手观音有二十七张脸，一千只眼睛和一千只手，而这个神佛有一百张脸，一万只眼睛和一万只手。”

“那么，这位神佛在哪里呢?”大王问道。

张保皋答道：“大王，这位神佛便是大海。”

这样的回答令大王感到有些意外，便再次问道：“大海为什么是有万只手的神佛呢?”

张保皋答道：“据说佛与五百比丘同在的时候，佛问一个爱海的年轻人：‘你如此喜欢大海，大海一定有什么神奇之处吧?’

年轻人答道：‘我喜欢大海有八个理由：第一，大海广阔而深远；第二，五百条河流汇集成四条大江都流向大海，从而忘却了原来的自己；第三，大海之味始终如一；第四，潮水永远不会背叛大海；第五，大海里有不计其数的生灵；第六，海纳百川也不会显得拥挤；第七，大海里有数不尽的宝藏；第八，大海里有金沙滩和秀美山。’

说罢，年轻人问佛：‘如来佛法让比丘如此乐在其中，又有哪些神奇之处呢?’

佛答道：‘比丘乐在佛法之中也有八个理由：第一，佛法里有清规戒律，因此没有放荡不羁，如大海一样广阔而深远；第二，世上有四个阶层，入我佛法就能超脱于四个阶层之外，如四条大江汇入大海之后忘却原来的自己；第三，遵守制定的清规戒律，而不会违反，如潮水永远不会背叛大海；第四，佛法一味，那正是八正道，如大海之味始终如一；第五，佛法美妙无比，比丘乐在其中，正如大海里不计其数的生灵；第六，佛法中有无数的珍宝，如海里有无尽的宝藏；第七，为了佛法，不知有多少人远离故乡削发为僧，披上法衣等待涅槃；第八，佛法中有无数的三味，正如大海里有金沙滩和秀美山。’”

张保皋停下来，看了看大王，接着说道：“佛说的三味，不就是指海印三味吗？大海包罗万像，奇妙无比，断绝凡心的佛之定心就是佛之海印定心。佛对爱海的年轻人说过‘法海’二字，虽然大王说小臣有千只手，能够得到天底下所有的珍宝，但是，把这些珍宝带来的人不是小臣，而是大海。大海广阔而深远，有许多人和许多国家，他们说大海的语言，制造大海的珍宝，拥有珍贵的宝石和金沙。小臣不过是通过大海把这些珍宝带到新罗而已，越过大海，会看到比这些更珍贵的宝石，比这些更优美的诗画。”

张保皋的这一席话，后来成为《增一阿含》中《八难品》里的经典。

曾经因张保皋是出身低微的海岛人，而对他十分蔑视的那些大臣们，听到张保皋的这番言辞，心里受到强烈的震撼。

“你所言极是。”一直静静倾听的兴德大王打破沉默说道，“大海果真在千手观音之上啊，有无数的珍宝，有无尽的海印三味。那么，朕要问你，你能为大海做些什么呢？”

“大王，”张保皋躬腰答道：“如果大王能给小臣机会，小臣将竭尽全力寻找大海的宝藏和秀美山的珍宝。大地虽然宽广，毕竟十分有限，一日至多走十几里。然而大海不知比大地宽广多少倍，却一日可行一百多里。在大海里不仅可以行驶船只，还能够运输大批货物，这是陆地上的运输手段根本无法与之相比的。”

张保皋的回答犹如一枚炸弹落在了兴德大王和众臣面前。

“大王，”张保皋恭恭敬敬地把双手放在胸前，接着说道：“可是，即使是有千手观音的大海也有魔鬼啊。”

“那魔鬼是什么呢？”兴德大王问道：“是暴风骤雨还是惊涛骇浪？”

“都不是，大王。”张保皋答道：“当然，暴风骤雨和惊涛骇浪也是魔鬼。不过，还有比这些更邪恶的魔鬼在污染着海印之味的大海。”

“比疾风怒涛更恐怖的魔鬼是什么呢？”大王一脸正色地问道。

张保皋答道：“是海盗。”

海盗，在大海上袭击抢劫其他船只的盗贼。

听到张保皋提起海盗所带来的巨大危害，群臣连连点头，因为海盗问题的确是朝廷的心中大患。

当时，唐朝的奴隶贸易非常猖獗，聪明能干的新罗奴隶很受奴隶主的欢迎。因此，新罗奴隶在唐朝各地均以高价成交，甚至在新罗和唐朝的国际贸易中，新罗奴隶竟然成为新罗出口中国的重要商品。

中国商人源源不断地把新罗良民贩卖到中国，更为严重的是张保皋所说的泛滥成灾的海盗。海盗全副武装不时抢劫其他船上的物品，其中，抢劫最多的便是能够获得暴力的奴隶。最骇人听闻的是，海盗勾结日本海和韩半岛沿海的海霸，竟然将新罗平民强行拉至海船，进行秘密的奴隶贸易。

正如现在的毒品贸易以其巨额利润成为犯罪分子的主要经济来源一样，当时奴隶贸易也是海盗的主要资金渠道。因此，在唐朝、新罗和日本之间的大海上，以奴隶贸易为主业的海盗活动非常猖獗。

据《日本后记》记载，公元 811 年，运输新罗粮食的运粮船被海盗船洗劫之后漂到了日本。新罗奴隶被强行卖到中国，新罗朝廷对此头痛不已，因此，新罗曾向唐朝提出正式要求严格禁止买卖新罗奴隶。

新罗通过宿卫王子金张廉向唐朝提出这样的正式要求，于是公元816年，唐朝下达了禁止买卖新罗奴隶的禁令。但是，地方的控制能力十分薄弱，奴隶贸易屡禁不止。

公元821年，唐朝皇帝于3月10日再次下达了禁止买卖奴隶的禁令。两年后，即823年正月1日，还下达了返还新罗奴隶的敕令。

随即，新罗使臣金柱弼上表唐朝皇帝，请求唐朝为获得自由的新罗奴隶提供便利，使他们能够平安回国，并且采取相应措施，使他们不再成为中国的奴隶。

这不过是五年前即823年发生的事情，根据皇帝禁令，新罗奴隶买卖得到了制止，但是，秘密的奴隶走私贸易依然没有断绝。

张保皋比任何人都了解贩奴所带来的危害，无数新罗人被海盗强行带离故乡，一夜之间便下落不明，这样的悲惨场面，张保皋比任何人看得都多。另外，张保皋在唐朝武宁军服役时，也曾亲睹无数新罗男女被海盗带到中国，然后在中国各地买卖。对此，他一直愤恨不已。尤其遗民出身的李正己，他组建了十万军队，拥有一个小王国——藩镇，并通过贩卖新罗奴隶而大发横财。正是出于对以不义之财扩大势力的李正己充满了极大愤怒，于是张保皋加入了讨伐李正己后孙李师道的急先锋部队武宁军，并立下辉煌战功。

“大王，”张保皋说道：“佛说，人有四十八条必须遵守的戒律。其中第十二条说道：做生意不要心怀恶意，不要买卖家畜，不要做棺材生意。佛还说，绝不能买卖人口，连家畜都不让买卖，更何况买卖人口了。自己做不行，指使别人做也不可。无论自己或指使别人买卖人口，都是极大的罪行，可以说是所有的罪行中最大的罪恶。

大王只要能给小臣一个机会，小臣一定竭力寻找大海里的宝藏和秀美山的珍宝。但是目前海盗猖獗，不仅掠夺奴隶，而且抢劫商船的货物，如果不消灭海盗，就不可能有安全畅通的海上贸易。”

张保皋所言句句是实。

一直侧耳倾听张保皋陈词的兴德大王和众臣都深有同感，因为新罗奴隶买卖和掠夺奴隶的海盗罪行，已经成为新罗朝廷必须解决的当务之急。

“你让朕给你一个机会，那么，你希望得到什么机会呢？你究竟能为大海做些什么呢？”兴德大王问道。

“大王，”张保皋仿佛一直在等着回答大王提出的问题，胸有成竹地答道：“若大王能给小臣一个建立镇营的机会，并拨给小臣军队，小臣一定能消灭海盗，保持海道安全畅通。”

听罢，大王与众臣全都大吃一惊。

事实上，新罗朝廷为了消灭频繁出没的海盗，保障海上通道的安全畅通，已经建立了镇营。宣德王三年（公元720年）在黄海道金川设立了贝江镇；兴德大王则于张保皋谒见的一年之前，在现在的南洋设立了唐城镇。这些镇营都是为了能使新罗和唐朝的国际贸易通道安全畅通而设立的。但是，对连接唐朝、新罗和日本的南海，新罗和唐朝却一直束手无策。后来在公元844年，在现在的江华设立了穴口镇，也是为了确保西海的海上通道。

虽然新罗朝廷采取了种种措施，但是，海盗依然屡禁不绝，而且也绝不是凭张保皋几句话就能消灭掉的。

“那么，你要在何处设立镇营呢？”兴德大王怀着强烈的好奇心问道。

张保皋随即答道：“清海，就是一个叫完岛的岛屿。”

“你为何要在西南的岛屿建立镇营呢？”兴德大王问道。

当时，新罗和唐朝的海上通道主要是连接唐镇和山东半岛的黄海，但是，张保皋所说的清海是完全想像不到的西南边防。

张保皋答道：“清海是小臣的故乡，臣对那里的地理和水域了如指掌。而且，清海是连接唐朝和日本的海上交通枢纽，具有得天独厚的地理优势，如果不经过清海，就不能抵达日本，也不能到达唐朝。除此以外，在清海建立镇营的最主要的原因是因为海盗，如果要消灭唐朝海盗和日本外寇，以及在海岸地带出没的海上盗贼，在南海的清海建立镇营是极其必要的。”

从相关历史中可以看到，过了一百年后，王建在押海岛击破能昌时，曾称他是“水中的水獭和海盗”。不仅是押海岛，其他岛屿的海岛人也都掌握着海盗所具备的技能。多岛海沿岸的海岛人出于自我防御，全副武装，这些海上武力集团由能力出众的海岛人统一指挥，成为更强大的海盗队伍。

张保皋向兴德大王陈述，若要控制中国的海盗和这些海上的武装势力，必须打入南海的虎穴。

事实上，张保皋确实对海盗深恶痛绝，然而除此之外，他还另有一个野心勃勃的目的。在此之前，张保皋已经是一个大贸易商，在中国山东省赤山浦和日本博多建立了贸易基地。在此基础之上，他若能在南海枢纽清海建立镇营，不仅确保了南海的航道安全，而且还能控制惟一一条连接唐朝和日本的海上通道，同时也能控制从中国到新罗王都萨拉伯尔的海上关口蔚山和浦项。

其实兴德大王也有同感，也曾想过要在张保皋所说的清海建立一个镇营。

前朝发生的金宪昌之乱，主要是联合边防的土豪势力挑战中央的贵族集团，而帮助金宪昌发动叛乱的地方势力就是在完州（现在的全州）和武珍（现在的光州）。因此，兴德大王认为，如果把张保皋的镇营设立在古代百济人的根据地清海，还能镇压当地的土豪势力，可以达到一举两得的效果。

对于兴德大王的心事，金忠恭早已猜透，所谓“远水也能救近火”的非常之策，是梦想改革的兴德大王手中的一张王牌。

关于张保皋向兴德大王的请求，《三国史记》中也有记载：

“臣于唐朝随处可见我新罗奴隶，若于清海建营，定可阻止海贼贩新罗人到唐朝为奴之事。”

从《三国史记》的记载中可以看出，张保皋对强行掠夺新罗平民进行奴隶买卖的行为极为憎恨，他是一个人文主义者，从这种意义出发，张保皋在韩国历史上担负起了一位决心消灭海盗，解救奴隶的人文主义者的沉重的使命。至于张保皋之所以对贩奴如此深恶痛绝，日后可见分晓。

《三国史记》也简单记载了兴德大王所予以的支持：

兴德大王赐张保皋一万兵力，允许其在清海设立镇营。此后，海上买卖新罗人的海贼彻底消失。

how?

从这个记载中可以看出，兴德大王很快接受了张保皋的建议，不仅同意张保皋在故乡清海建立了镇营，还史无前例地赐兵权给一位贱民，调拨了一万人马，从此以后，张保皋不仅作为一个大商人拥有商权，而且还掌握兵权，成为当时最有权势的人。

但是，对于《三国史记》记载的兴德大王给张保皋一万兵力驻守清海的旨令，却不能不令人疑问丛生。因为由金宪昌之乱引发的血腥内战刚刚结束六年，当时的新罗朝廷并没有给张保皋一万人马的实力。因此，实际上新罗朝廷并没有给了张保皋一万兵力，而是赐予他可以支配一万民兵的权力。

无论怎样，虽然张保皋在中国成为军中小将，但终究不过是一个百济人，而且又是一个海岛人，所以，兴德大王能给张保皋这样的特权，可见大王坚定的改革决心。不仅如此，兴德大王还赐封张保皋一个历史上并无前例的特殊地位，而且一般情况下，大王通过上大等和其他大臣的推荐才授予官职，但是，对张保皋兴德大王却直接授职。

如此，兴德大王接受了张保皋的建议，给予张保皋建立镇营和支配一万兵力的特权。兴德大王一边下教旨一边说道：“朕赐卿如下辞令……”

君王的辞令是一种被称为王旨的御令，侍中金祐徵从大王手中接过教旨在文武百官面前念道："大王封张保皋为清海镇大使。"

张保皋双膝跪地，双手接过大王的教旨。瞬间，大臣们开始窃窃私语起来，因为大王赐予张保皋的大使职位，在韩半岛闻所未闻。

兴德大王封给张保皋的清海镇大使，这是当时的新罗从未有过的具有特权的职位。根据新罗的身份等级制度，平民百姓不能担任官职，而连平民百姓都不属的贱民张保皋却被封为大使，这是新罗历史上独一无二的特例。

所谓大使，就是代行君王命令的人。日本派往中国的遣唐使中的最高责任人即被称为大使。兴德大王借用唐朝和日本使用的大使称谓，是考虑到新罗和唐朝的关系，封张保皋为清海镇大使，这是兴德大王独创的新罗官职。

大使一职在唐朝被广泛使用，在《唐会要》中便可以见到节度大使、观察大使、镇守大使等许多被称为大使的职务。兴德大王所指的大使类似于节度大使或观察大使，意思是管理该地区的长官，因此，清海镇大使就是指管理清海镇的长官。

此外，兴德大王还给了张保皋信标。兴德大王赐给跪在地上的张保皋一把"环头刀"，是一把刻着三片树叶的三叶环头刀。新罗君王一般象征性地佩带刻着龙或凤的龙凤环头刀，环头大刀则是贵族们佩带的最高装饰刀。

大王赐大臣环头刀是十分罕见的举动，这意味着兴德大王赋予张保皋清海镇大使的绝对权力，同时，也意味着张保皋具有代为执行大王御令的权限。

张保皋接过兴德大王所赐环头刀说道："臣张保皋一定竭尽全力，不辱大王御令"。

当一切礼仪完毕之后，被兴德大王封为清海镇大使的张保皋，腰上佩带着金光闪闪的御剑走出宫殿，来到仁化门前。他在仁化门前重新上马，和部下一起走上了回乡之路。

如今，他已是大王所封的清海镇大使了，谁也不能再称他是海

岛人，谁也不能再轻蔑地对他侧目而视了。

然而人生无常，此时的张保皋做梦也没有想到，兴德大王所赐予的象征绝对权力的环头刀，伴随他十四年之后，竟成为被部下阎长杀害的凶器。当然这是后话。

当晚，兴致盎然的兴德大王又将上大等金忠恭召至寝宫。

对于失去王妃独自生活的兴德大王来说，金忠恭是他惟一的朋友，也是打发寂寞的惟一伴侣。此时他们之间便不是君臣关系，而是血肉相连的同胞兄弟。

那天，兴德大王的表情比任何时候开朗明快，兄弟二人互碰杯，开怀畅饮起来。

金忠恭首先开口说道："怎么样，大王，引来远处的水熄灭近处的火，心情很好吧?"

"当然了，"兴德大王哈哈大笑着说道。

兴德大王超乎群臣的料想之外做出了决断，赐予张保皋清海镇大使职位及一万兵力，这便是**1977**年**8**月庆州国立博物馆挖掘的兴德大王陵碑文断石上所刻的"神谋决断"，例证了兴德大王像神一样的智慧和果断。

除此之外，还有一个充分体现兴德大王性格的重要名句是：格式是皆。从这四个字中可以看出，兴德大王积极促进所有律令格式的改革，而且，在日常生活中超越所有的格式和形式，是一个有情有义之人。

"封张保皋为清海镇大使，当然是为了用远水救近火。不过，"兴德大王笑着说道，"不仅如此，朕让张保皋任清海镇大使，也与国家的命运密切相关，这关系到新罗的兴亡盛衰啊。"

兴德大王的话犹如一个谜语。兴德大王所说的新罗的兴亡盛衰都与张保皋有关，颇令人费解。

"你知道此话何意?"兴德大王问道。

金忠恭笑了一下，答道："本是同根生，相煎何太急。"

“本是同根生，相煎何太急。”语于曹操的第三个儿子曹植送给兄长曹丕的一首著名的七步诗：

煮豆燃豆萁

豆在釜中泣

本是同根生

相煎何太急

金忠恭在暗示兴德大王与自己虽是君臣，却也是骨肉兄弟，彼此之间非常了解。

“嗯，是这样。”兴德大王愉快地笑着，说道：“你果然非常了解朕啊。”

兴德大王把纸和毛笔递给他，说道：“决定国家命运兴亡盛衰的是什么，我们各自写下来。如果写的一样，我们就是同根生；如果不一样，就是互相煎熬的豆和豆萁。”

“好的，大王。”金忠恭轻松地答道。

于是两兄弟背过身去，在纸上写起来。亲密无间的兴德大王和金忠恭从小如此，每每遇到难题之时便喜欢这样解决。

兴德大王先写完之后转过身来，不一会儿，金忠恭也写完了。然后，两兄弟面带微笑相对而坐。

“那么，交换一下吧。”

两个人把各自写好的纸递给对方，兴德大王先打开了纸，纸上写着：贸易。胞弟金忠恭认为，兴德大王所说的决定新罗兴亡盛衰的是贸易。

金忠恭也打开了另一张纸，纸上也写着：贸易。

果然是亲兄弟，二人不仅是同根而生，一脉相通，而且确是英雄所见略同啊。

贸易。

兴德大王不愧是一位目光长远的英明君主，他已看出决定新罗国运的就是贸易。波斯等国的西洋文物与发展迅速的唐朝文明源源不断地涌入新罗，在这夹缝之中，能使衰退的新罗国运重新昌盛的惟一道路只有贸易，兴德大王通过张保皋清楚地意识到了这一点。

兴德大王对贸易的重视程度，从他的陵碑断石上可以得到验证：贸易之人间。

通过现在保留在庆州博物馆的珍贵资料——兴德大王陵碑断石，后人可以看出兴德大王重新振兴新罗国运的决心。他打算通过民间的个人贸易，而非国与国之间的国家贸易将他的决心付诸实践。海神张保皋的诞生，正是源于兴德大王的这种兴国理想。

兴德大王希望通过张保皋建立贸易之人间，不过他没有亲眼目睹自己的理想实现。因为这之后八年，即公元836年兴德大王驾崩了。

如今，庆州市仍留存着兴德大王与定穆王后合葬在一起的陵墓。

2

张保皋离开王都萨拉伯尔后，从迎日湾上船，无限荣光地回到故乡完岛。这是张保皋离开家乡二十年后第一次回到故乡。二十岁时他只身前往中国；四十岁时，他却被兴德大王封为清海镇大使回到故乡。

有人说，江山十年一变。那么已经过了二十年，江山已经变化两次了，不过，山还是那座山，海仍是那片海。

张保皋首先率骆金、张弁、张建荣、李顺行等登上完岛的周山。他们都是张保皋在唐朝武宁军担任军中小将时跟随他的骁将，曾经与张保皋同甘苦共患难，只要张保皋说一句话，他们便赴汤蹈火，在所不辞。

完岛是韩国第六大岛，完岛的周山高644米，当时是一座叫做杜其峰（音译）的无名山。

张保皋和部下登上杜其峰俯瞰，山下一望无际的大海和一座座岛屿尽收眼底。张保皋所站的位置在一个叫做相女岩（音译）的岩壁之下。岩壁之间，清澈的泉水潺潺流淌，是明堂之明堂。山下是广阔无垠的大海，山后高耸的岩壁形成一道天然屏障。这里依山傍海，风光秀丽。

张保皋下令，在自己所站的位置建一座寺院。张保皋被兴德大王封为清海镇大使，回到故乡完岛做的第一件事就是在周山杜其峰选定了建造寺院的位置，并为这坐寺院起名为观音寺。这是出于张保皋独特的佛教思想。张保皋曾经在中国赤山建造了一座叫做法华院的寺院，由其手下的张荣和崔勋等三人经营。法华院有常驻僧人二十四名，比丘尼两名，老妇三名等一共二十九人。根据圆仁的日记记载，从公元839年11月16日起到次年1月15日，每天都有四十人烧香拜佛。而最后两天，竟有数百名新罗人参加了按照新罗风俗和新罗语言举行的庙会。

这不仅是因为张保皋自己是虔诚的佛教信徒，而且还为了团结生活在唐朝的新罗人，这是张保皋借用佛教的力量而组织新罗人的独特手段。因此，张保皋回到完岛后做的第一件事就是在杜其峰相女岩建筑观音寺，并把山名改为象皇山，张保皋命名的这座山现在仍叫象皇山。

象皇山，张保皋把建造观音寺的山命名为象皇山有一定的由来。

在佛教中，张保皋尤其迷恋观音思想。

关于观世音菩萨有一段这样的故事：佛主讲法时，法华经第二十五品弟子无尽意菩萨问佛主："世尊，观世音菩萨为什么叫观世音呢?"

佛主答道："善男，如果有数万千众生遭受苦难，向观世音菩萨求救，观世音菩萨能听到每个人的声音，并帮助他们摆脱苦难。"

佛主继续说道："万千众生，为了寻找金银、玛瑙、珊瑚、琥珀等珍宝来到大海，如果船遇到台风而驶向罗刹鬼国，哪怕只有一个人向观世音菩萨求助，所有人都会摆脱苦难，因此叫观世音。”

由此可见，观世音是乘船人的守护神，佛还说：“即使三千世界全是盗贼，如果有一个商主率领其他商人，带着贵重宝物铤而走险，只要他呼叫观世音菩萨的名字，便能从盗贼的包围中摆脱出来。”因此，观世音也被看作是商人的守护神。

张保皋领导新罗船队时，不仅是一个大船主，也是一个大商人，自然十分崇拜观世音菩萨。因此，他首先在清海镇建造了观音寺，并把建造观音寺的山命名象皇山，这是借用了观音菩萨在唐朝的道场——普陀山的象皇山，由此可窥探到张保皋要把清海镇变成受观世音菩萨保护的理想之国和佛顶之土的决心。

这之后，张保皋来到海边。时隔二十年了，故乡的海依然如故。

海边潮来潮涌，但仍可以看到一个小岛。那个小岛叫助音岛，是张保皋小时候经常玩耍的地方。落潮时陆地显露，人可以走过去；涨潮时，则要坐船或游泳才能跨过去。但是，张保皋不坐船，也不游泳也能到那个小岛，因为他可以在海里不呼吸地行走，据说他可以这样在海里走五十里。

现在正是落潮的时候，张保皋率部下向助音岛走去。小岛只有三万八千坪，但是它却在古今岛、跳跃岛、薪智岛、宝吉岛、庐华岛等大岛之间，是海上的交通枢纽。

张保皋走上助音岛。岛上树木茂盛，鸟语花香，站在岛上可以远远地看到象皇山的周山，周山下面是一道弯弯曲曲的海岸线，沿着海岸线，便是一个可以容纳一万多人的宽阔田地。

环顾四周，周围都是大海，左侧是薪智岛，右侧是古今岛，从薪智岛向南就是中国，从古今岛向南就是日本，因此，他站的位置就是三国海域的交点。

忽然，张保皋取出了腰上环头刀，他在部下面前高高举起环头刀说道：“你们听着，兴德大王封我为清海镇大使。我，清海镇大使要不辱大王使命，在这里建立镇营。”

环头刀在阳光照射下闪闪发光，部下们一同屈膝而跪。

只听张保皋又说道：“这里，清海镇，将世世代代繁荣昌盛，受观世音菩萨保佑，将永远兴盛不衰。”

张保皋将环头刀插在地上，看着四周满怀信心地说道：“我要把这里变成清海镇本营。”

然后，他割断白马脖颈，与部下们一起喝马血，并将马血涂在嘴上歃血为盟，余下的血则洒在助音岛周围。

1984 年 9 月，张保皋插入环头刀的以清海镇本营之名，被定为史迹 308 号。据报告显示，将岛，即助音岛营地的 36% 由土石城围成，长度有 760 米。

尽管岛上有不少遗址，但是在过去，这里曾驻守很多军队的历史事实却一直令人无法信服，因为岛上没有发现一口泉井。如果说有许多军队常驻此岛，应该有水源遗迹才对。直至最近，在这个岛上终于发现了泉井遗址。这是迄今为止在韩国发现的最大的泉井遗址，直径长达 150 米，深 340 米。由此可见，岛上确实曾经生活过许多人。

另外，在张保皋和部下歃血为盟的地方，如今还建有供奉张保皋灵魂的祠堂。

从张保皋建立本营之日起，助音岛便被当地居民更名为将军岛，以此纪念张保皋。现在，该岛仍叫将岛或将军岛。

第三章 暗 斗

1

兴德大王五年，公元830年5月。

在一个夜幕降临却无月光的夜晚，有一个黑影悄悄潜入了萨拉伯尔的南维宅。

南维宅位于反香寺南侧，是萨拉伯尔金入宅之一，也属名门之家。当时，居住南维宅的人是兴德大王的堂弟金均贞与其子金祐徵。金均贞是兴德大王的堂弟，那么金祐徵就是大王的堂侄。兴德大王在位时期，金祐徵是新罗朝廷第二当权人，性格专横拔扈。

第一当权人自然是兴德大王的胞弟上大等金忠恭与其子金明。当时，按照新罗朝廷惯例，王位大多由上大等继承，因此每个人都坚信兴德大王的王位将由胞弟金忠恭继承。尤其兴德大王之前的昭圣王和宪德王也是兄弟，因此四兄弟中的最小的弟弟金忠恭继承王位也是理所当然的。

当时，金均贞任阿餐，儿子金祐徵担任侍中。侍中与上大等不同，是管理具体事务的实权之位。

可是，漆黑的夜里却有一个黑影避开他人耳目悄悄潜入当时第二当权人金均贞的金入宅。

“您好，阿餐大人。”黑夜潜入者跪在金均贞前，向他问好。

金均贞身旁，他的儿子金祐徵正襟危坐。

“你从何处而来?”金均贞问道。

那人随即躬腰答道：“我从中原而来。”

这位二十岁左右的年轻人铿锵有力地答道，只见他一副仪表堂堂，英姿飒爽的大丈夫形像。《三国史记》也记述他是“一代英杰”，由此可见，他是一位容貌出众之人。

“我想起来了，你是中原的大尹（译注：新罗官职名称）。”金均贞说道。

“是的，阿餐大人。这都是托大人的恩德，小人没齿难忘。”年轻人再次躬腰答道。

他说得很对。以前这个年轻人担任固城太守，虽然那也属于地方长官之位，但是，固城地处偏远，为江原道一个边防小村，这个小村的太守实际上只是一闲职。金均贞接受年轻人的请求，使他从固城太守升任中原大尹，这已经是两年前的事了。

“那么，中原的情况如何?”金均贞有意强调通过自己的帮助，使年轻人升任中原大尹，于是这样问道。

以前，中原城是别国领土，叫做国原城。

“与固城相比，中原人口众多，交通往来也比较频繁。”年轻人答道。

“那么，你究竟为何事来到王都?”旁边一直沉默不语的金祐徵问道。

表面上，使年轻人从固城太守升任中原大尹的人是父亲金均贞，而实际真正帮助他的人却是金祐徵。因为金均贞曾嘱咐掌管此事的儿子金祐徵要帮助这个年轻人晋升。对于父亲如此宠爱这个年轻人，金祐徵感到有些难以理解。

“大人，”年轻人依然跪着说道：“小臣来到王都拜访侍中大人，是因为小人还有一个请求。”

“请求？”金均贞问道，“你提出的要求，不是已经答应你了吗？怎么还有其他请求？”

“大人，”年轻人依然弯着腰，说道：“小人不胜惶恐，如果能让小人调到其他地方任职，将不胜感激！”

“什么？”金均贞大吃一惊地说道：“你调到中原才两年，怎么还要调到其他地方？而且在中原，你不是得心应手，游刃而余吗？”

金均贞和金祐徵了解得非常清楚，这个年轻人不仅容貌出众，而且能力超群，在他所到之处，他都受到当地居民的尊重和敬佩。

“是的，大人，”年轻人略显轻松地答道：“对小人来说，如今在中原小人的确已略有根基。不过，小人还是希望能调到其他地方。因为这不是为了小人个人的荣达，而是为了报答两位大人的恩德。”

听到年轻人的回答，父子二人觉得有些意外。沉默片刻后，金均贞说道：“好！既然话已出口，那你便不妨细言。你想去的地方，究竟是何处？”

“武州！”年轻人毫不犹豫地答道。听到年轻人说出武州二字，金均贞再次大吃一惊。

“武州，不就是武珍吗”

“是的大人，正是武珍。”

一直少言寡语倾听二人谈话的金祐徵也大惊失色，责骂之言脱口而出：“你这个家伙真是胆大包天，竟敢说出这种话，你是不是疯了？”

金祐徵的斥责是有道理的。

当时，武州（即现在的光州）被称为“叛逆者之地”，六年前卷入金宪昌之乱的地方正是武珍、菁州、熊州等。目前，武珍还遗留着一些叛乱势力，而年轻人却要求调任武珍都督，这无异于胡言乱语。因为，年轻人和叛贼金宪昌一样，也是太宗武列王的后裔。金宪昌是太宗武列王的第六代子孙，而这个年轻人是第九代子孙。他有幸得以存活，完全是因为受到金均贞的庇护。

根据有关资料记载，平定叛乱之后，金宪昌被斩尸，协助他的宗族余党二百三十九人全部判死刑。即使没有参加叛乱，太宗武列王的后裔贵族也受到严重打击，他们或被降低身份，或被没收庄园等财产，很快便从中央政界彻底消失了。

这个年轻人也不例外。据《三国史记》记载，太宗金氏世世享有官禄，代代曾担任将帅宰相。然而某一天，他的父亲金贞茹却突然被撤去波珍餐职务，居住了几个世纪的庄园也被没收。

因此可以说，年轻人担任闲职，但是他在固城和中原任地方长官，完全是由于受到金均贞的庇护和宠爱。可是现在，年轻人到中原升任大尹刚刚两年，却要求调任到叛逆者的巢穴武珍，而且武珍是叛贼金宪昌担任都督时，积聚叛逆势力的叛逆之乡。

金宪昌在曾任都督的武珍、莞山州、菁州（现在的晋州）、熊州（现在的公州）等地发动叛乱，几乎掌握了忠清道、全罗道和庆尚道西南部地区，使新罗朝廷陷入极大的危险境地。因此，当太宗武列王的第九代子孙要求将自己调任到武珍时，金祐徵大吃一惊，大声斥责：“你这个家伙能活到现在，就已经是托大人的福了，竟然还敢说出这种话！”

金祐徵愤怒异常也在情理之中。据记载，发生金宪昌之乱时，金均贞和金祐徵指挥主力部队三军，直接以员将身份参加了激烈的战斗，而且在战斗中，父亲金均贞被叛军的流矢射中肩膀，直到现在也不能随意抬起左臂。

年轻人默默地等着侍中大人金祐徵渐渐平静下来后，继续说道：“小臣请求调任武珍都督，不是为了个人的荣达，而是为了报答两位大人的恩情。

金均贞平息着儿子金祐徵的愤怒，温和地对年轻人说道："既然魏昕这么说，那就听他说说吧！"

魏昕是年轻人的字，而年轻人的名字叫金阳。他就是两年前张保皋进宫谒见大王时，在围观人群中大声说："看哪，那不是百济人吗？竟然还能这样威风凛凛地骑马进宫谒见大王"的那个年轻人。

"大人，"金阳稍等片刻之后，接着说道："小人想做武珍都督，正是因为武珍是叛逆之地。小人有一种预感，叛逆之地还会再次出现谋逆之人。"

"谋逆之人？"金均贞地问道："你到底在说什么？"

"大人，两年前在武珍附近的清海，不是有一个百济人被封为大使吗？"

被封为清海大使的百济人，正是张保皋。

"被封为清海大使的人不就是张保皋吗"金均贞问道。

"是的，大人，他的名字叫张保皋。"

"那么，你是说张保皋是谋逆之人吗？"

"不是。"

"那么，你刚才说武珍会再次出现谋逆之人，到底是什么意思？"

"大人，"金阳跪着慢慢说道："以前，清海由武州管辖，自古以来武州是百济的领土，先王神文王在位时叫武珍州，景德王在位时期改为武州，玄雄县、龙山县、祁阳县等三个县营都属于武州。另外，以清海为主，附近的许多岛屿也属于武州。但是，从兴德大王允许张保皋在清海建立镇营起，清海就变成了不属于任何地方管辖的特殊地区。"

"仅仅是由于这些原因吗？"金均贞失望地问道。

"不是的。"金阳肯定地答道："大人，不仅如此，清海镇驻扎着一万兵力。大王给张保皋一万兵力后，以清海为主，几乎所有武州的壮丁都自愿入伍，编入军籍。虽然只是军丁，但是与正规军没有区别。张保皋在唐朝参加过各种战斗，不仅是身经百战的军中小将，而且他的部下也骁勇善战，因此，一万名军丁已经与正规军没有什么分别。况且，您没有听说吗？猖獗的海盗已经销声匿迹了。”

金阳的话没错。据《三国史记》记载，大王给张保皋一万兵力在清海建立镇营之后，海上再也没有出现过买卖新罗奴隶的海盗。

自古以来，海盗一直让官军头痛不已，但是，张保皋只用两年时间就将海盗消灭殆尽。不仅如此，张保皋通过各种贸易，积累了大量财物。因此，属于张保皋镇营的百姓迎来了太平盛世。

“你是说张保皋企图谋逆吗?”金祐徵忍不住问道。

金阳眨了一下眼睛说道：“大人没听说过吗？去年春末，大王曾下密旨，允许一百五十人度僧。”

金祐徵怎么会不知道大王的密旨，接受并实施大王密旨的人正是金祐徵。

“你这个家伙，在中原怎么会知道密旨一事?”

“大人，古语说：‘好事不出门，坏事传千里。’大王下密旨允许度僧，是为了受佛主保佑，治愈疾病。大人，现在大王不是正在患病之中吗?”金阳迎着金祐徵的目光问道。

金祐徵在年轻人犀利的注视下竟忽然觉得有些毛骨悚然。

事实的确如此，兴德大王罹患重病，危在旦夕。

但是，自古以来帝王患疾都属国家大忌，是不可泄露的天下机密。然而，金阳却看穿了这道天机。

“大人，现在大王允许一百五十人度僧，一定是身患重病，何况大王已经年老了。”

金阳所言的确是事实，兴德大王陵碑断石上有“寿六十是日也”六个字，可见兴德大王是六十岁时离世的。而他在登上王位时，已经五十岁了。因此正如金阳所说，时年大王五十五岁，业已年迈。

“而且，王后去世之后，大王一直鳏居，甚至连侍女都不让靠近。”金阳滔滔不绝地接着说道：“朝廷上下众人皆知，大王没有继承王位的后嗣。大王年老病重，又无后嗣，如果有一天突然驾崩而去，整个国家便会再次陷入混乱之中。”

听到此言，金祐徵猛地站起来，怒声说道：“你这个家伙，我要立刻割断你的脖子！”

金祐徵举起身边的一把剑（为了以防万一，金祐徵一直准备着一把剑），“刷”的一下指向金阳。

“我早就看出来了，你身上带着一股妖气。现在看来你就是叛贼，我绝不能放过你。”金祐徵气得浑身发抖，大声说道。

可是，金阳面不改色，纹丝不动。

“大人！”

虽然锋利的剑直对着自己的脸，他仍泰然自若地说道：“即使大人砍断小人的脖子，刺入小人的额头，小人对大人的忠心，依然不变。大人，纵然天机不可泄露，不过天下没有不透风的墙。如果有一天大王突然驾崩，那时如何是好？如果事先做好准备对付各种事态，岂不是明智之举吗？即使大人砍断小人的脖子，刺穿小人的额头，也不一定能够挽狂澜于既倒。”

“把剑拿开。”一直沉默不语的金均贞低沉地说道，随即金祐徵将剑放了下来。

“不要再在我面前拿出剑，不要再让鲜血溅到剑上。”

金均贞曾亲自讨伐叛乱，杀人的场面像一个个阴影笼罩着他。而且，自己的肩膀被箭射伤，直到现在左臂仍不能随意摆动。

“魏昕，你继续说下去。”金均贞十分欣赏地看着金阳说道：“大王身患重病，的确是事实，年老也是事实。但是，不是还有上大等金忠恭吗？”

金均贞的话可谓意味深长。对此，金阳毫不犹豫地答道：“大人，”金阳正视着金均贞的眼睛说道：“上大等金忠恭也已经年老了。”

金阳的话也是事实。如果当时兴德大王五十五岁，那么，胞弟金忠恭也已过半百了。

“而大人正年轻。”金阳轻轻说道。言外之意，与朝廷第一号人物上大等金忠恭相比，第二号人物金均贞有更大的机会。但是，这样的话无异于谋逆，是不能轻易说出口的。

“你这个这家伙！”被父亲一声令下，收起利剑的金祐徵忍无可忍，再次举起利剑大声说道：“我早就知道你身上流着金宪昌的血，我要立刻砍断你的脖子！”

但是，金阳依旧泰然自若，笑着说道：“大人也许能砍断小人的脖子，但是大人割不断小人的舌头，难道大人忘记先代的惨痛教训了吗？忘记大内发生的骨肉相残了吗？”

骨肉即骨肉之亲，父母与子女或兄弟姐妹之间血脉相连的亲密关系。骨肉相残便指关系亲密的人互相争斗。金阳所说的骨肉相残，就是指兴德大王之前的宪德王发动的宫庭政变。

宪德王的兄长昭圣王去世之后，将王位传给了昭圣王的太子清明。但是，当时太子只有十三岁，于是由宪德王摄政。

清明在位十年间，恢复了同日本的友好关系，在外交方面成就显著。但是，他还是被摄政的叔父宪德王金彦昇杀害，悲剧性地结束了短暂的君王生涯。

这是新罗历史上发生的第一起宫中骨肉相残之事。政变结束以后，大王也成为第一位谥号中有一个“哀”字的大王。弑君后登上王位的人便是王叔金彦昇，即兴德大王的先王宪德王。

“大人，”虽然金祐徵用剑对着金阳，但是金阳依然侃侃而谈：“如果不做好以防万一的准备，那么，不知什么时候，还会再次发生类似的骨肉相残。大王年老多病，又没有后嗣，上大等金忠恭也已经年老。”

“拿开！”默默听金阳说话的金均贞向儿子命令道：“我不是说过吗？不要再在我面前出剑。”

“父亲大人，”金祐徵无奈地把剑拿开，说道：“为了免除后患，必须砍断这个家伙的脖子！”

“拿开剑，我不是说过吗？我向天地发誓，不再让血溅到剑上。”

金均贞一生都在战场上度过，久经杀场，见过无数血腥场面，因此，对战乱和骨肉相残的悲剧，他比任何人的体会都深刻。而且，惨死的哀庄王对他格外宠爱，甚至认金均贞为义子。

由于金均贞比任何人都受到哀庄王的宠爱，当他亲眼目睹了叔父为了登上王位，把跟随自己十年的侄子杀害，这一幕凄惨的悲剧给他的心灵造成了深深的创伤。

“魏昕，”金祐徵放下剑之后，金均贞说道：“那么，我问你三个问题，你要如实回答我。”

“当然。”

“第一个问题是，虽然大王没有后嗣，但是，上大等金忠恭不是家族旺盛吗？”

金均贞所言是实。

与兴德大王不同，金忠恭家族旺盛，并且几个女儿都与近亲王族联姻。其中有一个女儿成为太子妃，而金均贞现在的妻子也是金忠恭的女儿。数年前，金均贞的原配因病去世，金均贞万分悲痛。后来金均贞娶了一个后妻，就是金忠恭的女儿昕明夫人。

“是的，大人。”金阳正视金均贞，答道：“上大等大人虽然家族旺盛，但大多是女儿，只有一个儿子。但是，并不是只有上大等大人有一个儿子，阿餐大人不是也有一个儿子吗？”

金阳指着金祐徵接着说：“而且大人，在这个世界上，并不是所有的儿子都是一样的，大人的儿子侍中大人不是囊中之锥吗？”

囊中之锥，即口袋里的锥子，意思是能力出众的人，无论怎么隐藏起来，都会被人发现。

“侍中大人现在并不在口袋里，假如在口袋里，不要说锥子，就连锥柄都会显露出来的。”

“好吧，那么再问你第二个问题，你刚才说，清海镇大使张保皋可能会发动新的谋反，这是何意？”

对金均贞提出的问题，金阳胸有成竹地答道：“大人，虽然张保皋在偏远的边防清海，但是他拥有能完全消灭海盗的一万兵力，而且，他财力巨大。从他的实力看，可以说是天下无敌了，不是有一句古语吗？所谓‘远交近攻’。”

远交近攻。

这是中国古代的魏国客卿对晋国昭襄王的建议，意思是和远处的国家保持亲近，对近处的国家进行攻击。

昭襄王为得到私有地准备进攻远处的齐国时，一客卿对昭襄王说：“和远处的国家保持亲近，对近处的国家进行攻击，只有这样得到一寸土地即是王之寸土，得到一尺土地即是王之尺地。”

“同样的道理，如果和远处的张保皋保持亲近，而对近处的人进行攻击，那么，得到一寸土地便成为大人的寸土，得到一尺土地也成为大人的尺地。”

“你是怎么知道张保皋的？”金均贞问道。

“大人，”金阳微微一笑，说道：“两年前，我偶然路过王都时，看见过张保皋进宫谒见大王。”

“观后感觉如何？”

金均贞的问话刚落，金阳便一口答道：“国士无双。”

金阳评价张保皋国士无双，即指一国之内再无第二的天下第一武士。

国士无双是秦国灭亡之后，项羽和刘邦两位英雄决一雌雄时，萧何评价韩信时所说的话。

起初跟随项羽的韩信，后对项羽非常失望，便投奔刘邦而去。而当时在刘邦阵营中，许多士兵思乡心切逃回故乡，士气也十分低落。对此萧何处分多次，也无济于事，最后管理军粮的治粟都尉韩信也渐渐对刘邦生厌，在一日夜晚出逃了。

萧何听到韩信逃走的消息，立即骑马追赶。当时萧何认为大战在即，绝不能失去韩信。

那时有一个将帅看到月下策马的萧何，以为他也逃走了，便立即报告刘邦。刘邦听说平素自己非常信任的萧何竟也叛逃，气愤异常。

可是过了两天，萧何又回到了阵营。于是刘邦带着怒气说道："你竟然也敢逃跑?"

萧何平静地答道："我并没有逃跑，我只是把逃跑的韩信追回来而已。"

几个部将逃跑时，萧何也没有说什么，可是一文不名的韩信逃跑时，却要把他追回来，刘邦怎么可能相信！于是，萧何解释道："以前逃跑的将帅，无论多少人都能再得到。然而，韩信是'国士无双'的人物。如果您只满足于巴蜀之地，那么，就不需要韩信这样的人才；但是如果您想入主东方得天下，那么能帮助您得天下的人非韩信莫属。"

与项羽相比，刘邦更想一统天下。于是，他接受萧何的劝告，任命韩信为大将军。这是公元前 206 年发生的故事。从那以后，韩信果然立下赫赫战功，终于使刘邦得到天下。

金阳评价张保皋像韩信一样是国士无双之人才以后，继续解释道："大人，如果您只满足于现在的权势，那么就不需要张保皋这样的人。但是，如果大人想得到天下，那么放弃张保皋，就不会有第二个人能帮助您了。"

金阳无所顾忌地说着，金祐徵吓得惊惶失措。可是，父亲金均贞装作没有看见，一直缄默不语。

此时已是深夜时分，周围听不到任何声响，房间里只有蜡烛的声音。

沉默良久之后，金均贞再次开口说道："魏昕，最后我再问你第三个问题，你要如实回答我！"

"是，大人。"

"你要去武珍做都督的理由是什么？你说你不是为了自己的荣达，而是为了报答我和祐徵的恩德。而你去武珍做都督又与我们父子何干?”

“大人,”金阳似乎已然经过了深思熟虑,毫不迟疑地回答:“我要去武珍做都督是因为张保皋。距离张保皋坐镇的清海最近的地方就是武珍。有一段时间,清海属于武珍的领地,由武珍管辖。若武珍是唇,那么清海则为齿;若武珍是辅,那么清海则为车。观察张保皋、与张保皋保持亲近的地方,也只有武珍。”

唇亡齿寒。

唇与齿关系密切,互相依存,利害相关。如果一方灭亡,那么另一方也不会安全。

辅车相依。

辅为颊骨,车为牙床,辅与车亦紧紧依靠,互相依存。

金阳的意思是说:如果张保皋是齿,那么自己就是唇;如果张保皋是车,那么自己就是辅。为此,他只有去武珍任都督,才能与张保皋保持密切的关系。

金均贞回味着金阳的这一番话越发地觉得年轻人所言意味深长。于是,提了三个问题并都得到答案的金均贞再次陷入沉思。

良久之后,金均贞淡淡地说道:“夜深了,魏昕你回去吧!”

随即,金阳毫不犹豫地站起来向金均贞鞠躬告辞:“小人告退,请大人多多保重身体。”

金阳离去之后,金祐徵赌气地问道:“父亲为什么对他如此偏爱呢?他这样贸然前来拜见父亲,在别人看来可就是眼中钉啊!自古以来不是有‘眼中钉’之说吗?既为眼中钉,必要除掉才能免除后患!”

“祐徵,”金均贞打住儿子的满腹牢骚,一脸严肃地看着儿子说道:“将魏昕派到武珍任都督。”

金祐徵大吃一惊,不解地看着父亲。

“一刻也不要耽搁,立即将魏昕从中原太守调任武珍都督。”

“万万不可,父亲!”金祐徵摇头说道:“父亲不是知道得很清楚吗？他曾经任职的固城太守，这是从舍知到阿餐的人才能任命的重要职位，中原大尹也是被称为仕臣的重要官职。都督就是管理地方长官，尤其是把叛贼子孙金阳派到叛贼之地武珍任都督，是万万不可的！若将金阳派任武珍都督，岂不是父亲与孩儿犯下的罪行吗，那可如何是好？”

“祐徵，”金均贞默默地听儿子说完之后，满面温和地解释道：“这一切不是为了我，而是为了你。我已经到了寿则多辱的年龄，我活到现在，也算活得长久了，受辱的经历也不少。现在，我也不想活得更长久了，也不期望更多的荣华富贵，但是你还年轻，余下的人生还很长，要做的事情也很多啊。”

寿则多辱。

此言出自《庄子》，原意本是讽刺儒家思想。上古之时被誉为圣天子的尧巡行天下，途中来到一个叫华的边境。当地的官员恭敬地迎接尧，并祝福道：“恭祝圣上健康长寿！”

尧笑着答道：“我并不期望长寿。”

官员重新低头说道：“那么恭祝圣上更加富贵！”

尧再次答道：“我也不期望更多富贵。”

“那么，恭祝圣上多子！”

尧答道：“我也不期望多子。若有很多儿子，其中定会有丑陋之人，那么心里就会非常担心；若得到富贵，那么就会发生很多不必要的事情，过于复杂；若活得长久，那么受辱的事情自然就会比别人多。”

金均贞正是引用了尧之所言“寿则多辱”。

“父亲，”金祐徵笑着说道：“难道父亲忘记了吗？那个官吏说完之后便化为神仙消失了，而且在消失之前，神仙看着尧最后还说过这样一些话：‘听说尧是圣人，其实不过是君子而已。若是多子，让他们各自做适合自己的事，就没有必要担心；若有很多财富，便可以分给别人。真正的圣人像鹌鹑一样，不计较住所；又像小鸡一样，不挑剔饮食；又像小鸟一样，自由自在。这样生活一百年之后，再对人世心生厌弃之心，则会变成神仙驾着白云去玉皇大帝的天宫。’父亲不是君子，而是圣人，怎么能说寿则多辱呢?”

“祐徵，”金均贞疼爱地看着儿子，接着说道：“古时候，汉武帝同大臣在汾河一边喝酒一边作诗，写了一首《秋风辞并序》：

秋风起兮白云飞
草木黄落兮雁南归
兰有秀兮菊有芳
怀佳人兮不能忘
泛楼船兮济汾河
横冲流兮扬素波
萧鼓鸣兮发棹歌
欢乐极兮哀情多
少壮几兮奈老何

祐徵，就像汉武帝的诗‘欢乐极兮哀情多’，以及尧所说的‘寿则多辱’一样，我现在不希望活得更长久，也不需要更多的欢乐。我能享受的都享受了，我也满足了。但是，你正年轻，年轻的时光如此短暂，所以要做好准备以防万一。

把魏昕派到武珍任都督吧，他是一个聪明出众的孩子，任何时候都会对你结草报恩，鼎力相助的!”

后来，金均贞的预言果然应验了。九年之后，金祐徵正是借金阳之力登上了王位，成为新罗第四十五代神武王，不过这已是后话。人的未来真是难以预料。

于是，金祐徵接受了父亲的建议。几个月之后，金阳从中原大尹调任武珍都督。

2

话说走出金均贞大宅的金阳，此时正独自走在夜路上。虽说夜幕已降临，而城内仍车来车往，人潮涌动，热闹非凡。

《三国史记》曾这样描述城内：

王都至海内，房与墙相连，无一草房。琴声歌声不绝于耳……

然而在金阳看来，街上如此的繁华热闹却与自己已无任何关系。

金阳家也曾是三十五栋金入宅之一，但是由于金宪昌之乱，不仅父亲从波金餐职位被撤职，而且所有的家产和庄园也都被没收。万幸的是，他却得到了金均贞的照顾，被任命为固城太守。

“我不过是丧家之犬而已！”踯躅独行的金阳想着自己的处境，不知不觉自言自语起来。

沿途的夜市上聚集着一群人，点着明亮的火把，圈内几人正杂耍着一个金色的球卖弄技艺，每到惊险之处便从围观人群中发出一阵阵惊叹。

这是从唐朝传过来的一种游戏，名为金丸。

只见一个汉子正在熟练地耍弄金黄色的球，那球随着男人熟练的技艺，一会儿抛到空中，一会儿落到手上，围观的人不时抱以热烈的掌声，纷纷掏钱扔进场内。

那汉子一边表演，一边唱歌：

旋转身体

挥动双臂

金环像月亮一样旋转
像星星一样闪耀
有好友胜于此
广阔天地
太平盛世

金阳听到歌声，不由得停下了脚步观看汉子的表演。当时，萨拉伯尔非常流行从唐朝传过来的杂技、假面戏剧、狮子舞等。

以前，像表演杂技这样的贱民是不能进入城内的，城内居住的居民都是头品以上的贵族。后来，城里的贵族为了打发无聊时光，才允许在城内进行特殊表演。这些人大部分都是乐工，被称为尺，跑舞的人叫舞尺，唱歌的人叫歌尺。

金阳看着那汉子手中表演的金球，突然觉得自己就像那个金球一样，如那个男人吟唱的歌词，金球随着转身挥臂，像月亮一样旋转，像星星一样闪耀。

那汉子吟唱一阵之后，假面戏剧开始登场，一个驼背人戴着假发开始跳舞。当时，类似的假面舞非常流行。

这出剧叫做醉喜剧，醉酒的驼背人不停地举杯喝酒，终于喝醉了。当驼背人醉得东倒西歪时，围观的人便轰然大笑起来。于是驼背人再次唱起歌：

高高的肩膀，蜷缩的脖颈
几个书生举杯畅饮
听到歌声众人大笑
夜晚挥旗催促黎明

驼背人唱得滑稽极了，围观的众人都抱着肚子笑起来，然而金阳却笑不出来，因为他觉得自己就像那个戴着假发，东倒西歪的驼背人。

“不，绝不是！”金阳往场地里扔了一枚铜钱，重新独自上路。

“我绝不是任人摆弄的金环，绝不是为了博人一笑，戴着假面表演假面戏剧的驼背人。看着吧！”

金阳握紧双拳，咬牙切齿地说道：“我一定会回来的，我一定会回到王都重新找回失去的大宅，重新恢复太宗武烈王家族的荣耀！”

金阳的祖先太宗武烈王登上王位时，曾得到先王阏天的称颂，认为他是济世英雄。

济世英雄。

后来，太宗武烈王果然成为统一三国，救济天下的英雄。

金阳也暗下决心：“我也会成为英雄，如果说太宗武烈王是救世英雄，那么我将成为乱世英雄。”

据说很早以前，唐朝禅僧赵州的一个弟子问道：“乱世应该怎么做呢？”赵州答道：“乱世正是好时节。”

对此，金阳极其认同。他点点头暗下决心：“乱世是最好的时节，乱世绝对需要英雄，我一定会成为英雄，一定会制服天下！”

若要成就他的大业，金阳认为，他只能利用金均贞和金祐徵父子。他要不择手段地将金均贞和金祐徵成为自己手中的奇货。所以，金阳采取的第一个步骤便是囤积奇货。即便今天看不出这奇货的珍贵之处，但是，考虑到将来定会获益匪浅，他决心投资下去。

金阳一边在漆黑的路上走着，一边自言自语：“我要把金均贞和金祐徵变成珍贵的宝物，不惜一切代价令他们二人中的一人登上王位。那么，我就会像吕不韦一样成为丞相，得到无上的权势和荣华，重新恢复家族的荣耀。”

“当、当、当——”

这时，从附近的芬皇寺传来了钟声。

那钟声在告诉人们已是戌时，之后便是亥时，城内就开始禁止通行了。于是，金阳快步向芬皇寺右边的板积宅走去。

3

板积宅是萨拉伯尔三十五个金入宅之一，是金阳堂兄金昕的住宅。

金昕是金阳的堂兄，金昕的父亲璋如和金阳父亲贞茹是亲兄弟，因此金昕和金阳都是太宗武烈王的第九代子孙。由于金宪昌叛乱，金阳家族遭到灭门之灾，而金昕家族却长盛不衰。因为金昕才华出众，是新罗最大作家和第一学者。

正如《三国史记》的记载，金阳性格豁达，雄心勃勃；金昕则聪明过人，才华出众。因此，金昕不仅得到兴德大王的宠爱，尤其得到上大等金忠恭的欣赏。

宪德王十四年，由于金宪昌叛乱，国家混乱不堪，金昕家族作为太宗武烈王的后裔，理所当然地成为灭门对象。但是，金昕家族得以保全，完全是因为金昕出众的才华。当时，宪德王欲向唐朝派一个使节，可是却找不到合适的人选。这时，金忠恭向宪德大王推荐了金昕。金忠恭非常欣赏金昕的学问，一心想将他从家族之灾中拯救出来，于是向宪德王推荐金昕。

于是，金昕便跟随朝贡使金柱弼前往唐朝，使他的出众才华得以展现。

一年之后，当金昕从唐朝即将归国之时，唐朝皇帝发诏书封金昕为金紫光禄大夫试太常卿。由此可见，金昕在唐朝期间发挥了他杰出的外交才能。回到新罗，宪德王也称赞他的功劳，封他为南原太守。

兴德大王即位之后，金昕更加腾达，曾接连几度升任朝中要职。

从康州（现在的晋州）大都督直到现任的阿餐兼相国职位，这全是受欣赏他的出众人品和才华的金忠恭的恩德。

如此，出自同一个家族的两个兄弟，其家庭一个灭亡，一个兴旺。

金昕比金阳年长五岁，不过两个人从小就像同胞兄弟一样亲密无间，互相信任。少年时两个人都曾为花郎，还一同巡游全国磨练身心。

“魏昕，是你吗？”金昕听到金阳来访的消息，连鞋都来不及穿就跑出来迎接。

“让我好好看看你！”金昕一把抱住金阳，仔细端详着他的脸，大笑着说道：“还是那么高大英俊，来，我们进去喝一杯！”

此时，从芬皇寺又传来了亥时的钟声。

两个人已经很久没这样单独在一起喝酒了。

大概是在两年前，金阳调任中原大尹时来向金昕告辞，那是两个人最后一次见面。当时，金昕就像自己的事一样，高兴得不知如何是好。

“魏昕，你去做中原大尹，这是一件多么高兴的事啊！”

但是，金阳并不这样想。自己艰难地调任中原大尹时，堂兄已经是康州大都督了。

金阳一边接过金昕递过来的酒杯一边想着：“虽然我现在就要调任武珍都督，可是堂兄泰昕如今已经是相国了。当自己登上了朝中六品时，堂兄泰昕却已是伊餐，是朝中的特级贵族了。”

伊餐，在新罗十七个官级中相当于第二级，仅次于只有大王的亲属才能获得的伊伐餐，是最高级别的特级贵族。六品和伊餐可谓天壤之别。

“泰昕兄，您气色很好啊！”金昕字泰，虽然两个人相差五岁，而且金昕职位很高，但是，他们一直以兄弟相称。

“气色应该很好吧！最近我是髀肉之叹啊。”金昕看到堂弟金阳之后，兴致勃勃地笑着说道：“魏昕也是知道的，有一段时间，我总是骑马在地方四处奔走，大腿上没有一丝赘肉。现在来到王都，虚度时光，最近是髀里肉生啊。”

金昕所说的髀肉之叹、髀里肉生都是指大腿生出赘肉的意思，这是《三国志》中刘备无所事事，虚度时光时所发出的感叹。

事实上，金昕不知不觉间胖了，而且还留起了长长的胡子，一看就是二十七岁的壮年。

“我的大腿上已经长出赘肉了。魏昕怎么样？是不是大腿上都是肌肉啊？”

金阳却答道：“泰昕兄不是更清楚吗？若缺少条件是不可能得到想要的东西的。”

听到这话，金昕似乎突然想起什么，拍着膝盖说道：“你说什么呢？魏昕的天命不是将因三个女人得到天下吗？”

然后，金昕大笑着继续说道：“和你相比，我的命运是要凭借三棵小草，艰难地苟延残喘啊。”

随即，金阳也似乎想起什么，放声大笑起来。

两个人这样咯咯笑着，想起了很久以前发生的往事。

二人的对话如谜语一般，金阳的命运是因三个女人得到天下，金昕的命运则是要因三棵小草成圣成佛。这是只有两个人知道的秘密。但是，这并不是单纯的玩笑，它有一段独特的由来。

十年前，金昕十八岁，金阳十三岁，两个人都身为花郎一同巡行全国。通常，花郎都要接受一定时间的训练，大多需要三年左右。

那时，他们在走出萨拉伯尔，有机会游览了附近的南山、金刚山、地理山或雪岳山等名山大川，培养了对新罗江山的爱国之心。

就在那段时期，有一天，堂兄金昕突然提出要去浮石寺。金昕说：“听说浮石寺来了一位朗慧和尚，是一个非常神奇的高僧。我们同去占卜将来的命运吧。”

浮石寺是文武王十六年十二月，即公元676年，由国师义湘建造的华严宗的中心寺刹。当时，浮石寺由石征大师任住持。作为华严大家，他是一个被称为大德的高僧。所以，当金昕说起浮石寺的朗慧和尚，而不是石征大师时，金阳奇怪地看着金昕。金昕解释道："朗慧和尚虽然年轻，但是他很早以前就被称为海东（译注：即朝鲜）神童，所以我们先让朗慧和尚算一卦吧。"

五色石寺由一个法性禅师的禅僧任主持，朗慧在那里学习楞伽经。法性禅师是很早之前留学唐朝学习楞伽经的当时的第一禅僧。

据说有一日，师父法性禅师对已经在那里学习了五年北宗禅的朗慧说："我懂得不多，不能再教你什么了，像你这样的人应该到唐朝留学。"于是朗慧答道："我知道了。"之后便离开了雪岳山。

朗慧听从了师父的劝告，离开雪岳山之后，于公元817年踏上留学中国之旅。但是，由于巨大风浪，朗慧未果而归。于是，他来到浮石寺，跟随石征大师学习华严宗。

金阳也曾听到过被称为海东神童的朗慧和尚的传闻，因此，两个人立即向凤凰山出发去见朗慧和尚。

当时是宪德王十二年，公元820年春。

朗慧和尚正在浮石寺后面的醉玄庵面壁修道。有不少人听到传闻来见朗慧和尚，但是朗慧和尚都没有接见，却只见了金昕和金阳，因为他一眼认出了金昕。

金昕只比朗慧和尚小三岁，从小便是非常熟悉的同宗兄弟。

金昕和金阳去见朗慧和尚时，是金宪昌叛乱发生的两年之前，正是新罗太平盛世时期。但是，朗慧的父亲金范清职位比真骨低一级。由此不难推断，朗慧的父亲与金阳的父亲一样，也是帮助金宪昌的叛乱势力。

金昕不仅从小就非常了解神童朗慧和尚，而且二人也很亲密，一直到朗慧十二岁。朗慧十二岁时认为九流之学问鄙俗不堪，露出皈依佛门之意，不久便突然离家而走。

从那以后，他们再也没有见面。曾是全国皆知的神童朗慧，对各种学问失去兴趣，而遁入空门，使一直期望他加官进爵的家人非常震惊。

海东神童朗慧身居浮石寺时，有许多人慕名前来拜访，但每次他都毫不留情地掷出石块赶走他们。可是，某个春天，当两个年轻人找到他时，无论他怎么赶，他们都安然不动。于是，朗慧走出来看个究竟。

朗慧看出这两个年轻人并不是单纯地出于好奇心的信徒，而是游览全国名山寻访僧侣的花郎。于是他停了手。从真平王时起，圆光法师为花郎制定了世俗五戒，从此大部分僧侣都会为花郎的精神修养提供很多帮助。

当朗慧走近这两位花郎时，他一眼便认出了金昕。

“你不是泰昕吗?”

“是的，师父，我是泰昕。”因为朗慧辈分较高，他是两个人的叔父，所以，两个人跪下来行大礼向朗慧问候。

此时，金昕未见朗慧已有八年了。朗慧几乎完全变了，目光炯炯有神，声音振振有力。

“那么，你们来这里有什么事吗?”详细地问过家里情况之后，朗慧问道。

金昕跪着答道：“很早以前，圆光法师从隋国回国留在云门山假实寺时，花郎归山和秋项前去请求指点一生的警示名言。圆光法师便送给他们花郎五戒：‘事君以忠、事亲以孝、交友以信、临战无退、杀生有择’。后来，两个人在同百济展开的阿莫城战斗中壮烈殉国。我们两个花郎来找师父，也是为了请您指点一生的警言。”

朗慧听金昕说完之后，突然以宏亮声音问道：“泰昕有舌头吗?”

丝毫没有准备的金昕犹豫了一下，答道：“有。”

“那你给我看看。”

金昕无奈，只好张嘴将自己的舌头伸出来。

“泰昕果然有舌头啊！”朗慧点头说道，“可是，我没有舌头。我的宗旨是无舌土，所以，我什么话也说不出来，无法给你们什么指点。”

在佛教里，有舌土是指用语言或文字表示某种事物或事实，无舌土则指不通过语言或文字表示事实。因此，有舌土指教，无舌土指禅。朗慧的意思是说，因为自己是一个禅僧，所以不能用言语来解释。

然后，朗慧又突然张嘴伸出自己的舌头问道：“这是什么？”

“是舌头。”金昕答道。

朗慧笑着继续说道：“对。若你不求法，我便无须指点。但即使我为无舌土，既然你如此前来求法，那么，我不得不借舌头说说了。”

之后，朗慧便给金昕和金阳开口说了一句警示名言，其内容有如下记载：

虽心为肉身之主，肉身却为心之思虑。
只愁你们不思道，道却怎会远离你们？
身为农夫，亦可摆脱世俗之束缚。
心随我动，道士教父，又岂有所从之仆。

即便是农夫，只要好好修心，也能摆脱世俗的束缚成佛。朗慧的意思就是要他们潜心修身养性。金昕和金阳将朗慧的话牢记在心里。

然后金昕再次提出：“师父，我们此行的目的不只是为了请师父指点一生，还另有原因。”

“是什么？”

朗慧话音刚落，金昕随即答道：“我们想知道我们两个人的将来。”

朗慧听罢大声说道：“你这个家伙，你以为这里是占卜算命的地方吗?"

朗慧以为两个花郎将他看为有妖术之人，大为愤怒，举起禅杖假意责打，并大声斥道:“还不快走?”

但是，金昕依然跪着，笑着说道:“师父，请息怒。我们只是想要月旦评而已。”

月旦评，即“每月头日之评”，是指对人的一种评语。

月旦评起源于后汉末年，汝南的许邵和其堂兄许靖两位名士挑选地方的乡党，在每月的头一天便给予每个人一个评语。他们的评语不仅准确而且有趣，言辞多是一些人们爱听的祝福之语。

因此，金昕请朗慧给予月旦评，即是请朗慧祝愿他们。

听罢，朗慧将禅杖放到一边望着金昕，炯炯的目光灼热了金昕的脸庞。之后朗慧说道:“看来，不久我便要受你的大恩德了。不过，我只看到了东方，却没有看到西方啊!”

朗慧把谜语一样的话抛给两个青年。看到两个人迷惑不解的样子，朗慧突然哈哈大笑，说道:“那么，就给你们月旦评吧!你们想知道什么?”

“我们两个人的将来。”金阳开口说道。

朗慧注视着两人沉默不语，良久，才提笔在纸上写起来。只见朗慧看了一眼金昕，说道:“这是你的。”

两个人赶忙一看，纸上只写了一个“草”字。

接着，朗慧又继续写了三个“草”字，然后说道:“会有三棵小草救你。”

真是无头无尾之语，但是，这就是金昕所求的月旦评。

而此时金阳却想:“这次该轮到我了。”但是，朗慧却默默不答。

“怎么了?”金阳赌气地问道:“对我没有什么可说的吗?”

听罢，朗慧说道:“以你的年龄，现在预测你的将来，还为时过早!”

十三岁的金阳对朗慧的定论有些不服气，便说道:“很早以前，官昌十三岁就成为花郎骑马射箭，十六岁时就和百济阶白战斗了。官昌被捕后，百济元首阶白说：‘新罗勇士众多，少年尚且如此，更何况壮士！’然后便放了官昌。官昌喝了一口井水后，再次冲进战场，终于壮烈殉国。现在，我也是十三岁，也像官昌一样成为花郎，并且武艺精通，您怎么能把我看作年幼无知的少年呢？”

言罢，朗慧呵呵笑着说道：“你说得很对，我怎么能把你看作年幼无知的少年呢？”

于是朗慧再次提起毛笔在纸上写起来，并对金阳说道：“这是你的月旦评。”

两个人再一看，真是出乎意料，是一个“女”字。

朗慧又连续写了三个“女”字，说道：“会有三个女人救你。”

虽然是堂兄弟，但是两个人的将来却截然不同。金昕的命运在三棵小草上，而金阳的命运，令人意外地在三个女人上。

不过，朗慧的月旦评并没有就此结束。在离开之前，金昕再次问道：“师父，我最后问一个问题，我知道我的命运就是小草，我也知道一定会有三棵小草救我，可是三棵小草能给我带来什么呢？”

听罢，朗慧写下了一个字：圣。

这时，金阳也再次问道：“师父，我通过三个女人又能得到什么呢？”

朗慧挥起还未放下的毛笔，再次写下一个字：世。

不言而喻，堂兄金昕通过三棵小草得圣，金阳则通过三个女人得世。这便是当时朗慧和尚的谶言。

然后，两个人离开了凤凰山，这是他们两个人最后一次共同会见朗慧和尚。

朗慧曾对金昕说过像谜语一样令人不得其解的话：“看来，不久我便要受你的大恩德了，直到现在，我只看到了东方，没有看到西方啊!”没想到过了两年之后果真得到了验证。

当公元817年朗慧首次踏上留学唐朝之旅时，因为遇到风浪未能渡海而去。822年朗慧为了能再次入唐便留在唐恩浦，那时他偶然遇到了作为朝正使准备前往中国的金昕。

当时是十二月，朗慧请求金昕允许一同前行。于是，金昕想起了两年前和金阳一起在凤凰山浮石寺和朗慧和尚见面的情景。

金昕作为使臣前往中国时，遇到朗慧请求搭船，不觉想起了两年前朗慧说过的话：看来，不久我要受到你的大恩德了。金昕便爽快地同意朗慧搭乘朝贡船。

据说，在前往中国的船上，金昕曾经这样问过朗慧：“师父，您曾经对我说我将通过三棵小草得到圣，那么我想再问一下，通过三棵小草怎么能得到圣呢?”

听罢，朗慧笑着答道：“三棵小草，就意味着草木茂盛。按字意分析，三个草字合在一起便是‘卉’字。卉即草木茂盛之意。所以说，你将通过茂盛的草木成圣。”

朗慧通过金昕的帮助到达中国，在那里他收获颇丰。

此后，朗慧在中国生活了二十三年。在这二十三年中，朗慧曾对金昕和金阳说过的谶言全部应验：金昕因三棵小草成为圣佛，金阳则借三个女人得到权世。这已是后话。

金昕的话，使两个人想起了十年前的往事。即十年前，两个人还是花郎时，去浮石寺从朗慧和尚那里得到那两个谶言。

“以三棵小草成圣，那算什么呢?像魏昕一样，借三个女人得到天下权势，这才是极乐世界，你说是不是啊?”金昕大笑着说道。

时隔很久才见到金阳，金昕的心情特别好，连续喝了好几杯，不知不觉间便醉了。

醉意朦胧之时，金昕又兴致盎然地吩咐下人将夫人叫来。金昕的夫人贞明是一位绝色美女，她是金忠恭众多子女中的一个。金忠恭出于对才华出众的金昕的欣赏，便将自己的女儿许配给他。

金阳对贞明夫人也非常了解。其实，与其说金阳非常了解贞明，还不如说他一直十分思慕贞明。事实上，金阳和贞明曾经有过婚约。那时金阳祖父宗基任苏判，和金忠恭关系密切，两家就订了婚约。

当时，金忠恭任执事部侍中，每天两个人都在一起饮酒。有一天下起了大雨，两个人又想一起喝酒，便各自吩咐下人备酒。可是大雨倾盆，河水上涨，他们谁也走不过去，于是便远远挥手，最后就坐在了河水两岸的树桩上。一人在这边举起酒杯说道："来一杯，"另一人便在那边也举起酒杯回敬道："干一杯。"

在雨中，两个人就这样饮酒作乐。这时只听一人说道："我们做亲家吧。"于是另一人便一口答应下来。如此，两家订下了金阳和贞明的婚约。

但是，这个姻缘后来因金宪昌的叛乱而化为泡影。由于金阳家族的没落，他们解除了婚约。金忠恭将女儿贞明许配给了前途光明的金昕，并且在适当的时候推荐金昕出任派往唐朝的外交使节。最后，金忠恭在政事堂任内外官，掌握了人事实权，成为最高政治实力派人物，而他的女婿金昕则被调到中央朝廷任相国。

当金昕召唤夫人时夜已经很深了，但是贞明夫人还是顺从了夫君，来到了金阳的面前。

金阳双手接过堂兄夫人敬的酒，面无表情慢慢地喝着。

难道金昕不知道自己的夫人贞明曾与堂弟金阳有过婚约？金昕也许知道，也许不知道。但不管怎样，对金阳来说这都是无法容忍的一种耻辱。

当时，金昕和贞明夫人已经结婚八年，但是他们没有子女。这之后又过了二十年，金昕去世。他们夫妇一生没有子女，由夫人处理丧事。

那天晚上，金阳很晚才睡。

金阳和金昕喝得差不多，可是酒席结束后他的头脑反而更清醒了。他枕着胳膊想起自己面对贞明夫人的情景，心里感到无比苦涩。是不是堂兄金昕明明知道贞明夫人与自己有过婚约，却故意让她给自己敬酒呢？请夫人到酒桌上来，这并不是新罗贵族的习惯。

“那么，”金阳望着天棚想着：“金昕让夫人出来，是不是为了看两个人的反应呢？”

突然，金阳想起了朗慧和尚的谶言：“你将因三女得世！”

前一天晚上，在见到堂兄之前，金阳一次也没想起过。但是，此时，这句话犹如一只利箭深深刺痛了金阳的心。

如果朗慧和尚所说的是事实，那么我是不是已经经历了一个女人？差一点成为自己妻子的贞明，最后却被堂兄夺走，两个人的命运也出现了天壤之别。金昕通过迎娶贞明，成为最高贵族阿餐兼相国，自己却在地方艰难度日。

那一刹那，金阳猛地坐起来，一个灵感涌上心头。

熟知中国历史的金阳记得，后汉末年，第十二代皇帝灵帝在位时，中国发生了黄巾军起义，曹操便来找许邵请他对自己进行评价。但是，许邵听说曹操粗鲁暴躁，所以犹豫不绝。在曹操的一再催促下，许邵无奈地说道：“太平盛世时，你会成为一个有名的官吏。乱世时，你会成为一个奸雄。”听罢，曹操高兴得跳了起来，立刻开始招募军队击退黄巾军。

“那么，”金阳想：“许邵对曹操所说的奸雄，那‘奸（姦）’字不就是由三个女字组成的吗？”

是的，金阳猛地站了起来，朗慧和尚的谶言“将因三女得世”，其含义与曹操的人物评一样，就是“在乱世中成为奸雄的人物”，而现在，不就是乱世中的乱世吗？

这样的乱世就需要像曹操一样的奸雄，就像堂兄说的，圣有什么用呢？不是有这样一句古语吗——好死不如赖活着。我要像朗慧和尚的谶言一样，卷土重来，通过“三女”成为乱世中的奸雄，得到世俗的权势。

这时，远处传来公鸡的啼鸣。与此同时，又传来汾皇寺的钟声，已经黎明时分了。

当当当……

听着钟声，金阳笑了起来。“成为乱世姦雄，”就像曹操听到许邵的月旦评而高兴得跳起来，金阳也非常兴奋，他一边笑着一边在房间里手舞足蹈。

4

兴德王八年，即公元833年春。

有一个犯人从金阳所任都督的武州押送到了清海镇。这个犯人姓阎名文。对清海镇大使张保皋来说，抓获这个神出鬼没的盗贼，就好像拔掉了眼中钉、肉中刺。

当时，清海镇一片繁荣昌盛，自张保皋接受清海镇大使职务以来，不知不觉已过了五年。

在这不长也不短的时间里，清海镇取得了飞速发展，其根本原因首先是张保皋动员一万名军士成为军丁，编成了组织严密的军阵。

张保皋以他在唐朝武宁军任军中小将时积累的经验为基础，模仿中国藩镇制度编成军阵，这是在当时的新罗军队中闻所未闻的独创组织。

张保皋首先以自己的部下，曾经在唐朝同甘共苦的张弁、骆金、张建荣、李顺行等骁将为主，创建了由三千人组成的亲卫常备军牙军。

张保皋本来就是爱护壮士的人，除了将帅，张保皋还接受了曾经是土豪势力的李昌镇，不断壮大军事实力，而且还为所有做贸易的船队部署了兵力。

就像张保皋谒见兴德大王时说的那样，这些举措都是为了消灭海盗。张保皋认为，如果要根除奴隶，首先要消灭海盗，而如果要消灭海盗，首先要武装强大的船队。

唐朝几乎所有的商船都拥有小规模武装，但是这并不能对付海盗的攻击。张保皋首先在船上部署了叫做兵马使的武装，通过兵马使管理船队。在此之前，船队的负责人大部分都是从事贸易的回易使或买物使等商人。张保皋将精锐军部署到船队，将船队全副武装。同时，由兵马使指挥船队，使船队具有商船兼军船两种功能。

从此以后，张保皋的军队很快就掌握了大海。不仅如此，公元821年，平庐军节度使薛苹曾向皇帝上奏指出：海盗掠夺新罗良民贩卖到中国，将他们变为奴隶。同时奏请皇帝下达禁令根除这种非法行为。因此，皇帝下禁令禁止买卖新罗奴隶，并将其遣送新罗。但是禁令并没有正常执行，对此，张保皋通过外交途径再次向薛苹提出了强烈抗议。

公元828年10月，在张保皋建立清海镇六个月之后，薛苹以皇帝的名义，再次下令执行禁令。

通过张保皋的外交抗议和军事手段，海盗很快就被消灭，将新罗人掠走的奴隶贩卖活动也彻底消失。在张保皋的努力之下，大海终于恢复了平静，海上贸易也如雨后春笋一般，蓬勃发展起来。大海上开始活跃起被张保皋命名为大唐买物使的贸易船队交关船。

当时，扬州是中国唐朝的政治、经济以及社会文化中心，也是唐朝最大的国际城市。往来于扬州的外国商人多以新罗贸易商人为主，还有阿拉伯、波斯等国的商人。通过这些商人进口的舶来品不断涌入新罗，同时新罗的物品也源源不断地出口到阿拉伯等国家。

阿拉伯地理学家伊本库罗蒂巴（音译）（829—912 年），在他的著作《帝都与帝王国志》中叙述了新罗的位置和黄金的产量，以及穆斯林与新罗来往等内容。新罗出口到阿拉伯的商品主要有：明珠、丝绸、kiminkhau、khulanjan、剑、鹿茸、芦荟、马鞍、貂皮、陶器、帆布等。

这里记载的 kiminkhau、khulanjan 不知道究竟是何物。不过从人参和生姜等物品出口到伊斯兰国家，可以看出张保皋的清海镇在国际贸易中的影响。

日本也是一样。公元 680 年和 686 年，日本从新罗进口了金、银、铁、刀、金银工艺品、高级丝绸、虎皮、骆驼、药品、屏风、皮革等。此外，还进口了许多佛像、各种彩色丝绸。尤其是新罗从南海西部进口的骆驼等珍贵物品，再次出口到日本，可见日本贸易对新罗的依赖。

从《续日本后记》承和七年的记载中可以看到，曾是日本贸易中心的九州太宰府给中央政府致函："新罗国新罗人张保皋派来使臣求见"。

当时，张保皋打破了只允许国家和国家之间进行贸易的惯例，不经过新罗朝廷，自作主张派出自己的贸易船队提议通交。九州太宰府以人臣无外交为由拒绝了张保皋的通关要求。但是，张保皋的回易使带来的唐朝货物，允许以民间合适的价格进行买卖。

现在，国家正仓院还收藏着代代日本皇室的国宝级宝物，其中有二十六件重要的买新罗物解。

买新罗物解，这是官品五位以上的日本贵族从新罗进口舶来品之前，将他们需要的物品名称、数量、价格等记录下来，向宫内省提出进口的申请书。

这里记载的物品有：薰香、青木香、丁香、龙脑香等东南亚、印度等国的香料；东南亚的各种药材、颜料、染料、书籍等。此外还有日常用品，如纸、乐器、毛毯、松籽、蜂蜜、口脂、经卷、佛具、镜子、佐波里、餐具等。

当时新罗流行的民间交易品主要是：以人参、天麻为主的各种药材；金银铜工艺品、金银餐具、金银酒杯，银制茶具、银筷子、金铜锁、金铜剪、高级丝绸、玉腰带、漆器等。

这些物品通过张保皋的贸易船队自由往来于唐朝、新罗和日本之间。从某种意义讲，清海镇是类似于现在的香港或新加坡的国际自由贸易港。

但是，和繁荣富庶的清海镇不同，当时的新罗极度混乱，百姓贫病交加。加之自然灾害，新罗朝野上下陷入水深火热之中。

自古以来，每当发生自然灾害时，君主认为是由于不德所致，因此作为对自己的惩罚，通常离开正殿到别殿入寝，而且同时还从日常的饮食中，减少用膳的种类，并赦免犯罪轻微的犯人等，通过各种方式对百姓进行安抚。但是，尽管全国上下共同努力，灾害依然得不到缓解。第二年，又发生了更严重的事件。

兴德王八年（公元833年）春天，全国发生了更大的饥荒，十月杏树开花，许多人被疫病传染而死。连续两年的干旱和疫病的流行，使因饥饿和疾病死的人越来越多。于是全国各地人心慌慌，群贼四起，这时出现的最大的盗贼便是阎文。阎文是武州人（即现在的光州），以前是海上十分活跃的实力人物，曾经是一个拥有大规模船队的商人，不过，他主要从事奴隶贸易。

当时，奴隶是获得最高暴利的商品，贫病交加的岛上居民，由于生活所迫不得不卖掉自己的子女。阎文将这些孩子转卖给中国的海盗，全盛时期，甚至直接吩咐部下将良民掠走，强行带到中国的奴隶市场出售，进而从奴隶中间商转变为专门的奴隶贩卖商，因此，他是西南海岸最有实力的人物。

阎文极其凶狠残暴，对部下冷酷无情，有时甚至亲自驾船掠夺奴隶。每当阎文掠夺奴隶时，都戴着金黄色的方相氏假面具，把自己的脸完全遮盖起来，因此，人们都对他深怀恐惧。

当时，最恐怖的就是天花传染病，驱赶这种疫神的方相氏本来是做好事的善神，可是由于阎文戴着方相氏面具，善神成为令人极度胆战的恐怖的代表。阎文平时居住在武州，身穿古代百济乐工常穿的紫色长袖袍，头戴一顶文人戴的章甫冠，脚踏皮靴，吹着觱篥，把自己的身份完全伪装起来。

觱篥是一种类似笛子的乐器，阎文尤其喜欢用桃树皮制作的觱篥。据说，当阎文吹觱篥的时候，听者会伤心地流泪，天上飞翔的小鸟也会落上枝头聆听。

然而百姓竟全然不知，武州城最高乐工阎文，是一个掠夺良民、买卖奴隶、残忍无道、罪该万死的的恶魔，甚至连他的妻子、姐姐等亲人也不知道他的真实面目，可以说，他是一个戴着假面具的恶魔。

张保皋禁止海盗行径和贩卖奴隶的禁令下达后，阎文便对此密切关注。张保皋严厉处罚被抓获的海盗，特别是对西南沿海买卖奴隶的中间商，常“弃尸于市”，即将罪犯的尸体分割成数块弃于闹市之中，这是新罗独特的历史悠久的刑罚之一。而较轻的罪犯则被处以“投弃远岛刑”的处罚。这种处罚是将罪犯丢置于完岛海域一百五十多个无人居住的小岛上，令罪犯无法从岛上游回大陆，在岛上慢慢饥渴而死，绝无逃生的可能。在海边出生，在海里长大的张保皋将在海上肆虐的海盗放逐到无人岛上，让他们知道大海恐怖的一面。

阎文小心观察了一段时间后，便悄悄停止了自己的贩奴生意。虽然放弃了买卖奴隶，但他还有几条大船，可以继续做其他生意。他主要向唐朝出口皮革制品，进口绸缎。但这种生意利润微薄，根本无法满足他的胃口。兴德王八年春，虎视眈眈的阎文经过两年的蛰伏，在各地强盗蜂拥而起之际，召集旧部，肆虐于沿海地区，强迫百姓卖儿卖女。

阎文胆大包天地重新开始了已中断五年的奴隶贸易。他经常在自己的船甲板上放些毛皮制品，而在甲板下面则藏着准备卖到中国扬州的新罗奴隶。

那时的扬州是大运河和长江下游的中心城市，唐朝在此设淮南节度使，管理十一个州，是当时的国际贸易中心。不仅新罗商人，还有波斯、站婆国及大食国商人在此居住，形成波斯庄、新罗坊等各国人居住的聚居区。天长日久，在扬州形成了一个叫“十里长街”的大市场，而这个市场最有名的地方就是买卖奴隶的人肉市场。到穆宗皇帝下令关闭人肉市场为止，这个市场经常买卖从波斯、阿拉伯帝国来的奴隶。

据史料记载，最受欢迎的是新罗的奴隶，价格也最昂贵。虽然皇帝的下令禁止奴隶贸易，但奴隶贸易从未停止过，一直在十里长街的阴暗角落里秘密进行。阎文的奴隶就在这里以最高的价格被买卖。

新罗奴隶重新在十里长街进行交易的情报最初经在十里长街居住的新罗商人确认，而后又由居住在新罗坊的新罗人直接报告给了张保皋。张保皋不仅严密控制着自己率领的一万余名军兵，对居住在中国的新罗人也控制很严。

新罗人的玩乐之处集中在大运河一带，中心是楚州和涟水乡。人们称新罗人聚集的地方为“新罗坊”，唐朝在此设管理新罗人事务的“勾唐新罗所”，由总管负责，下设负责具体事务的“专知官”和负责翻译的“译官”。外国人在中国滞留一般需要通行许可证“公验”，但新罗人有一定的自治权，新罗人聚居区属于一种治外法权区域。

张保皋把新罗人的聚居区集中在一起，这是非常重视情报的张保皋一项极具慧眼的举措。武功高强又擅长经商的张保皋比别人更早地认识到准确的情报是保障“海上帝国”有效运转的核心。这里有一例可以说明张保皋的无与伦比的情报搜集能力。

据世界三大游记之一的《入唐旧法巡礼》这样记载：

公元 839 年 4 月 20 日清晨，新罗人乘小船传来消息，张保皋与

新罗王子共谋叛乱成功，将王子推上王位。那时刮着强烈的南风，海潮逆流而行，小船只能东西向来回穿梭，在风浪中剧烈地摇晃。

《入唐旧法巡礼》中记载的邵村浦就在今天中国山东省牟平县乳山镇的邵村。新罗发生政变不过几日就传到中国的这个小山村，说明张保皋的新罗情报队伍的情报收集能力不逊于今天的现代媒体的传播速度。

总之，张保皋通过严密的情报网得知新罗奴隶买卖在扬州重新开始的消息后大为恼怒，他立即下令所有部下加强对奴隶贸易的监视。但阎文神出鬼没，他穿旧百济时代的衣服，装出乐工的样子，吹着笛子，不露出自己的本来面目，实际上却做着奴隶生意。

但是狐狸尾巴是藏不住的，阎文的尾巴终于露了出来。《续日本后记》中曾出现阎文的部下李小正的名字。

阎文的部下李小正等三十人来到九州。李小正是惟一知道阎文真实内幕的心腹，表面上李小正是做生意的商人，实际上，他是海盗。

前往中国进行贸易的商船都要经过清海镇本营获得出航许可，张保皋的军兵检查完商船发给通行许可证之后，商船才能前往中国。阎文的商船前来接受检查时，军兵不知道装运皮革的甲板下面关押着奴隶，只是按照张保皋的命令仔细搜查阎文的商船，最后发现了他的秘密仓库。一个士兵打开甲板的盖子，发现了里面有几十名奴隶，全是儿童。通常男孩被卖为奴仆，女孩被卖为性奴。

船队的负责人立即被逮捕，他就是海盗出身的李小正。大部分海盗不讲信义，只追求自己的利益，但李小正不同。虽经张弁百般讯问，但李小正一直坚持说一切都由他一个人负责。张弁一气之下，拔出剑来，却被于吕系拦住。

于吕系是张保皋的谋士，据《续日本后记》记载，张保皋惨遭暗杀之后，于吕系流亡日本，说自己是张保皋手下的岛民，寻求日本的保护。由此可见，他可能是以完岛为中心的附近岛屿的土著居民，但他机敏聪慧，常为张保皋出谋划策。

“不能杀他。”于吕系说道：“杀了他就抓不到贩卖奴隶的元凶了，他不过是一个小人物，要想杜绝奴隶贸易就得抓到罪魁祸首，斩草除根。”

“但是，”张保皋忍不住说。“这家伙根本就不开口说话。”

实际上已经审讯了几次李小正，但是他就是闭口不语，甚至对他严刑拷打，他也只是呻吟，从不求饶。

“大使大人，”张弁站起来说道：“这家伙死也不会开口了，不如把他带到集市上，在众人面前大卸八块，这样也可以杜绝以后发生类似的事情。”

“并不是没有办法。”于吕系沉思一会儿说道。

“什么办法？”张保皋问道。

于吕系笑着说道：“您请近前。”然后他对张保皋耳语了一番，张保皋听后脸上露出了笑容，稍后，张保皋出乎意料地命令道：“将李小正放逐到无人小岛上。”

这是新罗的一种传统刑罚，真正实行的却只有张保皋。

完岛前面的南海海流大部分都是从东向西流动。离海岸越近，涨潮退潮的落差越大，湍急的海流每天交叉两次，若想战胜如此湍急的海流，从无人岛游泳逃生绝无半点可能，张保皋对此了如指掌，但他附加了一个令人难以理解的命令：“把李小正放逐到百日岛上。”

张弁无法理解张保皋的用意。完岛前海有一百五十个无人居住的小岛。大部分罪犯被放逐到旧岛、德右岛等无人居住离大陆足有几百里，根本不可能活着出来的“绝海孤岛”。

但是张保皋指定的小岛却并非如此。那个小岛近在咫尺，仿佛把手伸进海里就能触手可及，虽说是无人小岛，但暗礁密布，可以轻松从岛上逃脱出来。更何况李小正是海盗出身，熟悉大海海流情况，水性又佳，可轻松在海里游几十里。

但是，张弁不能违抗张保皋的命令，他立即用船将海盗李小正放逐到百日岛上。百日岛是由暗礁组成的孤零零的小岛。张弁将李小正放逐到百日岛上之后，张保皋叫来另一个部下李昌镇，秘密下达命令。

果然正中于吕系的计策。

李小正被放逐百日岛后，当天下午就试图逃出来。在深海里有一股像江河一样的叫做“黑潮”的海流，李小正知道，只要顺着这个海流，可能毫不费力地到达沿海地区。

于吕系当然想到海盗出身的李小正可以轻松地从百日岛上逃生，张保皋也赞同于吕系的这个计策。如于吕系所言，与其处罚下手李小正，不如跟踪逃跑的李小正，寻找教唆李小正买卖奴隶的真正元凶。

李小正顺着海流轻松地漂到沿岸，靠近海岸时开始用力划水游泳，离海岸越近，海浪越高越急，普通人根本无法逆流而上，但是，海盗出身的李小正没费多少力气游到岸上。

李小正十分狡猾，他白天躲在山里，太阳下山之后才出来活动。他心里非常清楚，他是国法不容的奴隶贩子，又被处以投弃远岛刑，如果再次被抓，就会立即处以凌迟。

一天，他悄悄溜进一间无人空房，偷吃了人家的饭菜，偷换了人家的衣服之后潜入内陆地区。但是，李小正的一举一动都受到了一个人的严密监视，这个人就是接受张保皋秘密命令的李昌镇。

其他将领都是和张保皋在中国同生死共患难的部下，而李昌镇是土豪势力出身，因此，对这一带的自然地形非常熟悉，在跟踪李小正方面，无人能与之相比。

完岛原名加里浦，从加里浦到都督府所在地武珍大约有一百余里。通常，男子快步走三天就能到达武珍，但是，由于李小正白天大多时候躲在树林里，到了晚上才出来行走，所以五天之后他才到达武州。

武州是全罗道最大的要地，古代称“武珍岳”，是一个有无等山的藩镇。无等山是全罗道第一名山，每年都进行“小祀”。此山西侧朝阳山坡有数十根石柱，鳞次栉比，高约百尺，故此山也称瑞石山。

当时的武州都督就是魏昕，即金阳。时至当时，金阳就任武珍都督已经两年。与新罗文武王十八年被任命为都督的天训一起，成为新罗屈指可数的名宦的金阳，就任都督两年期间受到当地居民的广泛称赞。

以前，武珍是百济的领土，名为“奴只”。李小正从百日岛逃脱五天之后，来到了金阳任都督的武州，也就是奴只。李昌镇也神不知鬼不觉地跟踪而至。

李昌镇对这个地区了如指掌，李小正一举一动丝毫没有逃出李昌镇的视线。终于，李昌镇揭穿了李小正背后戴着假面具的恶魔，即身穿古代百济的紫色长袖袍子，头戴章甫冠脚穿皮靴的乐工阎文，那个吹着由桃树皮制成的觱篥的名人阎文。当李昌镇发现阎文就是戴着方相氏假面具，残忍无道地进行奴隶买卖的恶魔时，不禁大吃一惊。

因为李昌镇也听说过，如果阎文吹起觱篥，人们会悲伤地哭泣，飞翔的小鸟也会落到枝头聆听。

因此，李昌镇有点不敢相信自己的眼睛，一连几天反复观察，反复确认。可是，一点没错，李小正躲藏的地方就是阎文的家。

最后，李昌镇决定逮捕阎文，表面上阎文是吹着觱篥的乐工，实际上却是贩卖奴隶的人间恶魔。于是，李昌镇率部下突袭了阎文的家。那日，阎文正在家里吹着觱篥，那个乐曲李昌镇也非常熟悉，是《无等山曲》。

阎文吹奏的乐曲，正是这首古代百济人在无等山上建城，歌唱太平盛世的《无等山曲》。

阎文正在吹着觱篥，看到李昌镇率全副武装的士兵团团包围他家，放下觱篥问道："到底发生了什么事？"

看着阎文若无其事的样子，李昌镇拔刀怒声说道："你这个家伙，难道你不知道自己犯下的罪行吗？"

但是，阎文不动声色："到底发生了什么事？小人何罪之有？"

听罢，李昌镇环视部下说道："仔细搜查这间屋子，这间屋子里隐藏着一只耗子，这家伙是触犯国法，从岛上逃出来的海盗。你藏匿触犯国法的逃犯，贩卖大王严令禁止的奴隶，大逆不道，该当何罪？"

面对李昌镇的怒吼，阎文眼睛都没眨一下："大人，此话从何谈起，小人怎么会是大逆不道的罪人？怎么会是掠夺奴隶的奴隶贩子？您没有看错吧？小人不过是一个吹奏百济音乐的乐工而已。"

李昌镇的部下仔细搜查，终于找到了阎文常戴的方相氏假面具，因此，被海边人视为恐怖的死亡恶魔，罪大恶极的奴隶贩子面目终于露了出来。

"你这个家伙，还要装模装样吗？这就是你掠夺奴隶时戴的面具，你不就是方相氏吗！"

"大人，难道您不知道吗？这是乐工常戴的面具？尤其是演奏思内琴时，这是舞尺戴着跳舞的面具。"

但是，当其他部下把躲藏在地板下的海盗李小正找出来时，阎文的表情立刻暗下来。

"你还要再强词夺理吗？这个家伙身为海盗，目无国法，贩卖奴隶，被捕后处以'入岛刑'，却从岛上逃脱出来，是罪大恶极的罪犯！这个家伙从岛上逃出五天之后，躲进你家，在你家地板下被发现，他就是你的手下，你就是贩卖奴隶的元凶！还不快把这个家伙绑起来！"

听罢，几个士兵一拥而上，要把阎文捆绑起来，一瞬间，阎文腾空而起，几乎与此同时，阎文拔掉觱篥底部。

一般情况下，吹觱篥时嘴对着管，舌微微插入管中吹奏，而当阎文不吹觱篥，它则变成了藏有一把利剑的剑鞘。阎文吹奏的觱篥不仅是一个乐器，遇紧急情况时，也是一件武器。

几乎与此同时，阎文以探海之势，手中的剑刺向最近的一个士兵，瞬间士兵头颅落地。

这叫“逆鳞刺”，以极快的速度斜刺对方的脖子，这种剑法是剑术中最难掌握的击势。被剑刺中的士兵惨叫一声，倒地身亡。鲜血从他的脖子喷射而出，所有士兵吓得目瞪口呆。

“过来呀”阎文把剑举过头顶，摆出朝天的姿势大声说道：“既然如此，我就让你们看看我的厉害。过来，不管几个，一个不留。”

虽然李昌镇早就听说阎文凶狠残暴，野蛮无比，却万万没有想到他的武艺如此高强，李昌镇持剑环顾四周说道：“不能杀死他，掉一根头发，伤一点身体也不行，一定要抓活的。”

听罢，阎文笑道：“来呀，掉我一根头发之前，我先杀了你们，一起过来。”

李昌镇部下要活捉阎文谈何容易，如他们亲眼所见，阎文武艺超群，而且李昌镇命令活捉，让士兵们不知如何是好。

李昌镇部下有一个渔民出身的军丁，是一个用鱼网捕鱼的高手，最后，李昌镇部下用鱼网捕鱼的方法抓住了阎文。阎文束手无策，拼命挣扎，越挣扎鱼网越紧，终于被活捉。

阎文是在张保皋被兴德大王封为清海镇大使，开始打击海盗五年之后，抓获的最后一个海盗和奴隶贩子。

阎文被活捉后，立即得到武州都督府的允许被押送清海镇。阎文是触犯国法万恶不赦的罪犯，押往清海镇不会有任何障碍，但是，由于阎文是武珍管辖区内被捉，因此，须得到都督府的许可。

阎文被李昌镇押往清海镇时，是兴德大王八年，即公元 833 年秋。对张保皋来说，活捉神出鬼没的阎文，等于除掉了他的心头大患。

阎文被押送到清海镇后，立即被带到张保皋的军帐。

张保皋问道“你就是阎文?”

“是的”阎文答道。

“国家严令禁止买卖奴隶，你为什么还要再次掠夺奴隶，难道你没有看到禁止奴隶买卖的布告吗?”

“看到了。”

“下达禁令之后还买卖奴隶，将按照国法严加惩罚，难道你没有听说过吗?”

“也听说了。”阎文沉闷地答道。

“那么，你为什么又开始奴隶交易？戴着方相氏的假面具，隐藏自己的真面目，掠夺无辜百姓，将他们卖到海外。难道你没有父母和兄弟姐妹吗？难道你是披着人皮的畜牲吗！”

听罢，阎文抬起头，直视着张保皋说道：“大使大人，小人久闻大使大名，我知道大人和小人一样，也是海边出生的海岛人。您也知道，自古以来，像我们这样卑贱的大海人惟一的出路就是做生意，但是，利润可观的生意都被国家占着，而像我们这样的海岛人只能勉强糊口罢了。何况在过去的两年里又遇干旱，连勉强糊口都难以为继，大人再三问我为什么要绑架贩卖无辜的百姓，可是，我并没有绑架贩卖百姓，我只是高价购买被饥饿的父母卖掉的孩子，再转卖给唐朝的船员而已。大人还说我是贩卖奴隶的披着人皮的畜牲，可是，难道大人不知道吗？自古以来，奴隶是朝廷向唐朝进贡的重要交易品之一。”

阎文所言都是事实。

大唐买物史通过和中国的公贸易，向唐朝出口的商品中，最重要的交易品就是奴隶。因此，阎文认为既然朝廷把奴隶包含在交易品中，合法地进行奴隶买卖，为什么却禁止自己进行奴隶交易。

听罢，于吕系站起来大声说道：“你这个家伙，现在还敢油嘴滑舌！难道你没有看到听到国法禁止买卖奴隶的禁令吗！”

阎文毫不退让：“大使大人在清海镇设立镇营之前，小人一直在这里生活得自由安逸，但是不知为何，大使大人在此设镇之后，我们突然就变成了海盗。”

这时，一直沉默不语的张保皋开口说道：“那么，你认为你是何人？”

“小人从未觉得自己是一个海盗，小人觉得自己只是一个商人而已。”

听罢，抓捕并押送阎文至此的李昌镇忍不住大声说道：“大人，这家伙奸诈狡猾，与狼无异。他是戴着方相氏假面具绑架无辜百姓的强盗，而且，他还杀死了一个士兵，应该按照国法严加论处。”

“应该如何处罚他呢？”张保皋问道。

“必须处以死刑。”于吕系答道。

当时，新罗的刑罚制度和律法，都是从中国唐朝和隋朝的刑罚制度沿袭而来，规定杀人犯必须处以死刑，甚至连罪犯的家人也将受到株连受到处罚。死刑的种类很多，有用几辆马车将罪犯的头和四肢撕裂的“车裂”。还有将罪犯四肢肢解的“四肢解”，还有将处以极刑的罪犯尸体弃于闹市之中的“弃尸”。

于吕系恨恨地说道：“这家伙穷凶极恶，拒不认罪，一定要砍下他的脑袋，悬首木上示众。”于吕系所说的悬首木上，就是砍断罪犯的脖子，将脑袋高高挂在木头上示众。

突然，一直静静倾听的张保皋向阎文问道：“你想怎么死？”

全身捆绑着跪在地上的阎文抬头直视着张保皋说道：“被处以死刑的人还有什么资格挑肥拣瘦呢？如果大使大人允许，小人希望能体面地死去。”

新罗刑法中偶尔赋予罪犯选择死法的权力，那么，被处以死刑的罪犯可以自己选择死法，保障罪犯有自尽的自由。

“怎样死才是体面的死？”张保皋问道。

阎文答道：“如果能把小人用过的剑还给小人，小人将用此剑自尽。”

阎文用过的剑，就是他吹过的觱篥，他在觱篥的管中插入一把利剑，平时吹奏音乐，遇紧急情况时就用作武器。

“好吧。”张保皋点头说道。“把剑给他，让他自尽。”

这时，李昌镇站起来大声说道：“大人，万万不可，万万不能让他体面地死，与其让他体面地死，还不如让他生不如死。”

“那是什么？”张保皋问罢，李昌镇答道：“刺字刑”。

刺字刑就是在罪犯的脸上刻上罪行的一种刑罚，也叫黥面刑，这种刑罚就是在犯人的额头中央刻上罪行，虽然不取犯人性命，但是，犯上脸上永远留着无法抹去的罪犯标志，使罪犯虽生犹死，痛不欲生。

“大使大人，”李昌镇站起来说道：“这家伙戴着方相氏面具，掩盖自己的真面目，绑架无辜百姓，是魔鬼中的魔鬼。因此，应该在他脸上刻上永远也抹不去的文字。”

“那么，刻什么字呢？”张保皋问罢，李昌镇答道：“他是盗贼，也是海盗，所以在他脸上刻上‘盗贼’二字即可。”

刺字刑源于中国周代，周代刑法《吕刑》中出现的墨刑就是刺字刑，主要是在盗窃官府财物的罪犯身上或脸上刺上“盗官钱”或“窃盗”等字。

李昌镇继续说道。“他的部下李小正也应处以相同的处罚，应在他胳膊上刺字。他们都是残忍无道的海盗，让他们死反而是便宜了他们，还不如让他们生不如死。”

李昌镇所言不无道理，在阎文脸上刻上“海盗”二字，可以警告他不得再做违法的勾当，对他处以“生不如死”的处罚，可能会比处以极刑达到更好的效果。

“万万不可。”于吕系说道：“此人奸诈狡猾，长颈鸟喙，眼露凶光，眼角低垂，分明就是一张反叛之相，必须对他处以死刑，不仅如此，连他的家人也应受到处罚。否则后患无穷。”

于吕系所说的长颈鸟喙，是指背叛者的典型形象。

于吕系态度坚决，继续说道：“此人必须四肢分解，弃尸于闹市之中。”

随即，李昌镇再次站起来说道：“不可，大人。如果将此人四肢分解弃于闹市，反而是将他送往舒适的净土，死的痛苦只是暂时的，像他这样穷凶极恶的罪犯，就应该永远让他在地狱的烈火中饱受煎熬，惟一的办法就是在他的脸上刻上‘盗贼’二字，只有这样才能让他一直到死都生活在痛苦之中。”

张保皋充分考虑两个人建议，经过一天一夜的深思熟虑之后，他决定采纳李昌镇的建议，处以阎文黥面刑。据记载，阎文脸上的“盗贼”二字有一寸五分见方，笔划粗一分五厘。阎文的脸上被刺上“盗贼”二字之后，涂上墨汗关进监狱，这是为了防止处以刺字刑的犯人，刺字之后用水洗掉，或让别人用嘴吸掉。而且，阎文被关之后，还在他嘴里放入马龙头，以防他咬舌自尽。

通常情况下，还要在“盗贼”二字上面盖印。等墨汗充分渗透，过三天之后才给犯人松绑。与阎文不同，他的部下李小正在左臂上刻了“窃盗”二字。

三天之后，刑吏来到监狱，揭掉阎文脸上的封印，他的脸上——额头中央，清楚地刻着“盗贼”二字，任何人一眼便可认出。

刻上这两个字之后，阎文已经与死人无异，甚至比死人更加悲惨，他已经变成地狱之鬼了。

又过三天之后，阎文从监狱里被放了出来。

就在释放阎文和李小正之前，于吕系再次向张保皋劝道：“大人千万不能放了阎文，否则，必将后患无穷。”

“可是，他已经受到刺字刑，脸上刻上盗贼二字，他已经受到了应有的惩罚。”

张保皋说罢，于吕系说道：“虽然他受到刺字刑，成了一生都要东躲西藏的罪人，但是，他一定还会成为盗贼，一定还会成为杀人狂。大人，绝不能让他活着出去。古语说宋襄之仁，宋襄公怀着无用的仁义之心，最后反而使自己深受其害。大人放走阎文，与此无异啊。”

宋襄之仁。

春秋战国时期，宋襄公梦想称霸诸侯，与楚军隔泓水而战，楚军轻视襄公，草率渡河，而襄公只是观察楚军渡河，宰相目夷向宋襄公进言：“敌军人多，我军人少，我们应该在敌军渡河之际，列阵之前，向敌军进攻。”

但是，宋襄公不听劝告，“君子无论何时都不能利用他人弱点，做卑劣之事。”

等楚军全部过河之后，趁楚军没有整顿阵形，目夷再次向宋襄公建议进攻，但是，宋襄公依然不听劝告，等楚军全部做好准备之后襄公才下令进攻。

最后，实力薄弱的宋军遭到惨败，宋襄公也身负重伤，许多人抱怨不已，宋襄公却执迷不悟。第二年，襄公因伤死去。

从此以后，不顾自己的处境，因无谓的同情和仁慈而使自己深受其害，就称其为“宋襄之仁”。

张保皋非常清楚于吕系的话中之意：“我知道你的意思，可是古语也是一事不再理，一旦下达判决，确定刑罚，就不能以同样的罪再次处罚罪犯。”

“可是，大人。”于吕系毫不退让。“自古以来，罪大恶极的犯人，即使处以死刑埋入坟墓，可是，后来不是又被挖出来砍头戮尸吗？像阎文这样穷凶极恶的犯人，即使已经受到了一次刑罚，不要说处罚二次，就是处罚十次也不过分啊。”

但是，张保皋没有听从于吕系的劝告，反而命令道：“放了阎文吧。”

看着阎文和李小正被释放，于吕系捶胸长叹：“这是放虎归山，如虎添翼啊。”

八年后，果然如于吕系再三劝告一样，张保皋因阎文而后患无穷。如果当时张保皋听从于吕系的劝告，杀死阎文，可能就会完成称霸天下的伟业。从这个意义上讲，张保皋的缺点就像宋襄公一样，关键时刻犹柔寡断。

阎文和李小正被张保皋部下用船押送到清海镇外海，上岸后，二人一言不发快速逃走。一直逃到头轮山阎文才停下脚步。当时正是晚秋季节，整座山被深秋的枫叶染得一片深红，从树丛之间，眺望一路逃跑而来的南海海面，在夕阳辉映下粼粼闪闪。

阎文坐在岩石上，望着水底出神，李小正以为阎文正在双手捧水解渴，可是阎文只是呆呆地看着水底。头轮山以佳缘峰为主，有兜率峰、穴望峰、香炉峰等众多山峰，山峰和山峰之间形成的山谷蜿蜒崎岖，连绵不绝。每个山谷都有清澈的溪水形成瀑布飞流而下，瀑布飞溅，形成一个一个小水坑。阎文就默默地看到小水坑里的水，一言不发。

李小正双膝跪下说道："大人，小人罪该万死。" 虽然是海盗出身，但是李小正有情有义，不仅被捕时没有出卖阎文，而且当主人遭此惨祸时，完全怪罪于自己。如果自己不逃到武珍，那么主人就不会被捕了。

"大人，你杀了我吧。"

但是，阎文好像根本没有听到，依然坐在岩石上一动也不动，李小正仔细观察主人。他发现阎文不是在喝水，也不是在洗脸，而是在看自己映在水中的脸。从山谷中流下来的溪水，在岩石凹陷的地方形成一个小水坑，清澈的溪水像镜子一样明亮，阎文把小水坑当作镜子看着自己的脸。

虽然自己是部下，胳膊也受了刺字刑，但主人阎文是脸上受了刺字刑，走到哪里都无法掩盖罪犯身份，自己穿长袖衣服，便能遮住胳膊上的刺字，可是主人却无论怎样都无法遮住脸上的盗贼二字。

李小正跪着想到，主人残忍凶暴，自己闯下如此大祸，一定会对他严厉处罚。现在，主人看到水中凄惨的样子，一定会把愤怒发泄到自己的身上。

不知过了多久，看着水面的阎文突然直起腰，哈哈大笑起来。他的笑声在山谷中久久回荡。

"真让人痛心啊，我的脸再也去不掉这些字了，现在我戴的不是方相氏面具，而是魔鬼的面具”

“主人，”李小正颤抖着说道：“这一切都是我的错，您杀了我吧。”

“让我杀了你?”阎文收起笑声，拿起觱篥，他的觱篥既是乐器也是利剑，“好吧，如果你愿意，我成全你，受此大辱，还有什么脸面活在世上，还有什么脸面?”

随即，阎文挥剑劈下去，李小正惨叫一声倒在地上。但是他没流出一滴血，阎文的剑没有劈向他，而是将他头上的树枝砍了下来。树枝上的枫叶像鲜红的血落入溪流之中。

“你已经死过一次了，再死一次又有什么意义？我也和你一样，死过一次的人，还有什么可悲伤的事情，还有什么可追究的责任?”阎文说道：“我一定要报仇雪恨，所以活着比死更重要，你明白我的意思吗?”

“主人”李小正刚刚明白主人并不想杀自己，痛哭着说道：“不管主人去哪，小人将永远跟随主人，一定要活着报仇雪恨。”

“好吧，起来吧。”阎文又坐在岩石上，拿起觱篥大笑着说道：“只有活着才能报仇雪恨啊，那些家伙真是愚蠢之极，不杀我们，反而放了我们”阎文自问自答，还不时地哈哈大笑。

“那些家伙以为在我脸上刻上盗贼二字，我就会心灰意冷，痛不欲生。他们错了，他们杀死的只是我的名字和名誉，而不是我的身体，看，我不是还活着吗?”阎文从岩石上站起来，一边手舞足蹈一边对李小正说道：“我是死了还是活着?”

看着主人失魂的样子，李小正躬身答道：“主人分明活着啊。”

“这就好”阎文又开始大笑起来，然后，在岩石上正襟危坐，闭着眼睛深吸一口气，开始吹奏觱篥，还是无等山曲。

李小正看着自己的主人，主人是否已经精神失常？没有，主人完全正常，阎文泰然自若地吹着笛子。

阎文没有无声无息地死去，为了证明自己依然活着，阎文在头轮山谷中吹起觱篥。

如阎文自己所说的那样，两年之后，阎文又复活了。

短短两年之后，海盗阎文已经死去，从此却诞生了武将阎长。

曾经买卖奴隶海盗罪犯阎文，后来竟摇身一变成为武将阎长，重新开始了全新的波澜壮阔的人生。

也许，这就是人们常说的人生的流转吧。

第二部 蔷薇战争

第一章 蓄 势

1

兴德大王十年，即公元835年2月。

武州都督府都督金阳接到了从京城庆州发来的一封紧急文书。

文书中称，阿餐金均贞被擢升为上大等。

得到消息，金阳顿时双膝一软，跪了下去，并哈哈大笑起来。

“啊，机会总算来了。”

阿餐金均贞当上了上大等，这是金阳做梦都没想到的好消息。

因为，上大等之位高居群臣之首，可谓一人之下，万人之上。

这一官职最早设于法兴王十八年，即公元531年，通常选拔王亲贵族中家世最好的人选担任。上大等不但统率所有贵族，还在权力与权位上与君王互为补充。而且，这一职位有一条重要的不成文的规则，那便是：新王即位，上大等也必随新王更换新人。不仅如此，日后当王位无合法继承人时，上大等将自动被拥戴为王。

一直以来，上大等由兴德大王的胞弟金忠恭担任。由于王妃早逝，兴德大王并无后嗣，因此，金忠恭将会顺理成章地成为王位继承人。

然而，上大等突然间由金忠恭变成了金均贞。

“过世了？”

金阳隐隐猜到了这份紧急文书背后的情况：金忠恭因无名急症突然辞世了。

金阳很清楚。金忠恭十三年来一直担任上大等，如果不是去世，这个职位决不会如此突然地轮到金均贞的头上。早在先王宪德王之时，金忠恭便已经崭露头角，是当时新罗朝廷上的第一强权人物。宪德王九年，他任执事部侍中，四年之后升任上大等。从公元 822 年到公元 835 年，金忠恭整整做了十三年的上大等。

因此，所有人都深信不疑：兴德大王死后，将由他的亲弟弟上大等金忠恭继位。但是现在，金均贞成了上大等。

“过世了，显然是金忠恭过世了。”

金阳一边兴奋地拍拍膝盖，一边站了起来。依金阳看来，这不能不算是一个好消息中的好消息。因为金均贞能在金忠恭之后升任上大等，便意味着也许有朝一日他能在大王驾崩之后登上王位。兴德大王今年即将进入花甲之年，他要求身边有一百五十名僧人随侍。这表明，大王的身体状况显然糟糕极了。

事实上，金阳从未敢想象金忠恭的噩耗会突然传来。他原以为先走的应该是大王，却万万没有想到金忠恭却在大王之前先一步过世了。

现在，金均贞当上了上大等，即日后他可以名正言顺地继承王位。更为重要的是，若金均贞有朝一日真的登上了王位，那么，金阳便可以一路畅通地立身扬名，平步青云了。因为，金均贞及其子金祐徵是金阳握在手中的赌注，是奇货。

奇货可居。

便像商人们囤积难得的宝物那样，金阳选择了金均贞父子，并在他们身上下了一生的赌注。

不过，随同这个令人振奋的好消息传来的还有一个坏消息，那便是金忠恭的儿子金明新升为执事部侍中。

原来，金忠恭死前金祐徵任执事部侍中；金忠恭一死，当父亲金均贞升任了上大等，金祐徵便随即辞掉了官职。如此一来，执事部侍中的空位便落到了金忠恭的儿子金明头上。

王弟金忠恭之子金明！替任死去的父亲，升职排位第二的金明！在一切可以瞬时将金均贞担任上大等这个好消息所带来的喜悦之情浇灭的坏消息之中，金明入朝是最令金阳焦虑的。

新任执事部侍中金明！

一个家世显赫，年方十九，未及弱冠，比金阳整整小八岁的青年。

与王兄兴德大王相反，金忠恭子女颇多。他将一女贞娇嫁给了宪德王的太子成为太子妃，一女文穆则嫁给了日后成为僖康王的悌隆，还有一女儿照明（即昕明）是金均贞的后妻。几个女儿与亲王家族联姻之后，金忠恭的势力越发强大起来。

不仅如此，据《三国遗事》的王历记载：宪德王的夫人贵胜夫人乃忠恭角干之女。如此说来，金忠恭的一个女儿无疑便是宪德王的王妃了。

而今，势力如此强大的金忠恭竟一下撒手人寰，而他的独子，年仅十九岁的金明当年便成为朝廷权力序列第二位的执事部侍中。

其实对于金阳而言，金明这个名字并不陌生。

这个金明年纪轻轻却力大无比，勇猛异常。据传他十五岁成为花郎之后，在前往智异山修炼途中，赤手空拳打死了一只老虎，不少人都亲眼看到在街上展示的那只被金明打死的老虎的虎皮。

此后，庆州百姓将金明比作“力拔山兮气盖世”的项羽，送其绰号为“海东项羽”（译注：海东指朝鲜）。

金明不仅力气大如项羽，且性格狂放不羁，喜爱美酒和美女。

关于他的嗜好，整个新罗还流传着这样一个传闻：他成为花郎以后，一次在全国巡游之时，与一尼姑偶遇，心生情愫，竟令其破戒，与之偷欢。

金明，身为当时首屈一指的人品楷模并统管一切朝廷政务的金忠恭的独生儿子，不但厌恶读书，不求上进，只醉心于学习武艺及一些乱七八糟的风流韵事，而且他的丑闻竟能一直传到了远在武州边防的金阳的耳朵里。

于是为了使儿子摒弃那些不良习气，金忠恭只好急急忙忙给金明完婚，娶了金永恭的女儿允容。金永恭和金忠恭是挚友，关系极为密切，且金忠恭打算日后自任上大等之时推荐金永恭接替侍中一职。

但是尽管娶了名门望族的大家闺秀，金明却风流依旧。他不但引诱良家妇女，甚至还以在新罗被视为贱民的戏子和舞妓为友。

这样一个鬼见愁如今竟成了执事部侍中。

那么此时，金明对于金均贞接任上大等又有何感想呢？金阳揣摩，这位天下勇士金明必定不会善罢甘休。很明显，因为王位曾是自己的父亲、宣康太子金忠恭的囊中之物，而如今却落入金均贞的手里，金明岂能静观其变？

这是再明显不过的事实。

目不忍见。

金明决不会眼睁睁地看着兴德大王驾崩之后由金均贞继承王位。

因此，从王都庆州发来的紧急文书既是好消息中的好消息，也是坏消息中的坏消息。

终于是时候了，金均贞终于成为上大等了。金阳拍拍腿，禁不住哈哈大笑起来。随即，他又想到天下的破落户金明成了执事部侍中，也拍了拍腿，长叹道：“癞蛤蟆和青蛙又要捕食蛇啦。”

金阳指的是二十六年前的一场宫廷政变。兴德大王之前的先王宪德王为了夺权闯入宫廷，挑起叛乱，弑君继位。

据说当时兵变之前曾有各种不祥征兆现于城内，《三国史记》记载道：

哀庄王十年一月。

月犯毕星。

六月，西兄山城之盐库有牛泣声。

碧寺之蟾蜍与青蛙捕蛇食之。

人们见过蛇捕食癞蛤蟆和青蛙，却从未见过癞蛤蟆和青蛙捕蛇，而且也从未听说过竟有月亮侵犯毕星之事。于是，这些一反常态的现象被解释为预示臣下加害君王，篡权夺位的不祥之兆。

想到这一切，金阳仿佛看到新罗朝廷又将经历一次血雨腥风，重演骨肉相残的惨剧；那些太阳无光、月亮犯星、癞蛤蟆和青蛙捕蛇的奇闻也将重现京城。

如何应对？

先下手为强。

金阳经过几日几夜的苦思冥想，最后想到了这样的对策。

不管怎么说，他是在金均贞的扶持下走上仕途的，因此无论生死，都该义不容辞地帮助金均贞平安登上王位，这是他的宿命。为此，当务之急便是除掉金明。

金明的家族名望高势力大，在新罗首屈一指；而且年轻的金明号称天下壮士，若要与他争权夺利，只能先下手为强。项羽不也是先砍下前来应战的殷通的脑袋的吗？所谓“先则制人，后则为人所制”。

是啊。

深思熟虑之后，金阳终于坚定了这种想法。

除掉金明的办法只能是先下手为强。如果坐失良机，等到金明先动手，那便只有死路一条了。

抢先金明之前下手的方法也只有一个，那便是效仿项羽，以迅雷不及掩耳之势出刀取下对方的脑袋——乘其不备，杀死金明。

那么，该如何将其付诸于行动呢？

凭借什么途径才能快如闪电般地取下金明的脑袋？大举军事行动？身手敏捷的武士？

突然，金阳的头脑里闪过一个念头。

金阳敏捷地抓住了它，"嚯"地从坐位上站了起来。

刺客。

是啊，抢先下手对付金明只有依靠刺客。因为，为杀金明而起兵，无论如何都是不明之举。

口蜜腹剑。

古语道"口中含蜜，腹里藏剑"，这倒不失为对付金明的上策。金明喜欢美酒和美女，那便投其所好，而与此同时腹中藏剑，趁金明沉溺于酒色之时一刀取下他的性命。

刺客，一个能替主君或主人杀死仇家的人。

在古代中国，一个人若受了主君精神、物质上的恩惠，作为回报，或者为了履行替主复仇的约定，他会去杀死被主君视为仇家的权贵，这样的人被称为刺客，有时也叫侠客。

那一瞬间，金阳的脑海里浮现出一件事来。

那是两年前发生的乐工阎文事件。乐工阎文原是身居武州的地方百姓，后因贩卖奴隶被清海镇大使抓捕后押往清海镇。其实，当时身为武州都督的金阳对这种抓捕程序颇有微辞。因为从原则上讲，阎文生活在武州，即便他是违反国法的海盗，正确的顺序也应该是由武州都督府出兵；况且，那次行动不但没有得到武州都督府的准许，还直接调动兵力跨越辖区抓捕犯人，这种做法确实是一种欠妥的越权行为。然而，金阳为了结交清海镇大使张保皋，尽管在自己所辖的领土上出现了越权行为，他还是欣然同意将其押送清海镇。不过私下里他却通过报告书，对案情做了详细的了解。

金阳还一字不落地听取了有关抓捕阎文的整个过程，尤其令金阳印象深刻，且赞叹不已的是阎文的剑术。据报，张保皋的部下李昌镇以及其下数十名士兵没有一人能抵挡住阎文孤身一人的反击，最后竟然撒下大网，才将阎文活捉了去。从阎文以一对多到其拔地跃起，仅一刀便取下士兵的脑袋，金阳没有忽视任何一个能表现其剑术出神入化的细节。

只有杀过人的人才能轻取他人的生命。阎文不仅杀过人，而且还是个极其残忍的海盗。他既是一个将无辜的百姓卖为奴隶的人贩，同时又是一个吹奏百济乐曲技艺高超的木笛乐手。阎文的身上兼备了杀人犯的残忍和艺术家的敏感，又拥有狐狸般的狡猾的特性，倘若此人能为己所用，那岂不是获得了一件上好的杀人兵器？

司马迁在《史记》中记载，豫让为了报答赏识自己的智伯，发出这样的感叹：“士为知己者死，女为悦己者容。”

同样，如果能打动阎文的心，阎文也会为知己之人去死的。

金阳还打探到一个消息，张保皋并没有将海盗阎文处以极刑，还将他释放回到了故乡。然而，阎文虽然未死，但脸上却被黥了字，过着活不像活人死不像鬼、行尸走肉般煎熬的生活。

想到这儿，金阳紧咬了牙关，自言自语地嘟囔：“嗯，这也算得上一件稀有宝物”。就像早年间他将金均贞及其子金祐徵当作奇货可居的宝物一样，金阳决定将阎文当作另外一件奇货。

于是，下定了决心的金阳将自己的武将金良顺叫来，说道：“你还记得以前武州有一个乐工，因贩人之罪被张保皋大使抓捕的事吗？”

金良顺回答：“记得，那个海盗名叫阎文。”

“那么，你知道这个阎文现在何处，何以为生？”

“只听说脸上受了黥刑，被释后躲了起来，其他的无从所知。”

“那么。”金阳吩咐道，“去打听一下这个阎文现在何处，何以为生。”

“是，都督大人。”

接到命令之后，金良顺便迅速离开了。

金良顺是金阳到武州后一手提拔起来的优秀武将。都督一职原称总官，是地方长官之一，元圣王一年即公元 785 年改称都督，同时职权得到扩大，逐渐成为雄居一方的地方实权之位。都督还负责执行军事任务，这样便不得不与土生土长的地方势力联合起来，金良顺正是曾经率领私人军队的有势力的地方将领之一。

金良顺奉命打探到了阎文的消息，立即返回向金阳汇报："大人，那个叫阎文的海盗躲到了城外，现居于龙山县。"

龙山县在现今的罗州北边，是一个偏僻落后的山村。

"在那儿以何为生?"

"靠帮别人宰杀牲口为生。"

龙山县村落里聚居的是一些被视为贱民之贱民的屠夫。若追溯这些屠夫们的先祖可以得知，他们原来是被称作扬水尺的鞑靼人。他们的祖先发展了从狩猎生活中积累的宰杀牲畜的经验和技术，以屠杀牛马为业，逐渐形成部落流传了下来。

"但是，大人，" 金良顺接着说，"他被排斥在屠夫的圈子之外。走在路上，屠夫们会朝他吐口水，甚至会无缘无故地打骂他，赶他走。只是因为他的刀法好，有时又让他做剔骨匠剔剔骨头。所以每当宰杀六畜时，他便被呼来喊去，靠一点儿宰杀的零散活计勉强糊口。"

牛、马、猪、羊、鸡、狗，统称为六畜，从古时起，贵族们吃肉，便由专门的屠户负责宰杀。而阎文竟连这种低贱的专业屠户的圈子都没能混进去，只好四处漂泊，靠剔骨手艺度日。

"就这些吗?" 金阳问了一句。

金良顺答道："还不只这些呢，大人。我去时正赶上阎文的老母死了，要办丧事，但因是犯人家属不得埋葬。目前阎文正面临着将老母弃尸荒野，去喂野兽和乌鸦的窘境之中啊。"

像阎文这样的十恶不赦的罪人原本是应处以连坐刑的，即罪人的家属，包括妻妾都要受到处罚。

听罢金良顺的回话，金阳沉思良久，开口说道："去向阎文吊丧，告之不要将尸体随意丢在荒野，并给他准备一副最好的棺木令他埋葬老母。葬礼要正式，礼数要厚重，准许穿白色孝服。若他愿意，可到附近的寺庙里请个和尚做做法事。但是，所有这一切要严格保密，不能走露半点风声。"

金阳的做法与太史公的《刺客列传》里所描写的如出一辙。

严仲子为笼络刺客聂政，使用的方法大致也是这样。

刺客聂政杀人之后逃到了偏僻的地方成为屠夫，侍奉老母。为使聂政甘当刺客，严仲子摆设酒宴，以黄金百两为聂政之母祝寿。后来当聂政接受严仲子之意时，聂政替严仲子除掉了他的仇人侠累。聂政甚至担心如果自己的身份暴露会连累到严仲子。

如出一辙。

金阳看得很透彻。阎文因杀人之罪释后过着穷困潦倒的屠夫生活，苟延残喘。若是为沦落到这般境地的阎文死去的老母举办一个不薄的葬礼，他必定心存感激，会像刺客聂政那样，在适当的时候替他卖命，杀死金明。

有句古语叫"借刀杀人"。

借助别人的力量杀人，如果真能借助阎文的刀先除掉金明，那可算是上上之策了。

几天后，金良顺回来了，将事情的经过一一禀报了金阳。

"都督大人，都按您吩咐的办妥了。葬礼隆重地办了五天，死者得以入棺下葬，还从附近的寺庙里叫和尚做了法事。"

"那他说了什么？"金阳问道。

"没齿难忘。"金良顺回答。

"仅此一句？"

"阎文痛哭流涕地向小人询问，究竟是何人施如此大恩于他。"

"那你怎么回答？"

金良顺回道："大人事先嘱咐要严守秘密，不能泄露，因此小人只说日后便会知道。"

"嗯，很好。"

金阳微笑着点了点头，自己的真实意图让他知道得越晚越好。

这时，金良顺双手呈上了一件从那儿带来的东西。

"都督大人，临走时阎文给了小人这个并对小人说：'小的现在无物可送。这是做乐工时所用的乐器，小的视它比生命还重要。小的也不知是何人的大恩大德，就请将此作信物呈上吧。'他千叮咛万嘱咐的，要小人一定带到。"

金阳接过来一看，原来是笛子，一支桃木做的工艺精致的长笛。这真不愧为当代最负盛名的乐工用过的乐器，手着之处竟润泽闪亮。阎文的话绝无夸大之处，这支笛子对阎文而言的确是比生命还宝贵的东西。

"可是我想要的不是一支笛子啊。"金阳的脸上露出了会心的微笑，自言自语着。"我想要的是你的刀，是你的命。"

几天之后，金阳带着部下金良顺一路巡行来到了阎文家。听说武州最有权势的都督来了，阎文赶紧跪下迎接。

"不知都督大人为何事竟亲临如此寒酸之地？"

阎文带着一张傩神方相氏的面具，遮住了面容。

"你便是闻名四方的演奏笛子的乐工吗？"金阳问道。

阎文答道："以前是演奏百济乐曲的长笛乐手，现在只是宰杀牲畜的屠夫。"

"你是叫阎文吗？"

"叫什么都一样。那时小的是叫阎文，现在别人只叫我阎屠。乐工阎文已经死了，只剩下屠夫阎某了。"

傩神的面具后面，阎文自嘲地笑了笑，接着说：

"不知都督大人找屠夫阎某有什么事儿？您亲自驾临是为了要宰杀宴会用的家畜吗？"

"我来找你。"金阳将金良顺带回来的笛子还给了他，说道："是为了将这支笛子还给你。"

当阎文看到金阳手中拿着自己笛子的那一瞬间，身子抖了起来。

他明白，那位为自己过世的老母派人前来吊丧，隆重地举办了五天葬礼，一直隐蔽在幕后的人物现身了。

“拿着吧。这笛子原本就是你的东西，是你看得比生命还重要的乐器。”

金阳说罢，阎文的身子抖得更厉害了。他接过话头说：“不，都督大人，这支笛子已经不属于小的了，已经呈给大恩人为信物了。”

“此乃天下有名的万波息笛，但送给不会吹它的人，岂不就是一根竹子而已？”

万波息笛。

这是新罗传说中的一种笛子。据《三国遗事》记载，万波息笛是在新罗第三十代大王神文王二年（即公元682年），由海里的龙献出的有灵性的竹子制成的。据说这有灵性的竹子是化为海龙的文武大王和成为天神的金庾信派龙送来的，后来将此竹制成的笛子存放在元成天尊库里。

虽然金阳表面言语即使如此神圣的万波息笛，对不会吹笛的人来说也只不过是一支竹子，实则是在向对方暗示自己的心意。狡黠圆滑的阎文不会听不懂金阳的弦外之音，于是开口说道：“不知都督大人所希望的信物是什么？”

“即便你给我的不是万波息笛，而是万万波波息笛，那也不是我想从你那儿得到的东西。”金阳明确地回答。

万万波波息笛。

据《三国遗事》记载，孝昭王时保存在天尊库的伽倻琴和笛子皆不知了去向，再后来，伴随着种种异象的显现又重新找回的神笛便改名为万万波波息笛。

“那是什么？”阎文问道，“都督大人希望从小的这儿得到的信物究竟是什么？”

听这一问，金阳大笑起来，说道：“你一定要知道吗？”

“是的。”

“你的性命。”

金阳说得很明确，但阎文并无反应，仿佛早就在等着这句话似的。

“小的性命早已属于都督大人了。”

“那么。”金阳语锋犀利地问道：

“无论我去什么地方，你都能立即跟随我吗？”

“惟命是从。”阎文也毫不犹豫。片刻，他接着说道：“但是，大人很清楚小的不能那么做。”

“你指的是什么？”

“都督大人，”阎文颤抖着声音解释，“小的是罪大恶极的犯人，贩卖奴隶杀人违法，无恶不作。”

“我自会免去你的罪，恢复你平民之身。以后，你便不再是罪人了。”

作为地方长官，都督掌握着辖区范围内所有人生死予夺的大权，因此他有随意免罪的能力，可以使阎文成为自由的平民。

“但是，”本该激动的阎文却踌躇起来，说道：“都督大人虽然赦免了小的罪，给了小的自由，可即便如此，小的身上还是套着摆脱不掉的枷锁。”

“什么枷锁？”

“都督大人，就是小的脸上所受的黥刑。小的脸上被黥刺，没有任何办法能将它消除，所以都督大人虽然免去了小的罪，小的仍不能够彻底摆脱束缚。”

“你在我面前戴着面具，是因为脸上刺了字吗？”金阳问道。

“正是如此。”

于是金阳果断地下令：“摘下来，拿掉你所带的面具。”

在金阳威严的命令面前，阎文一下子愣住了，但他还是跪在那儿一动不动。

“请求大人不要命令小的摘下面具。”

听到此话，跟从金阳的金良顺在一旁规劝了几句。没料到阎文竟抽咽起来，哭诉道："一个躺在棺材里的死人的脸，都督大人有理由坚持要看吗？您有什么理由坚持要看这样一个鬼魂的脸?"

然而金阳毫不为之所动，依旧又命令："摘下来。"

于是，无奈的阎文摘下了面具。他的脸赤裸裸地露了出来。或许是因为不希望别人看到自己的面容，日夜都带着面具的原因吧，他的脸完全象一个麻疯病人的脸，变形，溃烂。为去掉黥刺，不知他都用了些什么办法，使得伤痕严重地化脓腐烂，整张脸惨不忍睹。

"这便是小人的脸。"阎文痛哭流涕地说。

金阳死死地盯着阎文额头正中刺着的大字"盗贼"。

两个字很扎眼，也的确如阎文叹息的那样，是永远摆脱不了的印记。纵然金阳能从法律上赦免阎文的罪，但是这个印记，使阎文永远也不能摆脱枷锁。

"大人。"阎文双手掩面，带着哭腔近乎狼嚎似地请求："准许我重新戴上面具吧。"

而金阳却当即回答他说："烧掉那个面具。"

金良顺捡起面具，施行了都督的命令。

金阳斩钉截铁地对阎文说："抛弃那个旧面具，我要为你重塑新的形象，取代以前的你。"接着又威严地问道："不管我做什么，你都能忍受吗？"

连自己面具下那张悲惨丑陋的面孔都被人看到了，还有什么不能忍受的呢？

"是的，大人。"阎文哽咽地答道。

"我要为你除掉脸上黥刑的痕迹。古代刺客聂政为了掩盖自己的真实面目，用刀将自己额头上的脸皮剥了下来。如果你能忍受，也可以用刀剥下你的脸皮。虽然刀伤会让你的脸变得更加可怖，但那两个字是可以去掉的。"

"大人，可这两个字不是小的可以随意去掉的。"

阎文道出的是实情。刺在阎文脸上的"盗贼"两字是按国法之下的判书而执行的。黥刑时为了防止自行消除字纹，官吏还下发了相当于封印的条文。

“这些并无大碍，只要你能忍受用锋利的刀将脸皮剥下来。你有信心吗?”

“……当然有，大人。”

“伤痕将使你的脸变得更可怕，你有自信即使这样也要坚持吗?”

“是的，只要能去掉那两个字，即使脸变得再难看也没关系。”

“那好。”金阳回头看看金良顺，命令：“用火刑将他脸上的两个字烧掉。”

火刑是指用火烧的办法处死囚犯的刑罚，但金阳所说的火刑，意思是将烙铁等铁器在火里烧红，然后迅速贴在阎文的脸上将刺字烧化。虽然这样日后会留下很大的火伤，但是能够将刺字烧得干干净净。比起用匕首剥掉脸皮，这种办法简单易行，痛苦也减轻许多。

“都督大人。”当金良顺拉动风箱，给那铁器加热时，阎文打破了沉默。

“什么事?”

“小的，有一个请求。”

“说吧。”

“请给小的一杯烈酒。”

金阳同意了。酒拿来，阎文仰面喝了下去，顿时，满脸染成了枣红色。

片刻之后，插在火炉里的短刀热起来，红通通的。金良顺捏着短刀的刀把，仔细察看那刀是否充分受热。

“把他紧紧地捆起来。”金阳命令士兵们。

阎文听了大笑起来，说道：“大人是害怕小的疼痛难忍而左右摇晃吗?”

“若稍有不慎便可能烧着眼睛啊。”

盗贼两字是在额头正中，剧痛难忍时只要有一点儿晃动，烧热的短刀便可能烫着眼睛，那样完全有可能因此而弄瞎眼睛。

阎文听了哈哈大笑，说道："大人，小的已如行尸走肉，对死去并正在腐烂的生命来说，还有什么痛苦，还有什么害怕的呢？"

阎文本来跪坐着，此时站起身来，正襟坐好，神情泰然，似乎已做好了心理准备。

"准备好了吗？"

金良顺将烧得红通通的短刀拎在手中举着，问道："可以开始了吗？"

阎文闭上了双眼。

金良顺缓缓地将短刀靠近阎文的脸，灼热的短刀炙烤着脸颊，阎文却纹丝不动。终于，火红的刀刃贴到了阎文脸上。霎时，一缕蓝色的轻烟从他的脸上冒了出来，随即伴随着嗤喇喇的声音，烤肉的味道飘散四方。几乎是在同时，阎文坐着直挺挺地向后倒下，好像昏厥过去没了意识。

"怎么样？"金阳很担心地问，

"好像暂时失去了意识。"金良顺用手背擦擦额头上密密麻麻的汗珠，回答说。

"脸上的刺字清除掉了吗？"

听到金阳询问，金良顺走过去，面对着昏迷过去的阎文，仔细察看他的脸。阎文突然被烧伤的脸看起来很狰狞，但是额头正中的那两个字被彻底烧得干净了。

"清除掉了。"

"好。"金阳发下命令："往脸上泼凉水，将他泼醒。"

于是士兵们往倒在地上的阎文身上泼了冷水。阎文苏醒了，翻身坐了起来。

"这样一来你的罪名彻底地洗脱了，以后谁也不会再叫你罪囚了。另外，你被赦罪，身份恢复为良民。以后再也不必用方相氏的面具遮脸，也再不用混在屠夫群中隐藏自己的身份了。"

"大人。"阎文放声恸哭，边说，"小的便是死了，白骨化为尘土，也决不会忘记大人的恩德。"

"今后你便是我的副将。你要忠心不二地跟随我。"

金阳的话如石破天惊，平地一声雷。统率武州的都督金阳军队的军将，其主将是金良顺，而任命阎文为辅佐金良顺的副将。这实在太出人意料了。副将可是军队系统内的第二号人物，号称副帅，让曾经犯过滔天大罪、身为海盗的阎文来做统率正规军的副帅，实在不免有失体统吧？

"都督大人。"金良顺一脸不解，壮着胆子发问："是要阎文做部下的副将吗？"

"我不是已经说过了吗？"

"但是，大人。"金良顺观察着金阳的脸色，谏道："阎文曾做过海盗，是大逆罪人，暂且不论赦免他的罪过，使他恢复良民之事，部下以为任命他做小人的副将，没有道理。"

言毕，金阳答道："你的话不无道理。但是，你所认识的那个阎文已经死了，现在坐在这里的不是阎文，今后他将叫阎长。"

金阳当场便给阎文取了一个新的名字。

"现在你将重新取名，以后你便叫阎长。那个叫阎文的人已经死了，葬了，重生后的你叫阎长。"

阎文屈膝跪下，接受了金阳赐给的名字。

"以后人们将叫你阎长。我之所以取此名，意在希望你凭借新名，勇猛长久，生存长久。"

阎长。大逆罪人兼海盗阎文改头换面后被称为阎长！按照金阳的解释，新名阎长取长字之意令其长久地挥洒勇猛与生命！

"以阎长之名上报兵部，以后他便是你的副将了。"

金阳命令金良顺，神情不容反驳。

如此，被张保皋当作最后一个海盗的奴隶贩子处以终生留下烙印的黥刺的罪囚阎文，在武州都督金阳的手中，以新的名字阎长浮出历史的水面，摇身成为金良顺的副将。

借客报仇。

帮助别人，替别人报仇的行为。

反之，如果不是金阳欲借客报仇，用阎文做刺客，对付将要到来的争权之战，阎文将永远被湮没在历史的尘埃里。

回头想想，倘若张保皋当时听从了谋士于吕系的意见，不送无谓的人情，凌迟处死阎文，历史又将会怎样改写呢？

“绝不可以放阎文一条生路，以免遗祸他日。应凌迟处死阎文，先斩草除根。”

谋士于吕系曾三番五次地劝谏张保皋，但张保皋执意不听，最后还是放了阎文和他的部下李小正。据史书记载，于吕系当即捶胸顿足地叹惜：“唉，到底是为虎添翼啊！”

不管怎么说，如今阎长非过去的阎文了，他被武州都督金阳编入正规军，命为副将。阎文摇身一变，成了“勇猛的壮士”。不仅如此，曾是阎长部下的李小正也被赦免了贱民身份，加入正规军队，刺在肘关节上的罪名也用锋利的匕首连同皮肤削掉。

这是兴德大王十年，公元835年6月的事了。那时金忠恭的儿子金明占据侍中的位子已经四个月了。

那之后八年有余，阎长风光无限。

曾经行径卑劣的海盗和惨忍无比的奴隶贩子摇身变成为《三国史记》中白纸黑字清清楚楚记载着的勇猛壮士。阎长果如于吕系担心的那样，已成羽翼渐丰的虎狼，要找张保皋报仇了。他确确实实成为张保皋日后的祸根。由此看来，我们的人生果真如先人早就感叹的那样，是一出“戴着金色面具的人们，手执珠鞭，呼唤着鬼神的喜剧”吗？究竟是否人生如戏。

2

兴德大王十一年，公元836年7月。

天上的太白星突然侵犯了月亮。

太白星是天空中最亮的星星之一，傍晚时分出现在西天上，称为金星，也叫长庚星。

新罗从古时起便筑起高台，称作瞻星台，用来观察天空中的星辰。

观察星辰有两个目的，其一是预测国家的凶吉，其二是为了编写或修订历法，观测星星及日月五星的运行。

《三国遗事》中将瞻星台写成占星台，由此可以推测那时占星术业已发达，通过观察星的亮度、位置等来占卜国家的安危、百姓的吉凶以及天灾人祸等。

瞻星台有固定的负责观测天文、占卜星象的官吏，被称为日官。日官们相信日食、月食、流星、彗星等天文现象与雷电、地震等自然现象会给百姓直接带来影响，他们将观测到的现象报告给朝廷，另外还根据占星术，占卜凶吉。

这年，一份意外的天象报告从瞻星台呈到了上大等金均贞那里。

关于当时的情况《三国史记》里这样记载：

兴德大王11年7月太白掩月。

天上的星辰原本是不能冲犯月亮的，是一种月蚀现象，即指地球的影子遮住了月亮。自古，太白掩月便被认为是国家将有灾难的不祥征兆。接到这份报告，上大等金均贞心里一沉，一种不祥的预感袭遍了全身。

不仅如此。年初还发生了太阳消失了的日食现象。

金均贞清楚地记得，先王宪德王擅闯宫廷残杀幼侄清明，发动一场宫廷政变登上王位之时，天际就曾出现日食现象，当时还有夜空月犯毕星的异常现象。

每每出现这些异常天象之际，新罗朝廷便会发生惨绝人寰的悲剧：王叔父彦承与其弟阿餐济雄率军入大内作乱，弑王；王弟缔明护王遭害，追谥哀庄王。

那不过是二十七年前的事。

金均贞亲历了那次惨祸，在接到正月初一发生日食和太白掩月的异常现象的报告之后，他一下子便想起了二十七年前的事。

“立刻叫日官来。”金均贞下令派人去将瞻星台的日官叫来。

其中有一名叫品如的日官，是当时最有名的占星家。

精通占星术的日官品如一来，金均贞便迫不及待地问道：“我仔细看过你等的奏章，那太白星究竟为何星？”

品如回答说：“太白星是天上除太阳和月亮之外的第三颗最亮的星星。傍晚时分出现在西方时称为金星或长庚星，清晨出现在东方时称为新星、明星或启明星。”

“那么，”金均贞继续问：“太白掩月则意味什么？”

听到金均贞如此直白的发问，品如蠕动一下口唇了，竟不知如何作答。

“没听见我问话吗？为何不回答？”

日官的工作与其说是负责观测天文变化，还不如说是依据占星学对国家的运势、吉凶做出占卜，颇像是算卦先生，因此也被贬称为日者。

“……小人不知当说不当说，方才所说，天空中最亮的是太阳，其次是月亮，再次便是第三亮的太白星。故此太白星不能冲犯月亮。”

“但是，你不是记录了太白掩月的现象吗？”

“那，那……。”品如瑟瑟发抖，不敢回言。

“因何不敢继续回答？”

“上大等大人。”几番敦促之后，品如如实回答道：“大人，从古时起，天气又称天机。是说天上的天文现象暗示着天地造化的秘密。如果泄露了天机，性命便难以保全。”

“而你身为日官，难道不应担负起以星象占卜国家安危兴衰的义务吗？说吧，说说看。”

品如环顾周围，开口说：“上大等大人，恕小人冒犯，请屏退左右。”

其实周围只有几名近臣，但金均贞还是让他们退了下去。只剩下他与日官二人之时，品如才勉强开口说道：“恳请大人先保全小人的性命，他日也不要割舌刺眼，令小人变成哑巴、瞎子。”

“准请。不要担心，照实讲吧。”

于是品如这才低声说道：“大人也知道，正月初一发生了日食。不仅如此，上月败星出现在东方。”

败星不同于那些在天空中固定不动的恒星，它常突如其来地出现，即指今日所说的彗星，多被称为扫帚星，另外还有一个因它拖着长尾而得来的名字，叫尾巴星，或尾星。

“上大等大人。”品如向前贴近金均贞，说，“自古，扫帚星的出现都是国家有大难的征兆。”

“……说起大难。”

看到品如吞吞吐吐，欲言又止，金均贞催促着问：“究竟有何大难？”

“大人，古语道：隔墙有耳。”

“我不是令周围的人都下去了吗？”

“请允许小人近身而言。”品如有所顾忌地环顾四周，低声说道。

金均贞虽然认为并不合适，但还是准许了他的请求。

“那么好吧。”

于是，品如走近，伏在金均贞的耳边小声说："小人惶恐禀告，败星现于东方，是大王陛下要……"品如不敢再继续说了。

"真令人着急，快讲。"

"……是说大王陛下要驾崩。"

驾崩。

君王之死被称为驾崩。

作为大王最亲近的人，金均贞当然预料到将会是此事。兴德大王已病入膏肓，无药可医，因此可以料想到他不久即会与世长辞。况且，大王陛下已是六十花甲之年的老人了。然而，虽然料想得到，但是听说天上已有尾星出现，暗示着大王陛下归仙，这样的天机还是让金均贞觉得有些毛骨悚然。

"那么。"金均贞努力定了定神，又问："太白掩月之象究竟意味什么？"

"上大等大人。"品如战战兢兢地回答，身体又开始发抖。

"话已至此，不可再说。"

"为何不可？"

"此乃天机中的天机。小人如果泄露了它，必会丧命。"

"你这个东西。"金均贞大喝一声，"观测天象，进行占卜难道不是你这个家伙分内当做的吗？"

"但是，大人。"品如仍不住地抖动，回答："倘若小人泄露了天机，世上任何人都保不住小人的性命。泄露天机之时，小人会受到上天的惩罚，而且，大人从小人这儿听到了天机，也一定会，一定……"

品如又停住了话头。

"一定，一定，一定什么？快说，不说割掉你的舌头。"

"……大人也一定会遇到天大麻烦。大人果真想听吗？"

天机。

上天的秘密。天地造化的秘密只能由上天来主宰，凡人胆敢妄想知晓天机，必会因此丢了性命。

“……当然。”

然而金均贞却不容置疑地回答。他觉得他是辅佐大王陛下的上大等，是普天之下的第二人，即便是上天的秘密，他也有责任知晓。

“好吧，那么便容小人禀告。”

后来，日官品如的预言果然被应验了。金均贞从品如那儿得知天机仅几个月之后便招来了杀身之祸。当然这是后话。

日官品如眼见已无法推脱，于是说道：“小人已经提过，太白星是天上仅次于太阳和月亮的第三颗最亮的星星。天无二日，自古天上的太阳便代表大王陛下。”

事实如此。

太阳自古代表国家的君主，因而有一词“日居月诸”，便是以此来表示君主和臣下的关系。

“但是，上大等大人。”此时品如已身如筛糠，“正月初一日食，太阳消失，天空漆黑一片，此天象意味天上没有了太阳；另外败星现于东方，小人斗胆敢说这些预示大王陛下的驾崩。天上最亮的太阳将要消失，如此一来，上大等大人，无日之天空最亮的将是什么？

“那应该是月亮吧。”金均贞答道。

品如点点头，接着说：“是的，上大等大人。天空中最亮的太阳如果消失了，接下来最亮的是月亮。倘若如此，月亮自古代表着大王陛下的后妃，但大家都知道，大王陛下既无后妃，也无子嗣。那么作为天上太阳的天子不在后，最耀眼的应当是月卿了。”

月卿。

日官品如所说的月卿是指第三位以上的公卿，即官职最高的大臣之意。如此说来，指的自然便是上大等金均贞了。

上大等又称上臣，是职位最高的官职，而且，在王位没有合理的继承人时，上大等将自动即位，是天下首屈一指的实权人物。

如果按着品如的占星之说，大王陛下驾崩时，应顺理成章地由月卿上大等金均贞自动地继承王位。但这并不是最后的结局，品如观测到的天象是第三亮的太白星冲犯了月亮。

“可是，你不是说太白掩月吗？”

“是的。”品如回答，仍身如筛糠，“无日之天该是月亮放光，然而太白星却又遮住了月亮，黑暗笼罩大地。这说明大内一定有可怕的动乱，动乱……”

品如再一次止住了回答。

“不会说话了吗？”

在金均贞的大吼之下，品如勉强接着说下去：“此乃可怕的动乱之兆，是一个天翻地覆、阴阳颠倒、尾部吞吃头部的不祥征兆。上大等大人，天下定会颠倒乾坤的。”

原来，品如所说的“太白掩月”的现象预示的是以下犯上的叛乱，叛乱中阶级或身份低下的人将以不正当的手段征服或杀死上级。这便是品如所说的天机泄露。

至此，上大等金均贞一边示意品如退下，一边叮嘱：“出去吧。但若不该多嘴时多嘴，别说你的舌头，便是你的脖子也一定会被砍掉的。明白吗？”

“请勿担心，大人。”

日官品如走后，金均贞将自己关进寝宫，苦思冥想。

日官言大王陛下近日内要驾崩，此话不可不信，这是大势所趋。但是，关于太白掩月将会发生以下犯上的说法，也是天数吗？

金均贞心中清楚。

上大等官位最高，大王陛下驾崩后，自己便是继太阳之后的月卿。然而，品如不是占卜得知位列第三的太白星掩月会发生以下犯上的叛乱吗？

第三颗最亮的星。

那是不是指执事部侍中金明呢？执事部侍中是上大等之下第二有权势的人物。若真是那样的话，品如的占卜应该有位居第三的太白星金明要对月卿上大等，也就是自己，发动以下犯上的叛乱之意。

即便不是这样，侍中金明是今年新科二十岁的天下壮士，是大王陛下的胞弟金忠恭之子，强权人物。倘若其父还在，理当由其父接替大王陛下之后即位。因此，金明总是郁郁寡欢，每每在面对金均贞时，总是冷眼相视。

如此，若不提前应对，说不定真会酿成大祸啊。

金均贞反复思量之后，得出了这个结论。

这时，金均贞脑海里浮现出一张脸，那便是金阳。

五年前金均贞曾让儿子金祐徵将金阳调到武州赴任都督。当时是一天夜里，叛贼之后金阳避开别人的视线找到金均贞父子，请求："大人，倘若大王陛下突然驾崩之时，该如何应对？臣以为未雨绸缪不失为上策。为了开辟天地，臣愿赴汤蹈火，在所不辞。"

开辟天地。如果听从金阳的话，早作了打算，哪怕代价是天翻地覆，那么无论如何总是会有办法度过难关的。

是啊。

金均贞拍着大腿叹息。

能打破这困难局面的人恐怕只有金阳了。金均贞说服儿子调金阳任武州都督，不就是为了应对今天的局面吗？

"……我年纪大了，世间之事也经历过，荣华富贵也享受过，死而无憾了。但是你不一样，你还年轻，必须为日后打算。调金阳去武州任都督吧。金阳是个才智出众之人，他日必将知恩图报，助你一臂之力的。"

于是几日之后，上大等金均贞下令罢去武州都督金阳的职务，紧急招他到新罗的都城庆州。

据记载，金阳接到命令之后，大笑三声，说道："终于到时候了。"

这是兴德大王十一年，公元 836 年 8 月。

正所谓疾风怒涛。

乱世的风暴如同大作的狂风，如同愤怒的波涛，即将猛烈地席卷而来。现在则是风暴的前夜。

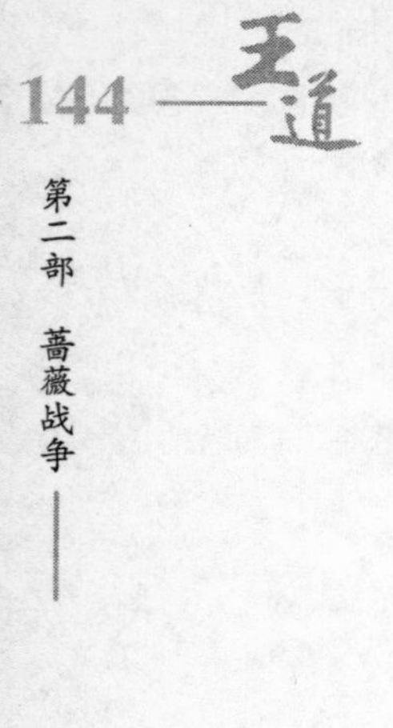

第二章 结义兄弟

兴德大王十一年八月，即公元836年。

据《三国史记》记载，那年夏季出现了种种异常的天象，六月妖邪之星败星现于东方，七月太白星掩月。像是要印证天象的异常似的，空前的大灾害紧随而来。

恐怖的台风横扫着大地。

小山般的巨浪重重击打着海岸，狂风过处，大树被连根拔起。

狂风也吹打着清海镇的镇营，张保皋不听谋士于吕系的劝阻，屏退左右，独自一人坐在军营所在地将岛，倾听狂风暴雨的声音。对于生于海边，自小便与海为伴的张保皋来说，狂风肆虐、大浪滔天反而是他喜欢的境界。

清海镇营在猛烈的台风中仍坚如盘石。奉兴德大王之命，在清海设镇已有八年。八年岁月，不过弹指一挥间，清海镇却已发展成连接唐朝与新罗以及日本的三角海路的航运中心。它不仅是三国间的物流要冲，也是一座关隘，任何船只，不经过清海镇，便不能去唐朝；任何商船，不经过清海镇，便到不了日本。

“清海镇呀，”于吕系朝独自坐在帐篷里的张保皋笑着说，“真可谓鼓腹击壤。”

鼓腹击壤。

意思是拍着肚子，跺着脚，很兴奋的样子，用来形容太平盛世。上古时的圣天子尧帝到民间体察民情，在一个村庄里，他看到一位白发苍苍的老人，正拍着肚子，敲着大地，高兴地唱着歌。

日出而作，日入而息；
凿井而饮，耕田而食，
帝力何有于我哉？

这支歌后来被称为《击壤歌》。当时的清海镇真可以称得上是太平盛世的武陵桃源。

当时的新罗朝廷昏庸无能，围绕权力的明争暗斗致使政治紊乱，百姓涂炭，只有清海镇还是乌托邦式的理想地方。

自张保皋麾下一万人的强大军队抓捕了阎文以后，海盗也好，奴隶贩子也罢，在海上再无容身之处，大海彻底地恢复了往日的和平。张保皋的船队带动起来的商业蓬勃发展，当地经济空前繁荣。

著名的学者、曾任美国驻日大使的莱莎渥（1920~1991）在他所写的《从唐朝开始的圆仁旅行记》论文中评价张保皋为建立商业帝国的“贸易王”，那时张保皋的清海镇是商业帝国的大本营，他本人则是建立这一伟大帝国的海上王。

如果说兴德大王只是管理新罗国政的君主，那么张保皋则是统治着连接唐朝、新罗、日本的海上帝国的帝王。从这个意义上说，张保皋是韩国历史上史无前例的国际人，是超越国家和民族，视全人类为一体的世界主义者。

“您去哪里？大使大人。”

本来坐在空帐篷里的张保皋突然起身向外走去，于吕系赶快阻拦。

“不能出去。外面风疾雨大，很危险。”

但张保皋不听，他走出狂风骇浪包围中的帐篷，独自伫立于台风中。

帐篷外面便像于吕系担心的那样，风雨交加。

据记录，清海镇一带年平均降水量达1700毫米，雨季为处于东南季风影响下的六月至九月间。东南季风每年从太平洋西南部带来吹向东北亚大陆的台风，而完岛即清海镇正好位于台风正面侵袭的海岸边上。对生于海边长于海边的张保皋来说，暴风雨非但不可怕，而且还是亲切的令人欢喜的朋友。

惊涛骇浪似乎要吞噬掉将岛，汹涌咆啸而来，激起的水花漫天飞溅；狂风似乎要卷走张保皋，呼啸着横扫而去。狂风暴雨中，张保皋虎目圆睁，注视着卷起白色泡沫的波涛。

哗，哗，哗。

听着气势凶猛地冲向岛边岩石的海浪的咆啸声，张保皋霎时感到了全身被海水浸透般的喜悦。

今年他四十八岁了。四十岁时被兴德大王封为清海镇大使，回故乡不过八年，他便建设了梦想中的海上帝国。按莱莎渥的表述，张保皋建设了伟大的商业帝国，成了贸易帝王。

从历史的记录中查不到张保皋的出生年代，但是从前后情况综合来看，张保皋大约生于公元八世纪九十年代的后半期，在完岛一带长到二十多岁。

助音岛。

现在张保皋将军营所在地叫将岛，但他小时候这个岛叫助音岛，是他从儿时到青年时玩耍的地方，也是养育了他的地方。

张保皋独自伫立在猛烈的暴风雨中，睁大眼睛凝视着惊涛骇浪，一边自言自语地嘀咕着。

“我去唐朝大约是三十年前的事了。”

于是，到唐朝去的一幕一幕往事开始在张保皋的脑海里一一掠过。

入唐后的十余年间，张保皋历尽千辛万苦，加入唐朝的军队立下不朽战功，当上军中小将。

据历史记载，张保皋参加了讨伐高句丽遗民李正己建立的平卢淄青藩镇的战斗，在战斗中他表现突出，任武宁军军中小将，当时他正值三十而立之年。从当初怀着出世之梦，到在中国立身扬名，仅仅用了十余年。那之后，又经过波波折折，张保皋结束了军旅生涯，但仍留在唐朝，结交并组织滞留唐朝的新罗人，从方方面面为日后从商打下了基础。做这些准备，张保皋大约花了五六年的时间。

由此算来，张保皋在唐朝滞留了漫长的近二十年时间，在那悠悠岁月里他多么思念故乡。

张保皋出神地盯着澎湃而来似乎要吞掉自己的波浪，思绪飞得很远很远。

二十年时光里他没有一天忘记故乡。

草根树皮。

张保皋离开故乡前往唐朝时，正是新罗百姓缺吃少穿，以草根树皮裹腹的年代。

依《三国史记》的描述，中国当时是梦中的理想大陆。

那时，年轻一代在新罗这种彻头彻尾的等级社会里觉得束缚和限制，很愿意漂洋过海到更开放和富强的唐朝去寻找出人头地的机会。

张保皋便是当时满怀希望到唐朝去的那批年轻人中的一员。

他能选择的惟一的出路便是加入雇佣军。

当时高句丽遗民李正己建立起来的藩镇统治着地方，是一个独立的王国。

李正己的藩镇名称叫“平庐淄青”，拥有强大的军事力量，统治地方足足有55年了。

张保皋到中国时，藩镇已由李正己的后人李师道世袭了藩首。李师道派刺客到长安，暗杀了宰相武元衡，朝廷视之为心腹之患。

唐朝皇帝宪宗在此事上摒弃了议和观点，宣布派兵讨伐平庐淄青。那时是公元815年12月。

唐朝与平庐淄青军间的交战持续了三年，直到公元818年7月才结束。当时武宁军是唐军骑兵的先锋部队。

因此，武宁军中需要武艺超群的士兵，只要武艺超群，不管是异邦人，还是囚犯，甚至是海盗，都可以当武宁军的士兵。

于是，身手了得的张保皋随即成了唐朝军队的雇佣军。

轰隆隆。

暴风雨中电闪雷鸣，不知道是不是雷劈到了附近海岸，霎时间地动山摇，火光窜起。

在雷声大作中，似乎一种熟悉的喊声像霹雳一样在张保皋耳边回荡。

“大哥。”

张保皋立时环视了一下周围，明明是一个熟悉的声音。

“谁呀?”

张保皋向周围寻找着，但是四周漆黑一片，只有猛烈的暴风雨。

“到底是谁呀?”张保皋喊起来。

张保皋马上醒悟到那不是人的嗓音，而是天上的雷雨声。可是对张保皋来说那明明是熟悉的声音，是了，那是郑年的声音。

郑年是张保皋誓同生死的结义兄弟，他俩都出生在完岛。

据唐朝诗人杜牧的《樊川文集》记载：郑年比张保皋小十岁，称张保皋为大哥。实际上郑年并不比张保皋小十岁，但的确比张保皋小，称张保皋为大哥倒是事实。

两人从小便一同在助音岛上生活，后来盟誓不求同年同月同日生，但求同年同月同日死，结义金兰。

不久，两人胸怀壮志，于同一天一道起程前往唐朝。对两人的关系，诗人杜牧在《樊川文集》第六卷中有如下记载：

张保皋、郑年者，自其国来徐州，为军中小将。保皋年三十，郑年少十岁，兄呼保皋，俱善斗战，骑而挥枪，其本国与徐州无有能敌者。年复能没海，履其地五十里不噎，角其勇健，保皋不及也。保皋以齿，年以艺，常不相下。

张保皋和郑年成长于同一故乡，又一同前往中国，他们无疑是亲密无间的朋友。

张保皋比郑年年长，郑年管张保皋叫大哥的说法符合事实。

张保皋和郑年这对结义兄弟平生共同经历过波澜万丈的生活。有张保皋的地方常常有郑年，有郑年的地方也常常有张保皋，两人常如影随形，简直不是结义兄弟，而是一心同体的一个人。

张保皋获得了如此成功，像莱沙渥所形容的是“庞大的商业帝国的帝王”，这些成功多亏弟弟郑年的帮助。而郑年小小年纪便当上武宁军军中小将，扬名于世，也多亏哥哥张保皋的帮助。果然之后两年，张保皋毫不犹豫地对义弟郑年委以大任。

轰隆隆。

又一道闪电划过天空，雷声紧接着破空而来。短暂的闪电光中，过去八年间张保皋一手建立的清海镇的风貌一闪即逝。

“啊，”张保皋雨中叹息道：“如果现在郑年在我身边，是啊，只要郑年在我身边，郑年便是我的左膀右臂啊。”

然而，郑年人在哪儿呢？

狂风中如马鬃般立起来的波涛击打在岩石上，张保皋迎着迸溅过来的海水沉思着。

郑年弟弟现在在哪儿？做什么呢？

“大哥，大哥走大哥的路，我走我的路。”

那是什么时候的事了？最后一次见到郑年已经是十年多前的事了。那时张保皋辞去军中小将之职，退役当起了老百姓。他开始团结在唐朝的新罗人，满腔热血地筹划经商。两人分别之时，郑年说："自古经商便是卑微的贱民所从事的，我不喜欢经商。我虽然生于海边，但希望能死在马背上，而且，虽生于海边，比起撒网捕鱼，我更喜欢背着刀枪去打仗。所以，大哥走大哥的路，我走我的路。"

郑年选择的路是继续做一名军人。但是唐朝已经完全消灭了平庐淄青的藩军，不再需要官军了。相反，过分臃肿的军队已经带来了新的问题。

"古话说得好。"那是张保皋最后一次劝郑年，"兔死狗烹，鸟尽弓藏，鱼捕筒弃。你我不过是唐朝雇来讨伐藩军的猎犬、弓箭、竹筒。如今兔已死，鸟已尽，鱼已捕，我们已经没有用处了。没有战争的时候应该熔化刀枪，铸犁耕地播种。"

但是郑年却瞪着眼睛说："古语还这样说，武臣不惜死。做军人不会像大哥说的那样熔化刀枪去铸犁，即使是饿死，也要磨好刀，擦亮枪，时时刻刻做好争战的准备。这不正是军人应走的路吗？"

那时，张保皋已经在那里建立了一个名叫法华院的寺院。这是一座新罗式的寺庙，离开军旅的张保皋以此来团结生活在唐朝的新罗人，使他们有一个凝聚之地。

按圆仁的记载，在由张保皋发起建造的寺庙赤山法华院中，每年冬夏举行两次讲经会。讲经使用的是新罗语言，并以新罗方式进行。

张保皋与郑年最后一次见面便是在一次主要由新罗人参加的讲经会上。那是825年，张保皋归国前三年的事情。

当时赤山法华院正在举行夏季讲经会，夏季讲经会主要讲解《金光明经》，那时特别邀请到了一位新罗高僧。

被邀的法主法号朗慧，他于三年前，即宪德十四年（公元822

年）借派往中国的使臣金昕之力到了唐朝。

朗慧和尚虽然年轻，却是新罗最具水平的高僧。有关他的传闻，张保皋早已耳熟能详。因此，张保皋亲自到法华院来参加讲经会，礼拜十方佛，忏悔罪过，倾听朗慧和尚的讲解。

此时，朗慧已在中国各地游历了三年，开始受具足戒，跟着高僧大德修行。

朗慧之所以会先到至相寺，是因为他曾在义相大师创建的浮石寺学习过，而义相大师是智严的俗家弟子。由此说来，浮石寺的佛家思想与智严有很深的渊源关系。

然而即便是在至相寺，他听到黑脸老人所说的马祖的“心即是佛”，猛然醒悟，随即去找禅宗思想的大师，马祖的弟子如满。

马祖禅师。即马祖道一，是中国禅宗思想集大成者。

据说马祖学禅时，禅师怀让为了能使整日坐禅一心希望早日成佛的马祖醒悟，便从马祖身旁拿起一片瓦片，对着石块研磨起来。马祖看了不解，问禅师：“您磨瓦片干什么?”

怀让答：“做一面镜子。”

“磨一磨，瓦片便能成镜子吗?”

听了这话，禅师不紧不慢地反问道：“磨瓦既不能成镜子，那坐禅又岂得成佛呢？譬如牛拉车前行，车子若不肯前进，是打车好呢，还是打牛好?”

听了禅师的话，马祖顿悟到“心即是佛”，之后马祖倾毕生之力宣传“平常心即是佛”。当时马祖弟子之一如满便住在长安。

在如满那里，朗慧开始将眼光由教宗转向禅宗。

那么，朗慧到张保皋所建的新罗寺庙法华院讲经大约便是在宝彻圆寂，他云游四方，普施善行的时候。

因为他自师父离世之后便开始头戴黑巾，被信徒们称为黑巾僧人。

赤山法华院原来像圆仁写的那样“夏季讲解《金光明经》”，但朗慧在主持赤山法华院期间，却从未讲过一句《金光明经》。

《金光明经》是赞叹佛寿命无量的偈颂，自古被尊崇为守护国家的经典。张保皋等数十名新罗人邀请他去讲经，在对教理经文进行问答讨论时，无论他再三发问，其他人竟都保持沉默，一言不发。因此朗慧只好带领信徒拔草，或补修被洪水冲毁的桥梁，以众人合力，其力断金的实践来代替自己的讲解。

每逢赤山法华院有重要法会时，都会请和尚讲经，并作忏悔礼佛。每次朗慧都想去听，只是他认为，身体力行修补坏桥远比为忏悔罪过礼拜十方佛更重要。他总是亲自搬运沉重的石块，只对信徒们淡淡说道："身为仆役，心为君王。"

朗慧每日只吃一餐，身体瘦削干瘪，眼睛却炯炯有神。他虽然比张保皋小十多岁，但全身气韵神圣，凛然不可侵犯。

正是在那期间，郑年来法华院见到张保皋，那时他们已经分别三四年了。当时张保皋正热衷于经商。

虽然不过三四年的时间，但张保皋已成为拥有庞大的新罗船队的大商人，而郑年仍身在军营。

张保皋力劝郑年一同经商，但郑年总认为经商是贱民所行之事，自己更适合从武，并没有听从张保皋的劝告。

轰隆隆。又一道闪电划破长空，接着雷声大作。

张保皋从怀里掏出一件小东西，借着闪电的光，他呆呆地看着。

那是一尊小佛像。

一尊坐姿的禅定印的新罗佛像。这是朗慧和尚送给他的礼物，一个极其特殊的佛像，因为它的佛头与佛身是分开着的。

当年与郑年分别时，张保皋便将佛头送给郑年，并说："好好收着吧。"

"这是什么？大哥。"

"佛像的头。"

张保皋指着佛像的脑袋说。

“但是，大哥。我若拿走了佛头，那佛像便成了两块，不就成了一个不完整的残佛了吗?”

“是啊，不一样吗？弟弟如果离开我到军队，我的身体也是不完整的，是残缺不全的。你不在，我便像这没有头的佛像，无论何时都会等你回来。日后，你一定要回到我身边来，我们一同齐心合力开创大业。”

郑年明白张保皋送佛头给他的意义了。

符节是古代用作证明使臣身份的信物，时是分离的父子、兄弟、或夫妇之间的证物。等到将来他们能够重逢之时，便以符节确认彼此的身份，常见的是以石头、檀香木片等材料做成的。

“我懂了，大哥。”郑年慢慢地将佛头藏到怀里，郑重地保证：“我会珍藏这信物一直到我们重逢的时候。”

张保皋在倾盆而下的暴雨中默默地凝视着那尊佛像。佛首以信物送给郑年了，他手中的是一个没有头的佛身，一尊残缺不全的佛像。

看着这个珍藏的佛像，张保皋耳边突然响起了送佛像给他的人——朗慧的声音，朗慧所说的那句话便也是他在赤山法华院期间对信徒们惟一一次讲经：“躯体丢掉也罢，而头却一定要保存好。”

张保皋觉得朗慧说的便是‘心即是佛’之意，是他说的“身为仆役，心如君王”的另一种表达。张保皋记住了朗慧的弦外之音，但仍毫不犹豫地将佛头送给了郑年作信物。

轰隆隆，咣——

响彻天空的雷声，几乎震得天摇地动。张保皋一动不动地看着手里的无头佛像，喃喃自语：“你在哪儿？在做什么？”

刹那间，当年郑年一面珍藏佛头一面向他发誓的声音在他耳边真切地传来。

“……我懂了，大哥。我会珍藏这信物一直到我们重逢的时候。”

弟弟郑年不是说“一直到我们重逢的时候”吗？那不就是郑年在发誓一定要回到我身边来吗？

会回来的，义弟郑年一定会回到我身边来的。

正当张保皋沉浸在往事里，有人却从帐篷里边急急忙忙地跑了出来，原来是于吕系。他看到张保皋独自伫立在暴风雨中，赶忙用自己的身体护住，说：“大使大人，为何还在这里？小心着凉，快进去吧。”

张保皋听了后哈哈大笑，说道：“我觉得有人要来找我，正在外边等他。”

“是谁会在这暴风雨的夜晚来找您呢？”

“不管是狂风暴雨，还是天崩地裂，他都一定会找到我身边来的。”

“那会是谁呢？”

张保皋又哈哈大笑，说道：“不久定会见到那人的。”

正如张保皋所言，两年之后，郑年果然来找张保皋了。有关当时的情形唐朝诗人杜牧在他的《樊川文集》中描述道：

……保皋既贵于其国，年饥寒客涟水，一日谓戍主冯元规曰：“我欲东归，乞食于张保皋。”元规曰：“若与保皋所负何如？奈何取死其手？”

年曰：“饥寒死，不如兵死快，况死故乡邪！”年遂去。至，谒保皋，饮之极欢……

如此，张保皋和义弟郑年最终又重逢了。

那么，这位详细地为张保皋和郑年立传的杜牧到底是何许人也？他便是晚唐著名的诗人，和唐朝诗圣杜甫并称，人称“小杜”的杜牧。

倘若《樊川文集》中没有“张保皋与郑年”列传，张保皋便有可能永远地湮没在历史的长河之中。

若不是杜牧为张保皋与郑年在浩瀚的历史中留有了一席之地，否则，后人何从知晓他们的生平事迹。

不仅如此。

宋朝的史学家宋祁在编纂《新唐书》时，引用了“张保皋与郑年”列传之后大加赞扬，称：“不以怨毒相槊，而先国家之忧，晋有祁奚，唐有子仪、保皋，孰谓夷无人哉!”

倘若杜牧没有记载张保皋的事迹，宋祁便无法在《新唐书》中赞张保皋“孰谓夷无人哉”，而金富轼便也不能在《三国史记》中写到张保皋。那么，张保皋和他的义弟郑年便真的会从历史的记忆里彻底地消失了。

那么杜牧为什么会如此关注新罗人张保皋和他的义弟郑年呢?杜牧为张保皋和郑年立传，所据并非道听途说，而是他亲自查访，亲自拜见知情者，务求叙述精准，才得以将差点被历史吞没的张保皋栩栩如生地复活了。

那么，杜牧，他是何人?

他又是如何接触到张保皋的?是张保皋的哪一点打动了这位唐朝杰出诗人的心，使之将张保皋与千古之师周公相提并论，并赞扬张保皋是比唐朝大功臣郭子仪更为杰出的仁义圣贤的呢?

第三章 扬州梦记

1

晚唐杰出诗人、与诗圣杜甫并提，人称小杜的杜牧首次听到张保皋的名字是在他到扬州做淮南节度使幕府之后。

那是大和八年，即公元 834 年。

据记载，当时扬州是唐朝最发达的商业城市，居民七万四千余户，人口近四十七万。

扬州位于江苏省，旧称江头，地处长江北岸，运河西畔。公元 589 年隋朝时成为该地区的中心，名称变更为扬州，城市也随之发展起来。

唐朝时南方的物资经运河运往北方，作为运输枢纽，扬州城逐渐发展成为当时最发达的繁华兴旺的商业城市。

当时的扬州类似今天的香港，是国际贸易集散地，各地商人汇聚于此，有从如今的波斯湾来的波斯国商人，印度半岛来的占婆国商人，阿拉伯帝国来的大食国商人。渐渐地，在扬州出现了外国商人集体居住的波斯庄，新罗人聚集生活的新罗舫。后世的司马光在他编纂的《资治通鉴》中记载道：

> 扬州富甲天下，论富庶，人们首推扬州，其次是益州。扬一益二。

由于扬州政治、经济、社会、文化中心的作用越来越显明，公元 626 年，唐朝在扬州设大都督府，由皇弟亲王担任都督。公元 756 年设淮南节度使，掌管十一州。扬州此时已发展成国际商贸中心，是唐朝最富庶的地方。

此时杜牧正担任淮南节度使的书记，三十有二，血气方刚。他二十岁时便参加了在东都洛阳举行的科举考试，中榜第五。那次科举考试是非常特殊的一次。

唐朝的科举考试一般在西京长安举行，但那一次很特殊地挪到了洛阳。杜牧原是京兆府万年县人，即长安人，后来移居洛阳的樊川。洛阳科举时他正在樊川。

从日后杜牧自号樊川来看，出生的故乡与洛阳之间，他似乎更喜欢后者。

在大部分年轻的时光里，杜牧主要徜徉在洛阳的樊川河边，广泛涉猎了各种书籍。据记载，杜牧在弱冠之年便已读了《尚书》、《毛诗》、《左传》、《十三史》，以及各种兵法书等许多书籍，并深受孔子“以仁为本”的思想熏陶，尊孔子为万世之师。

此时的杜牧对官场并无兴趣，主要精力却在对日渐衰弱的朝廷的担忧上。

年轻的杜牧正处于叛逆时期，厌恶仕途，对权力无求无欲。然而，他忧国忧民，热衷于对正在衰败的唐朝朝廷大声疾呼。

因此，担心国家未来的一片赤诚之心，使得杜牧对张保皋留下了极深的印像。

当时唐朝经历了安禄山、史思明的安史之乱，以及平庐节度使李师道的藩镇之乱，政权日益衰落。

青年杜牧目睹着唐朝的政治衰败，岂能袖手旁观，二十三岁时他便写了旨在批判当时皇帝唐敬宗修建奢华宫殿的长诗《阿房宫赋》。

阿房宫是秦始皇始建的宫殿，项羽灭秦时被放火烧毁，大火熊熊地烧了三个月才熄灭。杜牧借阿房宫来讽刺皇上大兴土木，犀利地指出若不振作精神，仍旧沉溺于奢侈虚荣的生活中，强大的唐朝也必将会像秦国一样亡国。

杜牧的长诗敲响了警钟。

第二年，唐敬宗被宦官杀害。唐文宗即位，成为唐朝第十四代皇帝。一系列的变故让杜牧开始关心起他原来并不在意的官场仕途。与其在客房内声讨朝廷的腐败与无能，还不如入仕，直接来改变令人不满的社会现状。这时的杜牧满怀着参政改革的热情。

杜牧出身世代官宦之家，良好的家风也对他的忧国之情产生过影响。杜牧的远祖是以作《春秋左传集解》而闻名的杜预，祖父杜佑则著有《博闻强学》一书，被视为当时学界最高水平的典范。

杜牧仕途顺达，每年都在首都长安举行的科举考试那次一反常规，在其所在的洛阳举行。于是二十六岁那年春天，杜牧正月乡试及第，闰三月通过在长安举行的殿试正式登科，从此踏上仕途。

之后，杜牧历任洪州、宣州刺史，在三十二岁时来到了他梦中的理想之地扬州任刺史。

杜牧曾来过扬州两次。他是一位天才诗人，在激情洋溢、触觉敏锐的他看来，发达的商业城市扬州简直便是神仙们生活的梦中桃源，也是孕育现实主义作品的温床。

后来杜牧回想起他在扬州的生活，写下了如诗如梦般的文集

《扬州梦记》，仅由此，便可以揣测他有多么热爱扬州。

正是在这梦一般的街上，杜牧首次听到了张保皋的故事。

杜牧有生之年并没有见过张保皋本人。虽然两人生活在同一时代，但是辽阔的平原大陆使得两人从未谋面。尽管如此，忧国忧民的杜牧却将张保皋推崇为当时最了不起的义士，并亲笔为自己所敬慕的同时代的人物张保皋著书立传。

那么，杜牧在梦一般的城市扬州是如何听说了张保皋的呢?

杜牧在扬州之时，一面担忧国家的前途命运，一面却不禁被迷人的秦淮河的夜景所诱惑。他晚年时写的追忆扬州生活的《扬州梦记》，也是写他在扬州与美貌歌妓蔷薇与酒的回忆录。

杜牧在他写的《扬州三首》中是这样描写扬州的：

“街垂千步柳，霞映两重城。”

杜牧便在这千步长街的垂柳下，一度沉湎于他梦幻中的生活。

扬州是从长江流往内地的大运河的起点，长江至漂水县的一段运河中有著名的浏览胜地秦淮。

杜牧曾在秦淮饮酒过夜，那时所感而发，写了一首脍炙人口的小诗流传至今，即《秦淮夜泊》，该诗是杜牧的代表作之一。诗中写道：

烟笼寒水月笼沙，
夜泊秦淮近酒家。
商女不知亡国恨，
隔江犹唱《后庭花》。

“后庭花”是六朝时陈后主与贵族及美姬饮酒作乐时所唱的曲子，其内容为赞美当时容貌出众的美人张贵妃和孔贵嫔的美貌。结果陈国在如此放荡的生活中灭亡了，“后庭花”遂以亡国之曲而广为人知。

从杜牧这首代表作中可以看出他当时的忧国之情，在秦淮河边，听着歌女们唱流行曲子的歌声，心里却想着日益衰败的国运。

由此可见，杜牧在扬州曾有一段放荡不羁的生活，记录他这种生活的文书竟能装满一箱。此时的杜牧真可称得上是纨绔子弟了。依据宋朝胡仔的《苕溪渔隐丛话后集》，出身于世代书香之门的杜牧每天晚上换上便装，或宴或游于烟街柳巷。他的上级牛奇章觉得很是不妥，于是将杜牧派往长安，做监察御使。临行时他给杜牧看了一直以来派人尾随他的记录，并向他提出忠告。

“你的远祖是元凯先生，曾祖是君卿先生，像你这样出身名门的人，怎么能每晚到大街上和娼女们鬼混呢？”

牛奇章所说的娼女，便是那些卖酒卖歌卖笑的娼妓。

元凯即杜牧的远祖杜预（公元224～284年），是晋代的学者兼政治家。杜预平定了吴国，被封为当阳县侯，晚年时又整理了《春秋》的经文和《左氏传》，将它们编为一本书——《春秋左氏经传集解》。君卿即杜牧的祖父杜佑，被尊为自汉朝司马迁以来的第一史家，著《通典》。

据说牛奇章的忠告，让杜牧很后悔，并深深地自责。这时有一首传世之作，也是杜牧的代表作之一，反映了杜牧此时的心理，题目叫《遣怀》。

落魄江湖载酒行，
楚腰纤细掌中轻。
十年一觉扬州梦，
赢得青楼薄幸名。

《后汉书》的“马廖传”中记载，楚王喜欢细腰女子，宫中多有饿死者，另外，伶玄的《赵飞燕外传》中记载赵飞燕“体轻能为掌上舞”。

杜牧写“楚腰纤细掌中轻”，是指容貌出众的美人。实际上杜牧在扬州时，与一位腰细体轻的女子交往很深，有一段浪漫的风流韵事。她的名字虽未能流传至今，但杜牧称此女为豆蔻花。

豆蔻花本是一种是热带花卉，所以，杜牧所爱的女子也很有可能是从东南亚流落到此的异邦女子。杜牧接受了牛奇章的忠告，与令他一见钟情的少女在扬州分别之后，果断地告别了酒色生活，又开始了他名门之后忧国忧民的历程。

与心爱的豆蔻花分别之时，杜牧写了两首赠别诗。

第一首如下：

娉娉袅袅十三余，
豆蔻梢头二月初。
春风十里扬州路，
卷上珠帘总不如。

杜牧将豆蔻花的魅力用娉娉袅袅来形容，将美丽的女子温柔的一面表现到了极致。

扬州二十四桥中第四桥九曲桥附近的妓院便是杜牧所爱的女子豆蔻花住过的青楼。

扬州市内共有二十四座桥，每座桥边都有青楼，楼楼相连，便像杜牧所写的那样，长达九里三十步，也称十里长街，其景色蔚为壮观。

当代的文献也有关于二十四桥的记载，从茶园桥、大明桥到下马桥、洗马桥等二十四桥。实际上 1987 年 2 月，在扬州西边的石塔寺附近，还发现了宽七米长三十米的木桥。由此可见，当时运河上桥梁分布密集。不难想像，运河沿岸的青楼里传来的女子的歌声，呼应着外国商人们的翩翩风采，是如何地散发着独特的异国情调。

事实上，杜牧吟诵过这二十四桥，即《寄扬州韩绰判官》。

青山隐隐水迢迢，
秋尽江南草未凋。
二十四桥明月夜，
玉人何处教吹箫？

豆蔻花所在的青楼便在二十四桥中第四桥九曲桥旁，年轻的杜牧便在这别名红药桥的桥边度过了他似梦非梦、沉湎酒与蔷薇的一段岁月。

在如梦如幻的岁月里，杜牧并非只是虚度时光，他便是在这个妓院里，听到了有关新罗人张保皋的传闻。

三十二岁的杜牧，有妻有子，却禁不住经常驻足于九曲桥旁的青楼，和豆蔻花一起饮酒嬉戏。

青楼女子大都能歌善舞，当时在她们当中流行的曲子便是“后庭花”。

这首陈后主所作的靡靡之音也曾传到韩国，特别是在高句丽忠惠王时，宫内十分盛行，宫女们常配器合唱。或许是因为这首歌富含挑逗之意，在朝鲜世宗时遭到了禁唱。朝鲜朝圣宗时，该后庭花的原词为朝鲜式的新词。故至今“后庭花”的歌词完全失传了，但据推测，内容大致为张贵妃与孔贵嫔之间的比美。

杜牧梦醉扬州之时，令天下所有女子仰慕的心目偶像是大英雄郭子仪和李光弼，他门都是平定安史之乱的一等功臣。

郭子仪（公元 697 ~ 781 年）任朔方节度使时发生了安史之乱，他率朔方军队汇同河东节度使李光弼成功地平定了叛乱。后又出兵征伐了回纥，为唐王朝的稳定立下了汗马功劳，被尊为尚父，封汾阳王，是唐朝最为功勋卓著的功臣。

李光弼（公元 708 ~ 764 年）虽然功勋不及郭子仪卓著，但是仪表堂堂，而且勇猛无比，是天下第一勇士。

杜牧在《樊川文集》中也介绍了这两个人的故事：

郭子仪和李光弼既是唐朝的大功臣，同时也是竞争的对手。

平定安史之乱已是七十多年前的事情了，而两位大英雄却仍是所有女子爱慕的对象，在卖笑的歌妓中更是如此。后来有歌女改了后庭花的原词，将郭子仪和李光弼填了进去，并唱得兴致盎然。

正当杜牧枕着豆蔻花的膝盖朦胧欲睡时，他隐隐地听到楼下歌女们的歌声。

只听得歌女们唱着：张贵妃美，还是孔贵嫔更美？拥在怀里谁更暖？

亡国之音。

早在春秋时期，卫灵公前往秦国，途中在复水边上听到了奇妙的乐声。灵公听着这令人销魂的音乐，令随行的乐师师涓记下乐曲。后来到了秦国，灵公拜会秦平公时，向他炫耀新学的曲子，命师涓演奏。

当时秦国著名乐师师旷听了这个乐曲非常吃惊，连忙抓住师涓的手，示意他停止演奏，并说，“这不是新乐曲，而是亡国之音啊。”

灵公和平公很是吃惊，连忙问师旷理由。

师旷说：“殷纣王时有一个叫师延的乐师，创作了一曲名叫‘新声百里’的靡靡之音。暴君纣王被此曲陶醉，沉湎于酒池肉林中，最后为周所灭。殷亡后，师延抱着乐器投复水自杀。以后路人经过复水，都能听到这首乐曲。因为人们畏惧这支亡国之曲，每当过那地时都掩上耳朵。刚才演奏的便是那支乐曲啊。”

师延所作的靡靡之音“新声百里”是导致国家灭亡的亡国之曲。无独有偶，三百年前，即公元589年，位于扬州所在的长江一带的南朝，最后一个国家陈灭亡了，也留下了亡国之音。陈国最后一个君王陈叔宝远贤臣，近小人，最后招致国家灭亡。

那灭亡的陈国，那亡国之君陈叔宝所作的后庭花啊。

扬州原本就是陈国的国土，所以，后庭花能历经数百年而不衰，至今仍是该地的流行曲调，也不足为怪。

“大人，”豆蔻花向枕在自己腿上的杜牧说，“大人在睡觉吗？”

“没有。”杜牧回答，“我在听楼下传来的歌声。”

于是豆蔻花笑着问：“大人认为是张贵妃美还是孔贵嫔更美？大人想拥哪一个在怀里啊？”

“真想知道吗？”杜牧醉眼朦胧地盯着豆蔻花说。

“是想知道啊。”

“那就先喝一杯酒。”

豆蔻花刚要起身去取酒，杜牧叫住了。

“不用酒杯，喝口唇酒吧。”

豆蔻花自然很清楚杜牧话的意思。

口唇酒。那是要自己先将酒含在嘴里，然后喂到杜牧的嘴里，将嘴唇当酒杯。豆蔻花没有犹豫，含了一口酒，对着躺在自己膝盖上的杜牧喂了进去。

杜牧慢慢地品味着酒的味道，说：“张贵妃也好，孔贵嫔也罢，现在都已成白骨，比起这两个绝色的美人，我觉得活生生的含态花更美，美多了。”

尚未开放的豆蔻花花骨朵儿称含态花，杜牧将才十三四岁的豆蔻花比做含苞待放的花朵，叫她含态花。

“含态花呀。”杜牧将手伸到含态花的肋下边咯她的痒，边说：“我认为这世上含态花最美。”

之后，杜牧又枕着豆蔻花的膝盖，躺在那儿听着楼下歌女们的歌声，陷入了沉思。

南朝最后的国家陈。亡陈的曲子后庭花，还有那时的奸臣宦官们。同样的歌声，同样的佞臣，真不知大唐也会在哪天便灭亡。唉，朝廷昏庸，人才无用武之地啊。

倘若读过杜牧那时所写的《江南春绝句》，便知道那逝去的王国让杜牧有多惆怅。

那是一首吟诵江南的诗：

千里莺啼绿映红，
水村山郭酒旗风。
南朝四百八十寺，
多少楼台烟雨中。

南朝时建立的无数寺庙楼台都笼罩在蒙蒙的烟雨中，此情此景下，歌女们仍不知亡国之痛，还在唱着后庭花。

正在这时。

歌声不知什么时候竟改了词：是郭子仪还是李光弼更英雄？一女娇媚地唱道：我更喜欢郭子仪，想投到他的怀抱里；另一女则幽柔地唱：我想在光弼的怀抱里。

词意暧昧的歌声过后，歌女们咯咯咯地笑起来，喜欢郭子仪的一方和喜欢李光弼的一方分开，对唱起来。

默默听歌的杜牧突然问："那么，我问一个问题。含态花想投到谁的怀抱里？郭子仪还是李光弼？"

"真的想知道吗？"豆蔻花笑笑地问。

"真的想知道。"

"真的想知道我便告诉你。便像大人说的那样，郭子仪也好，李光弼也罢，都已成白骨，小女子想投进的只是大人的怀抱。"

杜牧一下子将豆蔻花搂进怀里，紧紧抱着，说，

"我也一样，我想拥抱的也只是含态花。"

两人紧紧抱成一团，在楼上滚了起来。

"这次要喝乳酒。"杜牧嗓子发干地说。

豆蔻花毫不犹豫地解开衣服，袒露出浅粉色的乳头，撒上美酒。杜牧便像一个吃奶的孩子，将脸埋在豆蔻花的胸脯里，舔吮着。

楼下歌女们的歌声依旧飘过来，歌词不知什么时候又变了。杜牧抚摸豆蔻花的手突然间停住了，屏息听了起来。

“大人，什么事呀？”豆蔻花抬头看了看正侧耳朝楼下倾听的杜牧，问道。

杜牧将手放在自己的嘴边，“嘘”了一声。

“我在听歌呢。”

杜牧第一次听到这样的歌词。

歌女们的唱词不知不觉竟由郭子仪和李光弼变成了杜牧完全陌生的名字。

她们在唱张保皋和郑年。

豆蔻花抬头看着杜牧表情专注的样子，笑着说，“到底在听什么呢？”

杜牧举起手指着楼下说，“歌声。”

“这歌不是大人日日夜夜听的后庭花吗？”

“不是曲子，我是说歌词。”杜牧回答说。

豆蔻花用奇怪的表情看了看杜牧，又问：“歌词不也是常听的吗？”

杜牧却回答说：“不，我第一次听到这歌词，那取代郭子仪的张保皋到底是谁？取代李光弼的又是谁？”

听了杜牧的话，豆蔻花摇摇头，问道：“大人第一次听说张保皋和郑年的名字吗？”

“第一次听到。”

“大人，比起郭子仪和李光弼，现在歌女们更喜欢张保皋和郑年，更爱慕他俩呢。”

“他们是何许人？”

“小女子也不太清楚，上次听人说是平定藩镇之乱时立了大功的大英雄呢。”

藩镇之乱。

即元和十三年（公元818年）平庐节度使李师道挑起的叛乱。两年的混战之后，李师道被刘悟的军队打败，藩镇之乱才得以结束。但藩镇之乱给唐王朝带来的冲击却比八十年前的安史之乱严重得多。

藩镇之乱时，杜牧十七岁，比谁都清楚叛乱带来的灾难。因为杜牧的父亲杜从郁当时是太子司议郎，所以杜牧十分清楚朝廷因叛乱而面临的严峻形势。

杜牧对藩镇之乱再清楚不过了，平定叛乱的最高功臣是武宁军节度使李愿及其牙将王智兴。

武宁军是讨伐平庐军的先头部队，特别是王智兴，歼灭了李师道的士兵九千名，虏获牛马四千头，取得了出师大捷，成为当时最优秀的武将。

因而，杜牧对豆蔻花提到的名字感到十分意外，如果歌女们在歌词中用李愿和王智兴替换了郭子仪和李光弼，他完全可以理解。但是歌女们在最新的后庭花中唱的却是闻所未闻的张保皋和郑年。

如此，杜牧从青楼的一首流行曲子中首次听说了张保皋的名字。

杜牧敏锐的神经和洞察力使他捕捉了这个小小的细节。

“你是说藩镇之乱时的英雄？”杜牧重复了豆蔻花的话问道。

紧接着他又问：“那么我怎么一次都没听说过他们的名字？”

“大人您听我说，那两人不是我们唐朝的人。”

“不是唐朝人？

“是从东边来的异邦人。”

“东边来的人？是什么地方？”

“我也说不清楚，听说是东夷人。”

东夷，是中国对居住在其东边的其他民族的蔑称，多指新罗人。

“东夷不就是新罗人吗？新罗人在平定藩镇之乱时立了什么功勋，以至于歌女们争相传唱？”

豆蔻花接过话头说道：“小女子虽然不太清楚，但略知一二。听说两人从东夷过来加入了军队，张保皋是哥哥，郑年比他年纪小。两人都很善战，骑马举枪，所到之处，无人能敌。

据说，那大哥张保皋擅长射箭，郑年则剑术出众。当时将李师道射下马的便是张保皋，纵马过来取下李师道首级的便是郑年。节度使大人无法分辨两人功劳大小，便将两人一起晋升为军中小将。后来扬州便流行起大人刚刚听到的这首歌唱张保皋和郑年的后庭花了。”

豆蔻花的话震撼了杜牧。

韩国有句古话，“言语无足却行千里”。李师道的藩镇之乱发生在山东半岛，距扬州有千里之遥。但张保皋和郑年的故事口口相传，竟在扬州已经街闻巷知了。然而，传闻究竟有多少是事实呢？

听过豆蔻花的回答，杜牧突然一脸坏笑地问道：“那么，再问你一个问题。含态花希望在谁的怀抱里？是张保皋还是郑年啊？”

“真的想知道吗？”

“想啊，不然我怎么会问呢？”

“不都说过了嘛，小女子只要生气蓬勃的大人的怀抱。”

“你说那郭子仪和李光弼都已作古，可张保皋和郑年不是尚活在世上的天下大英雄吗？”

“大人。”豆蔻花翻了一个白眼娇嗔道，“含态花眼里只有大人，大人才是小女子的郭子仪、张保皋。”

“果真如此？那放下珠帘吧。”

“大人，天还没黑呢。”

“放下珠帘不就没关系了，快伺候吧。”

“大人那么着急，便依了大人吧。”

红晕泛到了豆蔻花的脸上，她站起来拉上了珠帘。接着开始缓缓地脱裙子。

豆蔻花的身体开始发热。虽然是年仅十三四岁的少女，也许是天生的尤物吧，豆蔻花全身蠕动着，喘息着……

“楚腰纤细掌中轻”，这是杜牧赞美豆蔻花的诗句，古书中也有类似的诗句。据记载美人赵飞燕纤细轻巧，行动有如飞燕，故称飞燕。不仅如此，她真的能在手心跳舞。

飞燕腰如细柳，有细柳美人之称，且身轻如燕，但这都不算什么。因为她常随着快节奏的舞曲锻炼腰肢，她还是擅长房中术的老手，尤其飞燕的小脚是最敏感的又最性感的部位。

事实上，对小脚的赞美，始于杨贵妃被处死时。据说有一老妪将杨贵妃的鞋当作观赏品，赚了大钱。据传当时杨贵妃的脚不过十厘米，估计当时小脚是美人们的必备条件。

杜牧也特别喜欢豆蔻花的小脚，而脚掌的涌泉穴则是最敏感的性感点。杜牧很喜欢将酒倒在豆蔻花的玉腿上，舔吮着流向脚掌间的酒，慢慢由下而上……

自那以后，豆蔻花说过的那句话便一直在杜牧的耳边回响着。

"……后来扬州便流行起大人刚刚听到的歌唱张保皋和郑年的后庭花了。"

豆蔻花的话确实冲击震撼了杜牧。

飘洋过海过来的东夷人的名字怎么会牵动所有歌女的心呢？

说起李师道的藩镇之乱，那是十五年前的事了。

藩镇是以节度使为最高长官的地方性统治体制。自景云元年，即公元 712 年设河西藩镇以来，至安史之乱之前，唐朝已在边境设立了十个藩镇。

后来藩镇的数量继续增加，达到四十五个，渐渐发展成不向中央朝廷缴纳贡品，却拥有独立势力的一片区域，成为威胁朝廷的隐患。

虽然宪宗对李师道的平卢淄青采取了镇压之策，但各地的割据势力仍如以前一样威胁着朝廷。

对藩镇割据形势，杜牧深感焦虑，担心迟早唐朝会因此而灭亡。

藩镇有称为牙军的亲卫军，而且通过和节度使有主从关系的镇将率领的强大的军队来牵扯朝廷派来的刺史等官员，强化自成一体的军事统治体系。

杜牧的作品中便有不满于藩镇势力飞扬跋扈的忧国之诗。

那时杜牧二十五岁，距写下讽刺敬宗穷奢极侈的《阿房宫赋》已有两年。

当时杜牧心中尊敬的历史人物是贾谊。

贾谊是汉文帝时的文人，文才出众，精通诸子百家。贾谊深得皇帝的喜爱，弱冠之年便做了博士，是最年轻的博士，一年以后又担任太中大夫，着手对律令、官制、礼乐等朝政进行改革。

贾谊后因遭到许多高官的猜忌而受挫，过着一种近乎流放的生活。那时他写了自比屈原的《吊屈原赋》，还发表了他的传世名作《过秦论》，指出秦国灭亡的原因。

贾谊的《过秦论》杜牧读过数十遍，深为贾谊的秦灭亡原因在于奢侈骄淫的历史观所折服。同样，杜牧深感若唐朝继续如此发展，有朝一日也会重蹈秦的覆辙，故而痛心疾首。

杜牧自感怀才不遇，将自己与杰出的文人贾谊相比较，写诗纪念贾谊。由此说来，《感怀诗》大约是杜牧献给一千多年前的贾谊，用来抒发胸臆的诗篇。

《感怀诗》的后半部分如下：

关西贱汉子，誓肉虏杯羹。
请数击虏事，谁其为我听。
往往念所至，得醉愁苏醒。
韬舌辱壮心，叫阍无助声。
聊书感怀韵，焚之遗贾生。

从这首诗可以感受到杜牧对藩镇的跋扈极其愤慨，所以当他从豆蔻花嘴里听到张保皋和郑年的名字时，自然而然便深深铭记于心中。市井传言中往往蕴含着真理。如果说张保皋和郑年参与平定了十五年前的藩镇之乱，那么现今呢？更是一个需要英雄盖世的人物大显身手的乱世。

平定安史之乱时有郭子仪和李光弼，平定藩镇之乱时有张保皋和郑年，那么现今这乱哄哄的世上更应该有像他们一样的旷世英雄。

救世主。

佛教中称普度众生摆脱苦难的佛为救世主。想想今世，是多么需要一位救世主来解救百姓于水深火热之中。

于是第二日，杜牧便开始到处打听有关新罗人张保皋和郑年的传闻。一旦下了决心，便会坚定地付诸实施，这是天才诗人杜牧最大的长处。

杜牧诗云，“往往念所至，得醉愁苏醒”。正如诗中所言，一腔忧国忠情足以促使他酒醒，打探有关张保皋和郑年的事迹。

官衙设在子城内的牙城，杜牧一到衙门，便首先向官差们打听。

自然有很多官差熟悉张保皋和郑年的名字，但与市井中的歌女不同，他们并不认为张保皋和郑年是天下的大英雄。

官差们认为张保皋和郑年虽然是平定李师道之乱的功臣，但功劳最大的还是武宁军节度使李愿和他的牙将王智兴。

然而杜牧心里很清楚。

“一将功成万骨枯”，节度使李愿及王智兴将军能有如此卓著的功勋，难道不是靠千千万万的士兵粉身碎骨换来的吗？其实真正的英雄便是如市井中歌女们所唱的那样，是张保皋和郑年。

他们二人一同被升为武宁军军中小将便是最有力的佐证。当然军中小将级别并不是最高的，《旧唐书》中记载小将是军职用语，归节度使管辖，级别仅次于统领部队的大将。《大唐六典》中“尚书兵部”里记载，小将是子将，军队中每五百名士兵，设押官一人；每一千名士兵设子总官一人；每五千名设总官一人。这里提到的子总官即子将，从而可知，张保皋和郑年的级别是统领一千名士兵的子将，即军中小将。

当然军中小将并非大将或总官这样的高级指挥官，然而张保皋和郑年却不是唐人，而是新罗人，他俩这一职位已是外国人能担任的最高职位了。

这是一个能间接证明张保皋和郑年在平定李师道之乱时立下汗马功劳的一个证明。想到此，杜牧觉得不必在唐朝的官衙中追溯两人的事迹，而应到新罗人中去查访。

当时在扬州住着一名叫王靖的新罗商人，他靠自己敏感的商业意识成为首屈一指的大商贾。

在圆仁的《入唐求法巡礼行记》中可以找到王靖的名字，通过书中的记载，可以了解到王靖是一位非常了不起的商人。

圆仁到唐之后暂住在扬州的一座寺庙。根据圆仁的记录，扬州当时有孝感寺、安乐寺、白马寺、禅智寺等40多座寺庙，圆仁便住在其中的开元寺。

当时一名新罗人来拜访圆仁，他便是王靖。

那是开成四年（公元839年）一月八日。

新罗人王靖来访。他早在日本弘仁十年（公元819年）便与唐朝商人张觉济一同经商，曾东渡到日本的出州。

问起他飘流过洋的经历，他说，当时为了进行几种商品的贸易，便乘船从扬州出发。不曾想在海上航行时突然遇到了风暴，商船向南漂流了三个月，最后在出州靠岸。张觉济兄弟俩在重新起航时出走，留在了出州。而他从北出州经北海航行，一路顺风，十五日后到达了长门国。他完全听得懂日语。

从圆仁的记录中可知，王靖是一个国际贸易商人，他的贸易活动一直延伸到了日本，也是在扬州的新罗人中最负盛名的商人之一。

圆仁见到王靖时是开成四年。杜牧在此之前五年，即大和八年（公元834年）去拜访了王靖。

王靖居住在外国商人集中居住的波斯庄，听说唐朝官员杜牧要来，王靖做好了充分准备来迎接他。

杜牧时任掌书记，官职不算高，王靖如此高礼接待杜牧其实另有原因。

王靖很早便听说过杜牧的名字。

他还对杜牧的情况了如指掌，知道他不仅出身名门，而且才能出众。王靖还读过杜牧登科之前的早期代表作《阿房宫赋》，他认为杜牧有朝一日会成为最伟大的诗人。

事实上，王靖不仅是一个精明能干的国际贸易商人，还是一位独具眼光的文化审美能力极高的文化商人。

先前张保皋向兴德大王献上的白居易的诗文，以及天才画家周舫的水月观音像，便是王靖收集的。

白居易是唐代的桂冠诗人，比杜牧年长三十多岁，是当时唐朝诗人之中名气最大、成就最高、作品最受欢迎的一位。他的诗还漂洋过海，远传到新罗和日本。

据元徽编撰的《白氏长庆集》记载，新罗商人中有人称：奉本国宰相之命，只要白居易的诗文一面世，立即全部购买，百金一篇也在所不惜。另外，北宋的郭若虚在《图画见闻志》中记载，有一新罗人在扬州高价收购了著名的人物画家周舫的几十幅作品。他们所说的这个新罗人其实正是王靖。

王靖有如此不俗的文化鉴赏能力，所以他不仅早就读过杜牧的作品，还在心里认为杜牧有朝一日定会成为超越白居易的诗圣。

因此，杜牧的亲自拜访，令王靖喜出望外，做了充分的迎接准备。

据传，杜牧拜访王靖那一天正好是清明节，春雨淅淅沥沥地下着。两人酒过三巡之后，王靖拿来笔墨纸砚，请杜牧题一首七言绝句，已有些醉意的杜牧当即饱蘸浓墨，挥毫写了一首诗。

清明时节雨纷纷，
路上行人欲断魂。
借问酒家何处有，
牧童遥指杏花村。

清明是二十四节气中位于春分和谷雨之间的节气。在古代中国，认为清明时节梧桐花开，野鼠消失，取而代之的是云雀，且清明那天首次有彩虹出现，因而被当作吉日。杜牧便是以清明为题写了此诗，以纪念两人愉快的会面。

杜牧将自己比作冒着纷纷的小雨、失魂落魄的行人，将王靖的家比喻成繁花似锦的杏花村。

一番畅饮之后，王靖开口问杜牧："大人，什么事使您光临寒舍？"

杜牧笑着答："来拜访春意盎然的杏花村啊。"

院子中正好有几株杏树，正含苞待放，鲜粉色的花瓣上滚着晶莹的雨水珠，杜牧指着花示意。

王靖笑着接道："春意盎然，杏花更需解语花。"

解语花，从古时起便是美人的代名词。王靖在市井之间对杜牧每晚的风流韵事早有耳闻。

听他这么一说，杜牧马上换了表情说道："实际上是有事要叨烦王大人。"

杜牧注视着王靖的眼睛又说道："王大人熟悉张保皋和郑年这两个人吗？"

王靖看着杜牧，觉得很意外。

"熟悉。两人与我一样，不是唐朝人，是从大海彼岸过来的新罗人。"

"就这些吗？"杜牧急于听下去，问了一句。

于是，王靖接着说道："不只这些，据我所知，生活在唐朝的新罗人中可能没有一个人不知道他们两人的。他俩是生活在唐朝的新罗人眼中的英雄。而且，我与张保皋大使还有一种特殊的关系。"

"大使？"杜牧打断话头，问道，"张保皋不是立了战功的军中小将吗？王大人何以称他为大使？"

"大人说得很对，但张保皋大使已于六年前，即大和二年戊申年（公元828年）离开唐朝返回新罗，被我大王任命为镇守清海镇的大使。

"后来，他彻底消灭了一度曾在新罗海上猖獗的海盗。现在海面上各国商船穿梭往来，人们都称呼张保皋大使为海上之王。”

王靖顿了顿，看看杜牧，又接着说：“大人既然问起，我便不妨细说与大人听听。我与张大使关系密切，我在扬州收购波斯国、占婆国以及大食国商人的商品，都是通过张大人的船队，运往新罗、日本等地进行贸易的。”

王靖所说的内容都是杜牧闻所未闻的，这样一来，杜牧对张保皋的好奇心又加深了一层。

“那么说王大人曾见过张大使?”

王靖回答说：“当然见过，见过三四次。”

王靖将目光集中到杜牧脸上，哈哈大笑起来。

“那么说大人光临寒舍不是因为春意盎然，而是想了解有关张大使的事啊。”

杜牧一直在默默地听着，见王靖如此坦诚便真诚地实话实说：“几天前，我偶然听到青楼歌女唱后庭花的曲子，曲中唱起张保皋和郑年的名字，歌女们说他们是救国英雄。”

救国英雄。

即救国家于危难之中的英雄。

听杜牧说到张保皋和郑年是救国英雄，王靖对杜牧的来意便了然于胸了。

“还不止如此，王大人。”杜牧接着说道：“酒家女认为张保皋和郑年是比平定安史之乱的郭子仪和李光弼更伟大的英雄豪杰。古语说‘朝名市利’，朝堂上争名，市井中夺利。比起朝堂上的名望，市井中的评价才真正是人心所向，才是最公正的啊。因此，我来拜访王大人是想详细了解张保皋和郑年的来历。”

“那么。”王靖小心地接过话题：“大人为何想了解新罗人张保皋和郑年呢?”

听到王靖的疑问，杜牧默默地喝着酒。

古语说清明时节“野鼠藏，云雀现”，果真如此啊。春雨打着杏树，一只不知名小鸟收起翅膀，蹲在树枝上，啁啁啾啾地叫着。

听到寂寥中传来的鸟鸣声，沉默无语的杜牧突然抬起头来，望着王靖，说道："王大人也知道，如今国家混乱，各地藩镇之乱已呈星星火燎原之势。先帝宪宗讨伐李师道之乱，表面看来像是扼制了藩镇的跋扈，暂时得到了和平。但是，边防叛乱又起，国运已如风中的灯火，不知何时便会被大风吹灭，时局堪忧啊。我认为目前正是救国英雄横空出世的时候，既然连青楼歌女都赞美张保皋和郑年是超过郭子仪和李光弼的救国英雄，我想或许应该为他们的生平立传，以传后世。就是这样。"

杜牧端起酒杯，一饮而尽，痛心疾首地表白了他内心真实的想法。

最后杜牧问道："英雄会卷土重来突然出现，收拾这混乱的世道吗?"

杜牧的话意味深长。

卷土重来是杜牧诗中的名句，即便未读过杜牧的诗，大多也听说此句。后来，它便演变成一句成语。

当然，王靖对于杜牧的作品十分了解。他读过《阿房宫赋》，也读过杜牧感怀现实，追思贾谊的《感怀诗》。通过这些诗文，王靖非常同情杜牧的忧国之心。

然而王靖感叹杜牧的爱国之情，却是在读了杜牧的《题乌江亭》之后，诗中的名句即为卷土重来。

据说，杜牧作此诗其中有这样一个缘由：一日，他巡视地方，途中在乌江的客舍下榻。乌江位于安徽省和县东北，一千年前项羽便曾在乌江水边拔剑自刎。现在那建有项羽祠堂，乌江便因此而扬名。

杜牧到了项羽祠堂所在的乌江庙参拜，望着一千年来始终奔流不止的江水，不禁感慨万千。

一千年以前，历经五年的楚汉相争，终于在公元前 202 年秋天接近尾声。项羽在刘邦的攻击下节节败退，向东边撤军。但张良和陈平认为此时正是彻底打败项羽的绝好机会，于是刘邦便听从了他们的建议，随即起兵追击。

最后到了公元前 202 年 12 月，项羽被汉军重重叠叠地包围在垓下。项羽十分清楚，这场大战将以自己的失败而告终。

这时乌江的亭长准备好了船只，对他说："快上船吧，江东虽小，但也方圆千里，足可以在那里东山再起，请大王速速登船过江。"

然而项羽却说："八年前我率江东八千子弟出征，如今只身伴匹马过江，我竟有何面目去见江东父老?"

说罢，他一剑杀死了爱马骓，随后便刎颈自尽了，时年三十一岁。

杜牧望着滚滚逝去的江水，感叹项羽虽有拔山的气概，但却不能忍辱负重。他借用劝项羽过江的亭长之言作了一首诗，严厉地批判了项羽不听劝谏，辜负江东父老的自私行径：

胜败兵家事不期，
包羞忍辱是男儿。
江东子弟多才俊，
卷土重来未可知。

这首诗遂成为众多吟咏项羽诗中最广为人知的一首。

江东才俊很多，如果项羽能够包羞忍辱，如果项羽能够听从亭长的劝告，乘船过江，那么，杜牧相信有朝一日英雄定会卷土重来。

王靖便是通过杜牧的这种感叹,明白了杜牧的一片爱国忠心。

是啊。

杜牧在苦苦期待着像项羽那样的救国英雄出现，翘首以盼着有卷土重来的英雄豪杰出现。

于是,杜牧前来拜访王靖的理由不言自明。他要将平定李师道之乱的张保皋和郑年的事迹广为宣传,唤醒百姓的爱国之心。

正是在这种救国激情的驱使下，他亲自来到了王靖的私宅。

"我听明白大人的话了。"王靖双手合掌回答说："那么大人想问什么尽管问吧，我一定知无不言，言无不尽。"

于是，杜牧立即从怀里掏出随身携带的毛笔，问道："为了不致以后遗忘，可否允许我简单地记录一下？"

"大人请便。"王靖爽快地回答。

"从哪开始讲起呢？"

杜牧在桌上铺好纸，开口说道："我想首先了解一下张保皋和郑年的出生？所从事的行业？何时渡海来到唐朝？加入军队之前的行踪？另外，张保皋又是何时从唐朝返回新罗任清海镇大使？郑年现在又在做什么？"

听罢杜牧一连串的发问，王靖便开始不疾不徐地娓娓讲述起来。

不知不觉之间，那在杏树枝上唱歌的不知名的小鸟飞走了，雨也渐渐大起来，烟雨依旧弥漫着整个庭院。

如此，张保皋和郑年在天才诗人杜牧的笔下穿越了历史的时空，跃然于中国唐朝大陆之上。

2

张保皋和郑年漂洋过海来到中国是公元 810 年的事了。那时，新罗国内混乱不堪，连年灾害不断，百姓生灵涂炭。张保皋出生年代不详，比较准确的说法是公元 788 年。张保皋出生以后，新罗朝廷遭遇了空前的混乱，国家出现了史无前例的自然灾害。

张保皋出生的时代是如此灾害频发、草贼横行的乱世。而在他青少年时期，这种现象也从未中断过。

宪德王六年（公元 814 年）五月，现在的洛东江沿岸的西北地区洪水泛滥，新罗大王派世子前去安抚受灾的人民，免去他们一年的朝税和贡品，这是史书上的记载。

像这样，每年天灾不断。而饥饿难耐的百姓为了生存，不得不寻找新的出路，惟一的一条出路只有西渡到唐朝去。

那时，唐朝是机会的土壤，全新的天地。虽然是别人的地方，但靠自身的努力不但可以吃饱穿暖，而且如果能抓住机会，还可以出人头地，光宗耀祖。

唐朝对新罗人来说，是一块极其具有吸引的梦中新大陆。更是新罗人眼中是“迷人的新世界”。

张保皋和郑年便是在这个时期前往唐朝的。

据《三国史记》记载，张保皋出身非常低微，是海岛人。以他这样的出身，在新罗严格的骨品等级制度之下，他是绝不可能有任何机会在政治上或是社会上出人头地的。因此对于张保皋而言，新罗是绝望的土地。

张保皋和郑年同样武艺超群，无人能敌，他们曾慎重讨论是否加入新罗军队。

新罗统一三国之后，新罗的军事制度实行九誓幢制度。振兴王时，三国之间的对抗加剧，新罗开始正式着手进行军事制度的改革，将王都周围部署的六个部队统一编成大幢。这是九誓幢制度的初型。三国统一之后，将高句丽和百济遗民包括了进去，组成九个誓幢。即由遗民组成三军，靺鞨人组成一军，百济遗民二军。

这样，身为百济遗民的张保皋和郑年即使参军，也只能加入由百济遗民组成的长枪幢。

顾名思义，长枪幢是使用长枪的队伍，虽然后来更名为绯今誓幢，但仍不过是步兵部队。如果战争爆发，作为先头部队的步兵只能充当炮灰。

出身非贵族阶级的平民，如果想通过参军而出人头地，只能将护卫新罗君王的侍卫军作为最高目标。有史以来，这支部队的士兵便将冲锋陷阵视为荣誉和权力，在战争中不惜生命，英勇作战。既然是这样的嫡系部队，身为百济遗民的张保皋和郑年是不可能成为其中一员的。他们最多能加入长枪幢或是贵族武将们拥有的私人部队，即应征所谓的招募兵。

因此，血气方刚的张保皋和郑年决心前往“迷人的新世界”唐朝，实现自己的梦想。

当时从新罗到唐朝需要有一种叫做公验的通行许可证，这是相当于现在所持护照的一种正式文书。但是，张保皋和郑年到唐朝时没有经过这种正规的程序，他们偷渡来到唐朝大陆。

偷渡自然是非法的，张保皋和郑年无奈之下只能搭乘海盗们经营的奴隶船，一面做船工，一面暗自担心偷渡能否成功。

因为当时欲从新罗到达唐朝，要么乘坐国家正式派出的使臣船只，要么乘坐当时被称为海舶的商船。但张保皋和郑年既非贵族，也非商人，对他们来说，选择搭乘贩卖奴隶到唐朝的奴隶船反倒是上策。

张保皋正是在这艘奴隶船上，亲眼目睹了新罗人被海盗们抢掠，卖身为奴的悲惨情形。

奴隶们被监禁在船上，待遇还不如牲畜。为了防止逃跑，他们都被捆绑着。若是禁不住长时间的海上颠簸而死亡，便会被直接扔到大海里喂鱼。

张保皋和郑年对海盗们的暴行极端愤慨，但却无可奈何。

就这样，张保皋大约于公元810年平安抵达唐朝，时年二十二岁。郑年则比他年轻，才不过二十岁。

杜牧在《樊川文集》中说：张保皋年约三十，郑年比他年轻十岁，呼张保皋为兄。如此，则张保皋和郑年相差十岁，不过这只是杜牧的臆测。

事实上，如果两人真的相差十岁，那么郑年入唐时是刚十二岁的少年，这不符合前后所叙述的情况。

其实，这不过是杜牧出于欲将张保皋刻画成举世无双的大英雄，而特意以郭子仪为参照进行描写的一种需要，因为张保皋和郑年恰好可以与郭子仪和李光弼相对照。

而实际上，郭子仪生于697年，李光弼生于708年，两人之间正相差十一岁。

所以说，杜牧以郑年比张保皋年纪小，称其为兄是符合事实的。只是两人的年龄差异是参照了郭子仪和李光弼间的年龄差异，杜牧便将它定为十岁。

张保皋和郑年到达唐朝之后，首先他们做了商人。

当时新罗人沿大运河沿岸密集聚居着，他们居住的地方叫新罗坊。新罗人居住的新罗坊的中心地区在楚州和连水乡一带。他们集中生活在城市的这个区域，正逐渐形成一个自治区。

新罗坊的长官称为总管，手下有全知官负责实务工作，另有叫译语的翻译官负责交易业务，构成了一个单独的行政区域。不仅在城市，在农村也设有总管新罗人的自治行政机关——新罗所，管辖着一定区域内的新罗小社会。

在如此组织严密的新罗坊中生活着的新罗人大多靠从商来维持生计。

新罗人主要从事商业、运输业、贸易业、造船业等行业，大部分人是水手、工人等。

张保皋和郑年虽然没有通行许可证而偷渡到唐，但是在新罗坊的新罗人帮助之下，很快便成为了商人。

然而，他们无法直接从事贸易业或运输业，只能从最低等的小买卖做起，经营食盐和木炭。当时新罗人擅长烧炭和晒盐，炭烧得极好，燃烧起来相对无烟，是生活在长安的贵族烧水或是准备宴会时最喜欢用的燃料。此外，炭还用来在冬天取暖，成为很受欢迎的奢侈品。

当时，在今日山东省的密州、大珠山一带都盛产木炭。

这一带山林茂密，具有生产高质量木炭的地理优势。

密州的木炭是新罗人的特产品。当时新罗人用船将木炭运往沿海各地，楚州、连水乡、扬州，还通过运河一直贩卖到长安。

除了木炭之外，新罗人的另一特产是食盐。

宿城村是一个临海的新罗人村庄，人们在这里世世代代从事着食盐生产。

张保皋和郑年初到唐朝时，便当起了这种贩卖木炭和食盐的商人，一干便是几年，白白地虚度了许多光阴。

这并不是张保皋梦想中的新天新地。

木炭和食盐买卖赚得的钱仅够糊口，远远不能实现两人跨越大海时的凌云壮志。他们到唐朝来不是为了做一名卖炭人。

每当张保皋驾着装满食盐的小木船来来往往于运河之上时，他都会望着郑年，感叹道："我们成了拉盐车的马，真是盐车之憾哪。"

盐车之憾。

语出《新书》，意思是即便是日行千里的千里马若运气不佳也只能拉盐车。

张保皋是在自我解嘲，感叹时运不济，英雄无用武之地。

像张保皋自我解嘲那样，如同一匹落魄千里马的日子一共过了三年时光。

然而，机会却是非常偶然地降临了。

当时是被称颂为唐之中兴之君的唐宪宗在位之时。宪宗本名李纯，他实际上是在杀了其患病的父亲以后，被宦官们拥立即位的。而表面上，他却是以太子的身份接受了父亲顺宗的禅让。不过，他仍属一位力图努力扭转唐朝衰败局势的明君。唐朝自安史之乱以后，作为地方军阀的藩镇势力越来越强大，渐渐发展到目无朝廷，对中央的号令不理不睬，逐步致使整个国家陷入无政府状态之中。

宪宗为了改变这一现状，煞费了苦心。一方面，他向新罗请求出兵支援；另一方面，他又宣布对最大的制造麻烦的对象"平庐淄青"全面开战。

平庐淄青是李氏王国遗民李怀玉所建立的藩镇，他是一个极不简单的建设小王朝的人物。

李怀玉是李氏王国的后裔。据《三国史记》记载，李氏王国灭亡时，唐高宗于公元 668 年 4 月将三万八千三百户的李氏遗民迁至江南、淮南等广阔的土地上居住。李怀玉大概便在此时脱离了他所在的中国家族群体，移居到山东地方。

李怀玉一家直到李氏王国灭亡一百年之后的公元 778 年才将自己的国籍改为中国。由此可以推测，他的家族关于身为高句丽人的自负心十分强烈。

公元 758 年，平庐节度使王充志欲立自己的儿子为后继者。于是，李怀玉率先举事发动军事政变，暗杀了王充志，推举大臣希逸为首领，使得政变获得了成功。自此，他开始在社会中崭露头角。

之后，李怀玉和希逸一同到了青州，因政变有功，成为折中将军。

公元 762 年，唐朝大军开始讨伐安禄山的残党史思明，李怀玉率军前往全州。当时出兵帮助朝廷的回纥部队越来越骄横，于是李怀玉便单骑闯入回纥军中，取下将领首级，灭了他们的威风，令他们再也不敢桀骜不驯了。

然而从此以后，希逸却忌惮李怀玉的勇武，两人之间的关系出现裂痕。后来当希逸逃亡之时，李怀玉又重新起兵。最后唐朝朝廷封他为平庐淄青节度使，并赐名正已。

再后来，他将平庐淄青建设成当时几个藩镇中最强大的一个。而对于中央政府，他采取一种近乎独立的态度，使平庐淄青几乎相当于一个小王国。李怀玉，不，是李正已，已拥有十五个州。不仅如此，他还和周围的藩镇一同联合筹划直接任命官员，不缴纳贡赋等对上政策。

这时平庐淄青的势力已经十分强大，据《资治通鉴》中的记载，相邻藩镇对其都感到畏惧。

不过李正已四十九岁时死于黄疸病，其子纳世袭了藩镇节度使。纳身体孱弱，公元 792 年也病死了，纳的儿子李师古继承了职位。从此时起，平庐淄青与朝廷的关系开始恶化。

当时因为与邻近藩镇的领土争夺不断，平庐淄青觉得有必要增强兵力。为此，平庐淄青不仅接纳犯人，还扣留外任者的妻子儿女做人质，防止人口外流。另外，如果有人密通朝廷，他便毫不犹豫地处死其全家人。

除此以外，平庐淄青经常与唐的中央政府对峙，因此每年都要从渤海购入打仗必需的马匹。同时还加强奴隶买卖，以此来筹措军队资金。

张保皋抵唐时的810年，平庐淄青已由李师古的异母兄弟李师道任藩首。

如此，平庐淄青历经半个世纪，四代藩首，完全成了一个独立的小王国。自李师道世袭藩首职位以来，与唐朝朝廷的关系便更加恶化了。

这是因为，唐宪宗实行强硬政策，一心要讨伐藩镇。他即位之后，先后讨伐了剑南西州、镇海军和昭威军。

公元814年7月，淮西节度使吴少阳上表申请令其子吴元济世袭职位。

同年10月，宪宗起兵征讨。

吴元济向地位相同的平庐淄青请求支援，于是李师道多次上奏朝廷，恳请停止讨伐，但遭到了拒绝。因此，李师道挑起叛乱，派人烧了河阴转运院的仓库，又切断了建陵桥，开始采取手段极端的游击战术。

河阴转运院的仓库是朝廷最大的物资储藏仓库。据记载，公元792年储藏于此的粮食多达两百万石。这些粮食除了用于讨伐藩镇的官军们的粮草以外，还供灾荒时赈济受灾的老百姓。

李师道的抵抗越来越强烈。为了在东都洛阳制造混乱，他秘密派人潜入宫中放火，并阴谋策划了派刺客到首都长安暗杀宰相武元衡和裴度。

当时，武元衡和裴度正帮助宪宗推行两税法，以便加强封建体制的经济实力。武元衡遇刺身亡，所幸裴度只是受了伤。据《资治通鉴》中的记载，宪宗大为震怒，亲自宣布，若有人能捉到罪犯，赏金一万两、官至五品。

因为，若捉不到刺客，此事便如一团迷雾。

第五天刺客被捕。当他说出背后的主使者时，整个朝廷都震动了。

刺客供出是李师道策划的阴谋。

李师道放火烧了宫殿，派人暗杀了宰相，使的正是搅乱后方这一招。现在果真如李师道所愿，百姓民心惶惶，主张停止讨伐藩镇的妥协论在朝中大臣中占了上风。

但是宪宗很果决，没有采纳妥协派的意见，而是宣布对平庐淄青开战。朝廷联合了全国多个节度使和归顺的藩镇首脑，组成了联军，于元和十年，即公元 815 年 12 月，以皇帝敕令的形式诏告天下，讨伐平庐淄青。

讨伐军的先头部队便是武宁军。于是，武宁军下达了补校令，广募士兵。此时，正在经营木炭和食盐生意的张保皋和郑年看到公告，免不了心有所动。因为，他们虽然来中国已有五年了，但仍旧过着贫穷的生活。

郑年首先得到了这个消息。

“大哥，终于等到机会了。”

听到武宁军征兵消息的郑年，大声对张保皋说：“唐朝朝廷下达了补校令，要征募官军，咱们俩总算等到机会了。正如大哥所说的那样，我们不是为了拉盐车才来唐朝的。

“战争席卷了唐朝全国，不管外国人还是囚犯，都在募兵的范围之内。我想立刻丢掉木炭生意去参军，大哥你看怎么样？”

张保皋没有什么理由不愿意。但他心里放不下的是李师道世代为李氏家族后裔的身世，他与自己是同族人。

在唐朝生活的东夷人统称为新罗人，但实际上东夷人内部严格地分为新罗人、百济遗民和高句丽后裔，俨然还是三国鼎立的时代。

因此，张保皋如果参加唐朝军队讨伐李师道，无异于骨肉相残，是自己人打自己人。

事实上，郑年并不是不清楚大哥张保皋的心事。

他睁大了眼睛对张保皋说："大哥，李师道虽是李氏王国遗民，却是个杀人不眨眼的家伙。我们不是也亲眼见到了吗？那些奴隶们有多悲惨。李师道这个家伙靠买卖奴隶来筹措军饷，为了钱他连这种事都做，简直是个恶魔啊。"

郑年的话终于让张保皋动心了，于是两人一同投到了武宁军下。

当时，武宁军的节度使是李愿。

李愿所率的武宁军的牙将是王智兴，张保皋与郑年便在王智兴的军中。

王智兴是武宁军的先锋，是一位阅历丰富的将军。他原先是李正己的同族堂兄李遗的衙卒。公元781年李正己去世，李氏家族出现内讧，李遗献出自己管辖的徐州，归顺了唐朝朝廷。

如此一来，徐州有李遗率领的武宁军，李正己的藩镇有平庐淄青军。那之后他们之间相互指责对方为叛军，成为不共戴天的仇人。

李遗的心腹王智兴日后竟成为武宁军的先锋。从衙卒起步的王智兴一步一步地升迁，先任徐州刺史的镇将，后成为讨伐平庐淄青军的先锋大将。

张保皋和郑年加入的便是王智兴的部队。

从日后的结局来看，加入王智兴的军中是一件很幸运的事。

因为王智兴出身低微，所以比起高贵的出身，他更喜欢武艺超群、勇猛无敌的士兵，尤其是在战斗中能够英勇杀敌的勇将。

刚一加入军队，张保皋和郑年即开始崭露头角。因为，张保皋箭术极其高超，而郑年马上使枪能令任何人都近前不得。在《三国史记》中张保皋的原名记载为弓福，在《三国遗史》中则记载为弓波。从名字中的"弓"字来看，张保皋无疑是一个善射者。不过单就武艺而言，年轻的郑年则更胜一筹。

总之，王智兴所率军队在与李师道的首战中大获全胜。

他们消灭了平庐淄青军九千名，虏获牛马四千头。那时在战斗中立下赫赫战功的主要是张保皋和郑年。于是，郑年随即由武宁军牙军所属的马枪兵升任指挥官，张保皋也由骑兵升任指挥官。他们当时的官职为押官，各领士兵五百人。

大总官王智兴特别赞赏张保皋和郑年。虽然他们是新罗人，但在战争中却能勇往直前，毫不退缩，甚至王智兴待他们如同自己的亲儿子一般。

王智兴的出师大捷一开始便挫伤了平庐淄青军的士气，平庐淄青军节节败退。

元和十三年（公元 818 年）七月，苍州节度使郑权占领复成县。十月，李索接替李愿任武宁军节度使占领兖州。而且同时，田弘正的大军向运州逼近，平庐淄青军只好被逼后退，苟延残喘。

这时王智兴心中充满了胜利的欲望，只要他加以最后一击，便可以取下李师道的脑袋；若是稍一犹豫，第一功臣的机会便漏给了别人。夺功心切的王智兴于公元 819 年 4 月擅自决定率武宁军进军运州城，那是李师道所占据的最后一座城堡。

王智兴认为此次是自己升任节度使的最好机会。若自己能在这次战斗中立下大功，说不定可以当上徐州节度使。

不料，轻敌冒进的王智兴却遇到了意外的麻烦。

当时平庐淄青军的大将是刘悟，他也是一位很有谋略的将领。如果说王智兴是勇将，那么刘悟便是智将。王智兴中了刘悟的计，最后被包围在峡谷中。那时，救出王智兴的便是张保皋和郑年。

张保皋和郑年从两侧保护着大总官王智兴，挡回冲过来的敌人，杀出了一条血路，艰难地冲出了重重包围。据记载，当时战斗极其惨烈，血水都湿透了衣衫。

倘若不是张保皋和郑年相救，王智兴定会被敌人活捉，惨遭杀害。可以说，张保皋和郑年是王智兴的救命恩人。

九死一生的王智兴欲授予张保皋和郑年总官之职。总官是领五千名士兵的真正的军将，但是不少将领都反对这一做法。

反对者们认为："不管怎么说，张保皋和郑年都是新罗人，授予东夷人总官之职多有不妥。"

总官是以都督的权力提拔士兵所能达到的最高级别。而且，张保皋和郑年是带领五百名士兵的押官，无论战功怎样突出，也不能一下连升两级，由押官升为总官。

最后作为折中方案，张保皋和郑年当上了领兵一千军的子总官。如杜牧在《樊川文集》中叙述的那样，他们最终成为次总官，即军中小将。不过王智兴承诺，总有一天他要提拔张保皋和郑年为总官。

不久之后，王智兴的武宁军和李师道的平庐淄青军开始了最后的决战，张保皋和郑年成为战斗中两颗耀眼的明星。

正如杜牧在扬州时，枕着豆蔻花的膝盖听到她说的"小女子也不太清楚，上次听人说是平定藩镇之乱时立了大功的大英雄。"那样，张保皋和郑年果真是武功独步天下的大英雄。

那时豆蔻花还说"当时将李师道射落马下的人便是张保皋，纵马过来取下李师道首级的人便是郑年。节度使大人无法分辨两人功劳大小，便将两人一同晋升为军中小将。"这些究竟是不是真实的情况已无从可考。

因为，历史上有一种说法是平庐淄青将领刘悟取下了李师道的首级。

《资治通鉴》中记载，刘悟被张保皋的士兵逼入绝境之后，遂叛变，取下了李师道的首级投降了官军。

不过，在社会上广为流传的说法就是，当李师道听说刘悟叛变，立即与儿子弘方一同逃向山中。有人发现了躲藏起来的李师道并在马上射了一箭，那个人便是张保皋。郑年随后打散护卫的士兵，纵马过去取下了李师道的首级。

谁也说不清楚，究竟哪一种说法才是历史的真相。但扬州的歌女们确信，是张保皋和郑年杀死了李师道父子，并因此将二人作为天下大英雄来歌唱、赞美、爱慕。

无论历史的真相如何，曾历经四代人，在地方上整整统治了五十五年，一度建立起独立的小王国的平卢淄青确确实实被彻底地铲除了。

元和十四年己亥年（公元819年）秋。

杜牧在《樊川文集》中将这一年张保皋的年纪定为三十岁，这是张保皋并不十分确定的人生生涯的一个分水岭。

而此时，杜牧十七岁。由此看来，张保皋只比杜牧年长十三岁。他们是同一时代的同辈人。

这一年，年方三十即成为武宁军小将，看似前途似锦的张保皋又一次面临人生重大的十字路口。

在彻底平定李师道之乱的第二年正月，宪宗皇帝被宦官暗杀。

宪宗弑君，杀了患病中的父亲，被宦官俱文珍拥立为帝。最终，他自己也因后嗣之争被宦官陈弘志等暗杀。

宪宗死后，他的儿子李恒继承皇位，即穆宗。

虽然宪宗属于古代封建社会中的明君，他胸怀大志，扫除藩镇势力，确立了皇权。但穆宗却不同于他的父亲，他对藩镇势力采取了一种稳健政策。

于是，唐朝又发生了卢龙军叛乱，在李师道叛乱时曾立下大功的田弘正被暗杀，全国上下重又陷入一片混乱之中。

当时对朝廷反抗最强烈的藩镇是河北三镇。虽然势力最大的平卢淄青被镇压下去了，可魏博和成德的节度使们又起兵声讨朝廷的无能。但穆宗完全不同于其父，他对飞扬跋扈的藩镇势力竟束手无策。

当时年方二十的杜牧对穆宗失望之极。

张保皋和郑年也不例外，他们正面临着人生重大的十字路口，是继续留在军中担任军中小将呢？还是离开军队开始新的生活？

经过长时间的深思熟虑后，张保皋下了决心，他对郑年说了这样一番话。

“我要离开军旅生涯。古语道‘夏炉冬扇’，就是夏天的火炉，冬天的扇子。季节过了，火炉和扇子便都成了无用之物。你和我曾抓住机会，立下了大功，成为唐军中的军中小将。但是现在季节已过，我们便要成为没有用的火炉和扇子了。即便是冬季还未来到，但不是还有“秋之扇”那句话么？秋天来了扇子也是毫无用处的。所以，我决心趁此机会离开军队。你准备怎么办呢？”

听了张保皋的问话，郑年如此回答：“若按大哥的话，大哥是扇子，我便是火炉。虽然都是无用之物，但是如果能够耐心等待，冬天还会再来，夏天也会再来。大哥也知道，藩镇之乱会无休止地继续下去的。”

接着，郑年态度坚决地说道：“大哥也知道，大总官大人马上便会升任节度使，我相信王将军不会不理睬大哥和我的。”

郑年的话没错。

长庆二年（公元822年）秋天，王智兴从武宁军副节度使升任他梦想已久的节度使。那时，实际上王智兴比心疼自己的亲生儿子还疼爱他的救命恩人张保皋和郑年，并曾许诺一定要提拔两人为总官。

要是真像郑年所说的那样，两人当上总官的话，那便是率领五千人马的真正的将领，如同上县的长官一样，是高级官职。

但是张保皋听了郑年的话，却微笑着说道：“当然，你的话没有错。如果大总官大人当上节度使，是不会装作不认识我们的。不过，我们并不清楚大总官当上节度使之前是否还需要你我的功劳。而一旦他成为节度使，你和我对大总官来说都已是无用之物。古语不是说‘狡兔死，走狗烹’吗？大总官大人成为节度使之日，便是打猎结束之时。那么，他还会需要你和我这样的猎犬吗？”

说到此，张保皋哈哈大笑，继续说：“你和我，不过是走狗、良弓。现在再没有要打的兔子，要射的飞鸟了，我们还有什么重要的作用呢？没有战争的时候，应该熔化刀枪，造犁、耕地、播种，难道不是吗？”

“土地在哪呢？熔化刀枪造犁播种，可是土地在哪呢？”郑年瞪起眼睛，高声喊道，两眼简直要喷出火来。

张保皋仍平静地用手指指自己站着的地方说：“就在这。你我脚下的土地，便是可以熔化刀枪来造犁耕地播种的土地。”

张保皋指着自己站着的地方，满怀自信地说罢，郑年立刻接着反问道：“你说这里便是要撒下新种子的那片土地吗？大哥。”

郑年注视着张保皋继续说：“可是，大哥难道没意识到唐朝的土地虽广，但对我们兄弟俩来说，仍是‘空间狭小无从施展’吗？”

郑年所叹的“空间狭小无从施展”，与汉景帝时长沙定王抱怨自己领土狭小时所说的“地小不足回旋”有异曲同工之处，意思是说，虽然有杰出的才能，但是领土狭小却不能尽情发挥。

于是张保皋又说：“军队是更小更不能尽情施展的地方，这一点你不是也很清楚吗？新帝即位之后，每年都有八厘的士兵被强制离开军队。”

张保皋说的是实情。

《旧唐书》记载，自穆宗皇帝的长庆元年起，每年有百分之八的士兵，因裁军政策被强制退役。

“那么什么时候会将你和我强制退役呢？”

“可是，”郑年又问，“大哥离开军队要做什么？”

张保皋满脸诚挚地对郑年说：“我要成为商贾”。

张保皋所说的商贾即“商人”。

听了大哥张保皋的答案，郑年无可奈何地大笑起来，说道：“又想成为拉盐车的马吗？再来一次盐车之憾吗？”

盐车之憾。

这是张保皋早年在运河上乘船倒卖食盐时，慨叹时运不济，自我解嘲的那句话。

张保皋听到郑年的揶揄，哈哈大笑，说道：“不，以后永远也不会拉盐车了，现在我不仅要拥有一日能跑千里路的千里之足，还要有能看到千里之外的千里眼，怎还会去做拉盐车这种驴子干的活呢?”

张保皋的回答十分肯定，说的也是实情。

张保皋和郑年初到唐朝时，两人是连公验都没有的非法偷渡者，自然只能做最低下的食盐和木炭生意。然而今非昔比，现在他们在讨伐藩镇过程中立了大功，成为军中小将，拥有了堂堂的身份。

除此之外，在这段时间里他们还熟悉并掌握了唐朝的语言，了解了唐朝的风俗和地理。况且，在唐朝的军队里立功之事，也是张保皋今后安身立命的一个资本。

千里眼。

即指可以看到远在千里之外的地方的眼睛。

张保皋到唐朝十二年来，第一次向郑年做了开诚布公的重大的表白：要拥有千里眼。

千里眼这个典故出自于《魏书》，是说北魏时的刺史通过像蜘蛛网似的情报网彻底地监视手下官员的行为，因此官员们都称他有千里眼而不敢偷懒和腐败。

故事是这样的：北魏末庄帝时，一位叫杨逸的官吏，二十九岁时到光州任长官。他为了百姓勤于政务，废寝忘食，深受百姓拥戴。此外他执法严格，铁面无私，所以地方百姓都安分守己，日子过得很太平。

有一年遇上了大灾荒，路上饥饿的人们比比皆是，饿死者层出不穷。杨逸命令开仓放粮，赈济百姓。他的部下对此比较担心，杨逸说：“国家的根本在于人，维持人的生命靠粮食，将百姓都饿死，那怎么行？不用担心，开仓放粮吧。如果因此事获罪，我来承担罪责。”

杨逸的举动使无数的百姓免于饿死。听到这个消息，庄帝不但没有责备，反而赞叹说：“果然是杨逸呀”。

杨逸不仅为政爱民，而且特别憎恨贪官污吏，他广设耳目，监视官员和军人。

这样一来，官员和军人们连想都不敢想受贿之事，甚至连外出办事都带着充饥的干粮，即使有人想在偏僻的地方接待他们，他们也不做回应。

看到官员们如此诚实正直的态度，一位百姓向某一官员询问其中的缘由，这位官员是这样回答的："我们的上司杨逸有千里眼，千里之外的事情也逃不过他的眼睛，谁还敢骗他呀！"

但是，如此受爱戴的杨逸不幸在他三十二岁时，年纪轻轻便因被卷入军阀之祸，抑郁而死。

张保皋通过十二年的旅唐生活，也拥有了杨逸所拥有的千里眼。

即像杨逸用蜘蛛网似的情报网监视部下一样，只要能将散布在中国各地的新罗人用蜘蛛网似的情报网网络起来，便一定能发挥巨大的威力。

张保皋看到了这一点。

将新罗人集中居住的新罗舫统一成一个情报网，只要能形成一个商圈，将发挥多么巨大的影响力啊！

"走，和我一起离开吧！"张保皋恳切地说，"我已和张弁、张建荣等部下们盟誓，一起离开军队，同生死共患难。"

张保皋所说的张弁、张建荣、李顺行等部下，是在武宁军中追随两人的骁将。他们都赞成张保皋的想法，决心离开军队。

"现在剩下的人只有你了。"张保皋用手指着郑年的胸膛说。

于是郑年一口气喊道："我不喜欢！我不追随大哥，我要留在军队里！即便我成为严冬里的扇子，我也要耐心等待夏天的再次来临。大哥走大哥的路，我走我的路！"

这是最后的决定。

这样，张保皋和郑年分道扬镳。

那时是长庆二年，公元 822 年。

3

雨还在下，越来越大的雨点不停地落在院子里，打在屋檐上，滴落，又四散溅起，啪啦啪啦的声音传进薄暮时分更加静谧的房屋内。窗外，杏花热烈地怒放着，又一只小鸟在枝头上婉转地歌唱着。

“就这样，张保皋和郑年分道扬镳了，一人从商，一人继续留在军营中。”

王靖顿了一下，杜牧也暂时放下了笔。他一直在仔细倾听，间或在纸上做做记录。杯子里的酒已经喝干了，王靖重新续满，推到杜牧面前，杜牧接过来，慢慢地啜着。

“倘若张大使不弃武经商，我也没有机会见到他。而且，要是没有张大使，我的生意也不能像现在这样兴隆啊。我在扬州收购波斯国及大食国商人手中的货物，然后通过张大使的船队贩卖到新罗，甚至远销到日本，同时又将两国的特产品回销到波斯国、占婆国等地。张大使在离开军旅之初，一方面将在唐朝的新罗人联系到一起，形成了庞大的信息网络。另一方面建立了名为赤山法华院的新罗式寺庙，统一了在唐新罗人的信仰。张大使这些做法也许是早年他讨伐藩镇时向对手学来的吧，不管怎么样，他从军队出来仅仅六年，便成为全唐朝谁也不敢小瞧的大商人了。”

“后来张保皋怎么样了？”

杜牧将剩下的酒一饮而尽，问道。他一直在不停地喝，所有的酒瓶子都空了，脸也成了枣红色，但是眼睛还炯炯有神。

“我刚才已经提起过，张大使六年前，也就是大和二年（公元828年）离开唐朝，回到新罗。兴德大王任他为大使，镇守清海藩镇。”

“这么说大使这一官衔相当于节度使?”

听到杜牧发问，王靖回答：“可以那么说。自从设立清海藩镇以来，张保皋大使率大军彻底消灭了一度在海上猖獗的海盗们，海上不法奴隶买卖也被根绝。海上现在一片和平景象，各种贸易船只繁忙地穿梭往来其上，不少人都称呼张大使为海上王呢。”

“那么。”杜牧好像有点心急，停了笔，望着王靖的脸问道，“另外一个人，郑年，他怎么样了?”

杜牧不愧思维敏捷。

对这个问题，王靖边摇头边说：“后来郑年怎么样了，我不太清楚。很久没听说过他的行踪了，估计可能还在军队中吧。不过，如果在军队中由军中小将升任总官，这个消息一定会在所有新罗人中传开的，可是没有这方面的消息，应该还在原位吧。大人若是真想了解郑年后来的情况，我倒有一个办法。”

“噢？是什么办法?”

王靖答道：“离扬州不远有一个地方叫连水乡。那儿的戍将名叫冯元规，他与郑年是非常要好的朋友。大人如果去找他，一定能够详细地了解到郑年后来的状况。”

王靖提到的冯元规是当时泗州连水乡的镇将，他当年在武宁军中时便与张保皋、郑年私交甚密。后来，他从武宁军退役，回到他的故乡连水乡，成为官职六品的戍将。

如此说来，王靖的主意没错，可以说冯元规是现在最了解郑年的人了。事实上，当时郑年和冯元规经常见面。杜牧后来有所描述，那时郑年便在连水乡，他被武宁军驱逐，已经穷困潦倒。

其实早在郑年与张保皋分别之时，张保皋便劝过他可能会被强制退役。后来的情况果如其言，没了官职的郑年选择了到连水乡落脚，因为武宁军时的亲密朋友冯元规是那儿的戍将。还有一个更重要的原因便是，那儿是新罗人聚集的地方。

连水乡距楚州三十五公里，位于古淮河河口的北岸，经运河可以直达大海，是河运和海运的要冲。郑年当时便住在那里。

然而，尽管有王靖如此热心的介绍，杜牧还是未能前往连水乡找冯元规。于是，有关对张保皋和郑年事迹的寻访暂时告一段落。

因为，此时杜牧突然结束了两年多的扬州生活，调往长安任监察御使。

离开时的杜牧，已扬州梦醒，如他当时写的一首《遣怀》诗所云，“十年一觉扬州梦，赢得青楼薄幸名”。

所谓“十年”，其实是诗人杜牧特有的表达方法，是他对在扬州的两年多岁月的一种夸张的文学手法。杜牧在有生之年曾两度来到扬州，总共停留约三年时间。第二次是时隔两年之后，他故地重游，逗留了一年多。

杜牧重回扬州，是为了他的弟弟杜毅。那时的杜毅已进士及第后入仕，任直使馆，却不幸患了眼疾，成了看不见的瞎子，在扬州禅智寺疗养。其遗址迄今犹在。

爱弟心切的杜牧，在洛阳请了著名的眼科大夫，不远万里，一路陪同，到扬州为他的弟弟看病。

历史往往是那么机缘巧合，如果杜牧的胞弟没有患眼病，没有在扬州的禅智寺疗养，杜牧大概不会再来扬州。若是这样，杜牧的《樊川文集》中可能就不会有张保皋和郑年列传。

按着王靖的指点，到连水乡找冯元规便是他二度到扬州时的事。而此时，杜牧要暂别扬州了。

离开扬州，最割舍不下的人是豆蔻花。

那位令杜牧诗出妙语、美丽至极而“娉娉袅袅”的豆蔻花，那位只有十三四岁，如二月枝头盛开着的豆蔻花般的女人。“春风十里扬州路，卷上珠帘总不如”，杜牧如今要和她分别了，这是一种多么刻骨铭心的痛啊。

七月的扬州，离别的季节。

红药桥边的青楼中，杜牧最后一晚和豆蔻花举杯共饮。窗外的夜景醉人，诗人张祜有诗赞云“十里长街市井连，月明桥上看神仙。”

如果说张祜在扬州看到了神仙，那么天才诗人杜牧在扬州则做了一场白日梦。而今一旦天亮离开扬州，便将和豆蔻花永远地分别。

不仅是要告别豆蔻花，还要永远地告别蔷薇伴酒的日日夜夜。

似乎是体谅杜牧此时此刻的心情，夜阑青楼外边的桥上，呜呜咽咽地传来了凄婉的洞箫声，不知是谁在幽怨；晨光曦微，烛影阑珊之时，烛泪涟涟。

最后一次与豆蔻花的对饮，酒不醉人人已醉。醉了的杜牧突然抬起头来，问豆蔻花：

“含态花呀，离开了你我到哪儿再找到如此醉人的醇香啊?”

豆蔻花答：“大人有去必有回，小女子不管何时都在等着大人。”

然而杜牧心若明镜。

一旦天亮告别扬州，他将不能再见豆蔻花。

于是杜牧起身，展开豆蔻花穿过的裙子，即兴挥毫赋诗。就在这条豆蔻花常穿的绸裙上，留下了杜牧情深意切的离别诗篇，诗云：

多情却是总无情，
惟觉樽前笑不成。
蜡烛有心还惜别，
替人垂泪到天明。

第二天天一亮，杜牧告别了扬州，此时陪杜牧一起离开的是他的妻子和儿子。正如后来宋朝胡仔在《苕溪渔隐丛话后集》里描述的那样，杜牧已被牛奇章说服，离开时与两年前初到扬州赴任时已判若两人。

杜牧的儿子叫杜荀鹤，当时已有十多岁。据说，那时在垂柳掩映的运河中，杜牧突然掏出怀中一直伴随着他的酒杯，用力扔出，笑着对儿子发誓："儿呀，为父再也不喝酒了。"

不过，杜牧并没有遵守对儿子的承诺，他一生都以酒为伴。因此杜荀鹤也无从理解，父亲为什么要在年幼的自己面前，许下了兑现不了的诺言。父亲从桥上将酒杯扔到江里，发誓再不喝酒，不是要戒酒，而是要决心告别过去放荡的生活，领悟到这些，他已从一个父亲成为一位著名的诗人。

后来，唐朝受到黄巢起义的致命打击，国运日暮途穷之际，杜荀鹤有一首诗，《夏日题悟空上人院》，恰如其分地表现了当时社会的风貌：在连年战乱中，人们以超脱世俗，参禅悟道，来忘却现实的痛苦。诗中有云："灭得心中火自凉"。意思是，心中如果没有杂念，大火自然便会凉下来。

据传，日本传奇武士信玄的菩提寺惠林寺被大火烧毁时，主持快川绍喜岿然不动地在法座之上吟诵道："安禅不必须山水，灭得心中火自凉。"这句禅味甚足的偈子便是出自杜荀鹤之诗。

父亲当年的一掷酒杯，实是要抛却心中杂念。杜荀鹤长大成人之后，才能慢慢体会出此意吧。

不管怎么说，杜牧暂时离开了扬州，有关张保皋和郑年事迹的探寻，暂告一段落。

但那之后两年，即开城二年，公元 837 年，杜牧又回到扬州来了，他的弟弟杜觊因患眼疾到扬州疗养，杜牧请来当代最有名的医生，到扬州为他弟弟看病。

《樊川文集》第十六卷中详细地记载了这一时期的情况。杜牧第二次到扬州来，终于使未完成的张保皋和郑年事迹的探寻得以继续。

杜牧按着第一次访问时新罗商人王靖的介绍，亲自到连水乡来找冯元规。通过冯元规，杜牧了解了张保皋和郑年的后续情况，最终在《樊川文集》中完成了张保皋和郑年列传。

他还到九曲桥边的青楼里找过豆蔻花，但伊人早已不知去向。

杜牧心中凄楚难过，岁月竟如此无常，叹息之余，一首传世之作由此而生。

这是一首吟诵弟弟所在的禅智寺的诗，题为《扬州禅智寺》，诗中杜牧的心情一览无遗：

雨过一蝉噪，飘萧松桂秋。
青苔满阶砌，白鸟故迟留。
暮霭生深树，斜阳下小楼。
谁知竹西路，歌吹是扬州。

诗中的竹西路是指扬州东边的大街，不知杜牧听着从夕阳映照下的楼阁中传出的歌声，是不是眼前突然浮现出与我见犹怜的豆蔻花同乐时的一幕一幕。“大人有去必有回，小女子不管何时都在等着大人”，分别时的承诺犹在耳边，然而真是人生无常啊！

不过，杜牧重回扬州毕竟完成了张保皋和郑年列传。由此看来，张保皋和杜牧也许是前世有缘吧。

第四章 龙虎相搏

1

兴德大王十一年，即公元 836 年秋。

从不远处的芬皇寺传来告知戌时的钟声，戌时过后亥时开始，城里实行宵禁，可是还不见有人从瞻星台上出来。

瞻星台是善德女王时建造的上方下圆形态的建筑物。为了占卜国家兴衰吉凶，专门派驻日官每日驻守在这里，日日夜夜观察星象。接替值守的日官进入瞻星台已良久，但迟迟不见品如出来。

品如曾向上大等金均贞透露东方天空出现败星，预示大王即将驾崩的“天机”。另外，他还通过“太白掩月”之星象，预言天下将出现叛乱。

瞻星台高十九尺五寸，上部周长二十一尺六寸，底座周长三十五尺七寸，专门供人上去观察星象的观象台位于整座高台的中部及上。

这一日入夜后，有一双鹰般锐利的眼睛死死地盯着瞻星台。此人全身上下一身黑衣，在漆黑的夜晚，这身装束令人越发不易觉察。

夜空中乌云密布，偶尔有一丝月光透过乌云洒向大地，但转瞬之间又被乌云遮住，大地随即陷入一片黑暗之中。

终于，传来一些声音，有一个人从瞻星台上走了下来。黑衣汉子隐身松树后，黑暗中以犀利的目光注视着这一切。他本能地一眼便判断出从瞻星台走出来的人便是日官品如。此时快要到实行宵禁的时间了，只见品如加快脚步，向城门走去。

日官品如不住在城里，栖身于城外南山脚下。

身着黑色夜行衣，乔装打扮的汉子也加快了脚步，若即若离地跟在品如的身后。尽管步履匆匆，却悄无声息，如影相随。

品如是观察星象和日月五行，占卜国家兴衰吉凶的日官。但此时他似乎并未占卜到有刺客已跟在自己身后，准备随时伺机索要他的性命。品如快步走出城门，向南山方向走去。

南山，自古便有金鳌山之称。自从传说新罗始祖朴赫居士诞生之地便是此南山脚下的萝井，这里便成了圣山。尤其是佛教成为国教以来，南山则更成为传说中信徒们瞻仰的天国众佛来到凡间栖息的地方。

品如向都堂山脚下走去。这里有座称为天官寺的寺庙，这座寺庙是金庾信为了祭奠思慕自己的名妓天官而建。这座寺庙的周围，居住着众多低衔官吏，并且已经形成了一定规模。

月亮时隐时现，通向村庄的道路也随之忽明忽暗，品如却轻车熟路，从容地走向村子。

田间传来潺潺流水声和此起彼伏的蛙鸣声。突然，一个声音惊动了田间的秩序，蛙鸣声便瞬间停下来，四周归于一片寂静。

品如终于有所察觉，停下脚步回头张望。一直保持距离跟踪品如的影子亦闪电般伏身隐藏在田间的稻丛中。

“谁?”

品如胆战心惊地对着周围喝了一声。在秋风吹拂下，只听稻穗发出“唰唰”的响声。品如似乎放下心来，继续往前走去。

穿过田间，出现了一片黑黢黢的松林，穿越松林便是有人居住的村子了。品如身后的黑影离品如越来越近，加紧了跟踪的脚步。月光透过乌云照到那个汉子的脸上。身着黑色夜行衣的汉子，脸上戴着一个丑陋、可怕的方相氏面具，仿佛是一个追命夺魂的无常鬼。

只见那个汉子从怀里掏出一样东西，佩月刀。看来在这片松林下手最适合不过了。机不可失，时不再来。

品如再次感觉有什么不对劲，停下脚步回头。就在品如回头的刹那间，那个汉子已腾空跃上一颗松树，如影如风，无声无息。

“是谁?”

品如转过身，刚走近那个汉子藏身的松树下，刹那间，汉子纵身跃下松树，扑向品如。品如还没有来得及叫喊，汉子的一只手已经紧紧捂住了品如的嘴。

杀手所能赐予的“最大恩惠”便是一刀即取下人的性命，不令其感觉太大的痛苦。汉子一刀刺入品如的胸口，手指间感觉到品如的呼吸逐渐微弱下去，直至停止。

品如作了刀下鬼。品如被自己的预言不幸言中，“一旦泄露天机，一定会没命的”。而上大等金均贞的预言“要是你胆敢到处乱说，小心你的舌头和脖子”，也不幸被言中。

热血如泉喷涌，汉子抽出刀，喃喃自语：“这回再也开不了口了。”

汉子扳开已死的品如的嘴，用刀割下舌头，揣入怀中。

汉子确认了品如已死无疑之后，悄无声息地沿原路返回。大概一团乌云刚刚散去，天地间四处闪着耀眼的月光，如银藏刀般寒光闪闪。

田埂间依然水流潺潺。汉子弯腰清洗沾染了血迹的刀和手。虽然刚杀过人，但他看上去却没有丝毫的自责、不安，连呼吸都平稳得好像没有发生过任何事情。

擦洗干净之后，汉子摘下面具，开始洗脸。这时，他才终于露出了自己的真实面目。

那是一张极其凶残丑恶的脸，看着便令人不寒而栗。神不知鬼不觉地将日官品如送上黄泉之路的正是他——原名阎文的阎长。

曾是奴隶贩子的囚犯阎文在金阳的帮助下重获新生，改名阎长。暗杀品如是阎长第一次为救过自己一命的金阳报恩。绝不允许天机再次泄露的金阳自有一套野心勃勃的计划，杀死品如不过是这一计划的第一步。

当天夜晚，跃过城门平安返回的阎长向正在焦急等待的金阳献上了品如的舌头，说道："大人，现在便算在阎王面前，那家伙也不能用三寸不烂之舌随意乱说了。"

2

前一年夏天，应上大等金均贞的紧急召回，金阳挂上武州都督的官印回到京城庆州，听说了整个事情的详细内幕。顿觉事态不妙。

当一听到日官品如观测到"太白掩月"的星象，金阳禁不住打着寒噤说道："大人，还记得先王所遭受的惨祸吗？惠工王遭弑杀之时，不也出现了'太白掩月'的天象吗？'太白掩月'是王宫内将有大乱的征兆啊。"

惠工王是新罗第三十六代君王，于公元 780 年登上王位。正如金阳所说的，惠工王是一个时运不济、结局悲惨的君王。

惠工王即位时年仅八岁，因而由太后摄政。惠工王在位的十六年期间，正是朝廷叛乱多发的政治大动荡的时期。

惠工王是太宗武烈王的直系孙，是新罗王室的末代君王。臣子金志贞叛乱之时，惨遭叛兵弑杀。

“太白掩月”的星象正如日官品如所说，是天地坍塌、阴阳不分、上下倒置、以下克上的征兆。

“大人，”得知事态严重的金阳终于下定决心似的开口说道：“虽难以开口，但妖邪之星——败星在东方天空出现无疑是大王即将驾崩的不祥之兆。为了阻止不久将要发生的可怕的惨祸，当务之急是要阻挡天机的泄露。”

“阻挡天机的泄露？”金均贞疑惑地问道。

于是金阳解释道：“古人云：唇枪舌剑。不就是指人的舌头锋利无比吗？臣以为应该割下日官的舌头，让他永远也不能再开口泄露天机。”

金阳的想法是明智的。

瞻星台上观测到的天象都要记录在日志上。这样一来，所有的王公贵族都将得知此事。只有将日官杀人灭口，才能阻挡天机的泄露。

将日官品如神不知鬼不觉地干掉，正是金阳谋划的野心勃勃的方案的第一步。所幸的是，金阳手下正有这样一位肯为他卖命的心腹——海盗出身的阎长及其部下李小正。

辞去武州都督官职返回京城庆州之时，金阳除了带家人外，谁也没带。然而没有人知道，这两名金阳手中的秘密武器却一直跟随在他身边。

在金阳看来，阎长和李小正可是他在紧要关头能派上用场的极为有效的杀人利器。

果然，阎长干脆利落地一刀结果了品如的性命，并割下舌头以作物证。金阳顺利地完成了第一步谋划。不过在金阳看来，这只不过是刚刚开始而已。

其实，即便是没有日官品如所观测到的“东方天空出现不祥之星——扫帚星即败星”之类的天象，不言而喻，大王也会即将驾崩。

由于没有后嗣，大王驾崩之后，围绕王位继承的问题势必将有一番激烈的明争暗斗。

虽然按照惯例，在这种状况下通常由和白会议（新罗政权会议制度）的首席人物——上大等（最高职位）继承，但是，现在看来反对势力也不可小觑。

反对势力的代表人物即是侍中金明，因为侍中是位居上大等之后的第二高职，况且，他又是兴德大王宠爱的王弟——金忠恭的独生儿子。金明一直认为，如果他的父亲没有早逝，他理应成为王世侄。对此，他一直耿耿于怀，自然是个极度危险的人物。

金明的随从中，有一个被称为天下将士的名将裴萱伯。

金明还有一个足智多谋的策士利弘。不巧的是利弘正是金阳的泰山大人，利弘之女四宝是金阳的正房夫人。

如果金均贞想日后登基称王，那么他必须事先除掉包括金明在内的所有的反对势力。

金阳深知这一点。

回到京城重新找回从太宗武烈王沿袭下来的家族荣光，方法只有一个，那便是助上大等金均贞一臂之力登上王位。无论是谁，只要妨碍这一野心勃勃的计划，哪怕是泰山大人利弘，金阳也会毫不留情地一刀铲除。

为了成就一番大业，成为乱世枭雄，要不惜大义灭亲的代价。

金阳暗下狠心，不达目的绝不罢休。

除掉日官品如之后，下一个便该是金明了。

金明，兴德大王三弟金忠恭之子，一个曾徒手打虎的大力士。倘若不先除掉金明是不可能得天下的。

必须除掉金明。在君王驾崩之前必须付诸实践。

偏偏上天给了金阳一个绝好的机会。一次，金阳偶然获悉，金明在位于南山脚下的仁容寺祭奠了父亲金忠恭的在天之灵，即将原路返回。

原来金明即位后，追封父亲金忠恭为宣康大王，母亲贵宝为宣懿太后，并将金忠恭的坟墓建成王陵。只不过当时，金忠恭的坟墓在仁容寺。

仁容寺是为完成新罗统一三国大业的文武大王的胞弟金仁问而建造的，因为金仁问归国途中死于海上，仁容寺便作为弥陀道场，成为王公贵族祈求冥福的王宫寺庙。

金阳是偶然从妻子四宝夫人处得知，金明扫墓之后将在仁容寺为父亲祈求冥福的。

四宝回娘家见过了父亲利弘，回来后对丈夫说："父亲明日将与侍中大人前去仁容寺。"

闻听此言，金阳心中不胜快哉。

当夜，金阳秘约阎长和李小正，称道："我有一个不共戴天的仇人。"

"不共戴天之仇"出自《礼记》，引"父子仇弗俱共戴天，兄弟之仇弗反兵，交游之仇弗同国"之语，是指杀父之仇。

"我有一个不共戴天的仇人，你们看如何是好？"金阳问道。

阎长回答说："杀掉。"

阎长看穿了金阳的心思。阎长非常清楚金阳解救自己不为别的，而是将自己当作刺客，因此他对自己所应扮演的角色有着清醒的认识。

当时的新罗王亲贵族们，已开始使用专用马车。但兴德大王宣诏对各级官吏的服饰、车马、用具做出了严格的限制。

兴德大王规定，王亲贵族的马车不得使用紫檀和沉香，不得用玳瑁装饰，不得用金银玉佩装饰。由此可见，当时张保皋的船队已从东南亚爪哇国和苏丹等国引进了檀香木和沉香木。

《三国史记》还对王亲贵族的专用马车做出如下描述：

前后帷幔不得使用细纹绸缎、丝绸、丝织物；色泽须为深青紫色。

由此，旁人是可以一眼认出金明专用马车的。只要盯住挂着深青紫色帷幔的马车，车内的人无疑必是金明。

当朝礼制明令规定，六品以下官员跟随王亲贵族出行时，不得放下帷幔。即便独自出行，也只能使用杆制或草制挂帘。因此，即使不看帷幔颜色，只要能够袭击带有帷幔的马车，便可以一刀刺死金明。

“但是……”金阳一面将短剑递给阎长和李小正，一面有些疑虑，问道：“万一事情败露，你们被活捉可如何是好？”

没想到阎长淡淡地答道：“大人不必多虑。如果被活捉，便用乱刀划脸，纵然被捉他人也难认出，然后自绝，以死守秘密。”

当夜，金阳彻夜未眠。

天亮后，一切将见分晓。

只要阎长和李小正刺杀金明得手，天下大势将转向上大等金均贞。

但是，一旦阎、李二人被活捉，计划败露，则必将天下大乱，血流成河。

次日午后。

一队人马走出仁容寺。此时正值十一月深秋，太阳刚刚落山，夜幕便已徐徐降临大地。因为是王亲贵族的出行，两匹马分据前后，一匹马驾辕，一匹马拉套，拉着一行人匆匆前行。马匹两侧有数名家卒大声吆喝着："吁！让开，让开！"

仁容寺地处南山向北延伸的王井谷入口的南川之南。因此夜幕刚刚降临，四周山影投射下来，整个山谷随即笼罩在一片黑暗之中。

文武大王的胞弟金仁问出使唐朝试图求和时却遭牢狱之灾，新罗人为了祈求金仁问的平安而修建了仁容寺，当时寺内供奉的是观音菩萨。后来，金仁问在归国途中死于海上，仁容寺便成为供奉阿弥陀佛，祈求冥福的寺庙。

仁容寺这个新罗的大王们和王亲贵族们为先王和先祖们祈求冥福的院刹，由头光大师住持。

仅看马车的外形便知是王亲贵族的出行。两匹马拉着一个挂着帷幔的马车，五、六名侍从前后护着马车一同向前赶路。不过，这些侍从都是出行时临时调拨护卫王亲马车，因此并未有任何武装。

尽管国家严令禁止，即使是王亲贵族也不得用金银玉佩装饰马车，但这辆用金银宝石装饰的马车，在慢慢西沉的秋日阳光反射下，发出耀眼的光芒。马车的扶手是用海龟背壳做成的玳瑁甲装饰的，甚至连缰绳也用闪闪发光的绸带装饰。

显然，马车的主人不顾兴德大王的御旨，在车马的装饰上极尽豪华之能事，甚至连马的饰物——步摇，也是用金子装饰的。

显而易见，马车内坐着的必是地位仅次于君王的人物。

此时，葱郁的松林里，藏身于松树上的一个汉子示意对面松树上的黑衣汉子向前方望去，只见一队人行色匆匆地于山间赶路。

"就是它。"汉子喃喃自语道。

两个汉子均身着黑色夜行衣，头缠黑色长巾，头巾还可以解下作蒙面之用。那手指前方头辆马车的汉子脸上却戴着一副方相氏面具。

方相氏面具是举行葬礼时所用的面具，戴着它可以用来驱赶各类鬼神，在墓地便可驱走墓中的恶鬼，通常用过的方相氏面具都埋入坟墓或烧掉。此时，那汉子脸上的面具如死亡之神一样，令人感到阴森可怖，似乎在暗示不久将有一个悲惨的葬礼。

“来了。”

戴面具的汉子手指压着自己的嘴唇噤声不语。目的只有一个，那就是杀死头辆马车内坐着的人。至于将被杀死的人是谁，没有必要知道。自己只不过是杀人机器，只需按主人的命令行事便是。攻击的方法也只有一个，那便是速战速决。迅速出击、迅速结束。

对面松树上的汉子解下黑色长巾将脸蒙上。马车的行列进入树林，汉子从怀中掏出一枚飞镖。铁制飞镖后部呈葫芦状，中间稍细，前端较沉，便于投掷。那汉子擅长投掷飞镖，是个飞镖高手。

汉子瞄准头辆马车扔出飞镖，“嗖”的一声，随着风声，不偏不倚正中马肋。受惊的马腾空而起，四蹄乱蹬。尽管因嘴里套着嚼子不能嘶鸣，但一匹马受惊牵动了其他的马也跟着躁动不安起来。

侍从们拼尽全力，拉住缰绳，试图稳住马，但竟无济于事。

正在这时，只见两个黑衣汉子从天而降，现身在乱成一团的人群前。头戴面具的汉子一刀刺入那个站在前列拼力拉扯缰绳的下人的胸口。

这一切都发生在马匹中镖纵身乱蹬，而侍从们在全力拉着缰绳试图稳住马匹的那一瞬间。马匹受惊乱动，致使马车也左右摇晃，摇摇欲坠，一行人目瞪口呆，不知所措，不知如何应对才好。

头戴面具的汉子乘机掀开帷幔钻进车内。

那马车的帷幔正是深青紫色，分明是金阳所指的王亲贵族——金明的马车。

马车内坐着一个人，声音颤抖地问道：“什么人？”

头戴面具的汉子并不答话，只见他手中的匕首在空中划出一道弧线，直直地刺向那个说话的人。刹那间，那人的颈项便喷血如注。汉子的一只手紧紧捂住那人的嘴，直至他完全断气。从死者伤口喷出的血，溅了汉子一脸一身。汉子确定那人已断气后，纵身跃出马车，钻入人群。在外接应的同伙，看到大功告成，两人便同时消失得无影无踪。

这一切都发生在眨眼之间。

在这个黑暗尚未完全降临的黄昏时分，在京城王都庆州，在侍中金明的马车内，竟这样遭到了不明身份的刺客的袭击。

金明遇刺的消息，在京城不胫而走。几天后，又传来在仁容寺火化金明的尸身和收入舍利匣内的消息。

然而，也有不同的消息传出，说是当时马车里的人不是金明，而是仁容寺的住持头光大师。传闻那日金明因事未能出席天道祭，而头光大师搭乘金明的马车，途中惨遭横祸。因此，在仁容寺火化的那具尸首也不是金明，而是头光大师的法身。

但是各种传闻未待人们辨明真假，随即消失。因为兴德大王久病之余，终于驾崩归天。

据《三国史记》王历表中记载“兴德大王合葬于王妃之陵……。”来看，现位于月城郡安康邑六通里的陵墓无疑便是兴德大王之陵。这座王陵是迄今为止人们所知的新罗时期最完整的陵墓。

从此，兴德大王之死，拉开了新罗历史上史无前例的血腥之战，即“蔷薇战争”。

兴德大王葬礼之后，上大等金均贞召开了一次“和白会议”。

和白会议，是新罗独特的会议制度。是众臣聚首共议国政要事的会议。召开会议时，朝廷各部最高长官——大等们聚首共商所有相关的国政事务。因此，和白会议是代表贵族势力利益的中央贵族会议体制。代表这些贵族势力利益、主持会议的议长称为“上大等”。所以兴德大王驾崩后，自然由金均贞主持召开了此次“和白会议”。

由于兴德大王无后嗣，众人一致推荐由上大等金均贞继承王位。

和白会议的决议形式须全数通过方能生效，哪怕只有一人反对也无法通过。推崇金均贞继承王位之所以无一人反对，一方面是因为大王驾崩后，上大等是取代王位理所当然的第一人选。另一方面，金阳率兵将把守召开和白会议的积板宫，慑于金阳的武力威胁，也无人敢于反对。

正如金阳事先策划好的那样，在没有侍中金明参加的和白会议上，一致通过推崇上大等金均贞登上王位的决议如此顺利，竟不费吹灰之力，易如反掌。

当时，虽也有少数大臣主张，应根据长子优先的原则，由金均贞的哥哥金宪贞之子悌隆承袭王位，但在大势所趋下，这种主张终归沉寂。加之，在金阳的武力威胁下，哪里还敢有异议。

于是，丙辰年即公元836年1月，上大等金均贞终于登上王位。

按照当时新罗的风俗，每有新王登基，天下百姓都将聚集王宫前高呼万岁。此次也不例外，得知新君王登基的消息，京城的百姓们奔走相告，争相涌到积板宫前振臂高呼万岁。为了防止可能发生的意外事件，金阳亲自率兵护卫。看到众多百姓高喊万岁的情景，金阳心下痛快至极！

然而正在那时，高昂的呼喊声突然嘎然而止。人群自动向两边闪出一条道，一队骑兵出现在眼前。他们手持大刀，身穿铠甲，全副武装。看到领头的武将，一瞬间，金阳吓得差点魂飞魄散。原来此人不是别人，正是金明！本应早已作了阎长刀下鬼的金明却毫发未损地率兵杀了回来，不仅如此，他的身后还跟着骁将裴萱伯和金阳的岳父大人利弘，众多士兵已经包围了王宫。

"害怕了？你这个鼠辈小人！"

看到金阳大吃一惊的样子，金明放声大笑道："我故意装死，放出假消息，便是想看看到底是谁想取我性命。现在，终于真相大白了。"

由此，仁容寺的头光大师惨遭祸横丧命的传闻得到证实。

金明的军士气势汹汹，将王宫围得水泄不通。金阳虽派兵将守宫门，无奈寡不敌众。

原来，金明听说有人要杀自己，索性故意诈死。他一面人不知鬼不觉地召集骁将裴萱伯等，招兵买马，养精蓄锐，一面等待时机。时机终于来了，大王驾崩后，想取自己性命的人也浮出水面，他便是金阳。于是金明举兵杀向王宫。

“打开宫门，挡我者死。”金明拔刀高声喝道。

但见金阳却纹丝未动，说道：“古人曰，人君之位非在人为而在天定。上天钦定的新王在此，你等胆敢如此无礼，擅闯王宫，难道想谋反不成？”

金明听到金阳的这番话放声大笑，反驳道：“上天钦定的新王？你们才是天理难容的谋反。究竟是谁认上大等为新王？”

站在一旁关注事态的利弘，看到自己的女婿死守宫门，没有丝毫的退让之意，不得不向前一步站出，说道：“爱婿，你怎么如此糊涂？你驻守宫门阻挡才是谋反。难道你不知悌隆公是长子，他才是顺应天意的王位继承人？”

金阳这才恍然大悟。

原来金明一党为了表明他们师出有名，才推出悌隆公这个傀儡。尽管悌隆公是上大等金均贞之兄金宪贞之子，但却是一介文弱书生，根本无心问津朝政。

金明一党之所以拥立悌隆，还有一个原因，那便是悌隆的夫人文穆。文穆是金忠恭之女，也是金明的姊姊。金明任侍中之位只有短短一年时间，在宫中尚未站稳脚跟。对于这一点，金明自然心中有数。因此他极力推荐自己的姊夫悌隆，以此宣扬悌隆继承王位的正当性。

听到岳父利弘的一番话，金阳这才完全明白了他们的图谋。

金阳一言不发，拔弓引箭，射向岳父大人的头盔。箭头正射穿利弘头盔缨穗，金阳以此表明决绝之意，即便是岳父大人也绝不心慈手软。

只听金阳说道：“所谓君辱臣死。我君受辱，我辈将以死雪耻。岳父大人决意闯宫，那便先将愚婿杀了吧。”

话音刚落，金阳又张弓搭箭，连续射死了十余个向前冲的军士。金明见金阳心意已定，便挥手令众军士全力闯宫。金阳骑马傲立城门，挥刀砍杀接近城门的士卒，但未过多久，便中金明的干将裴萱伯之箭翻身落马。

据《三国史记》记载，当时裴萱伯的箭正中金阳的大腿。阎长搀扶着中箭的金阳躲入宫内。尽管宫门紧紧关闭，但金明军乱射的火箭，越过宫墙点燃杂物，宫内顿时火光冲天。

阎长拔出了金阳大腿上的箭头，伤口处立即喷涌出股股鲜血。因担心箭头淬毒，阎长用嘴吸出伤口中的流血，然后说道："大人，咱们得先退下。"

大势已去。金阳军已失斗志，宫内一片火海。

"君王现在在哪里？" 金阳流着血问道。

然而，此时已无人顾及。

阎长转过身蹲下说："大人，我背你。"

阎长背起金阳走入殿内，只听得宫内已乱成一团，哭喊连天。

新任君王金均贞面色惨然坐在御座上。御座是惟帝王使用的圣座。即位仅仅两天的新王金均贞或许正在叹息自己的短命吧。

金均贞斜坐在御座上茫然地看着进入殿内的金阳。

"君王陛下，" 金阳焦急地喊道："得先躲一躲。"

金均贞苦笑道："躲？能躲到哪里？"

金均贞注视着金阳说道："该躲的人不是我，而是你。我年纪也大了，也活够本儿了。你还年轻，你必须活下去，再图大事。"

金阳刚要开口说些什么，金均贞递给金阳一件东西。金阳低头一看，原来是御用玉带。那是新罗帝王世代相传的帝王信物之一，也称做"天使玉带"。

天使玉带与黄龙寺的"丈六像"、黄龙寺的"九层塔"一并称为"新罗护国三宝"。据传，天使玉带是镇平王一年即公元 579 年，天宫上皇派天国使臣馈赠新罗帝王的御用长腰带，从此成为彰显帝王神圣地位和权势的国宝之一，是历代新登基君王向世人耀示君王神圣的必备之物。

从金均贞手中接过玉带的一瞬，金阳改变了主意。他寻思到，与其在此惨死，不如遵循陛下旨意，接下玉带来日再图大事。

于是，金阳将玉带缠在腰间后，对阎长说："快！背我快走！"

阎长卸下金阳的铠甲和头盔，背起了金阳。阎长的部下李小正，在前拼力厮杀，试图杀出一条血路，但阎长等人还是被重重包围的金明军生擒了。

然而无巧不成书，生擒他们的却正是利弘的部下。利弘闻迅拍马赶来，亲自过问。一看到伏在阎长背上的人，利弘便认出那人正是自己的女婿金阳。

金阳已箭毒发作，全身青紫，伏在阎长的背上昏死过去，腿上的伤口仍然血流不止，脸色如同死人。利弘心想，反正现在金阳与死尸无异，与其背下亲手杀死自己女婿的恶名，不如让他自生自灭。

于是，利弘命令士卒道："放他们走！"

如此，金阳侥幸死里逃生，得以留下了性命。

后来金阳突破重重包围，逃到北川柏栗寺附近的山野。金均贞则在御座上惨遭乱军砍杀而死。

金阳拥立金均贞登基的图谋，仅仅维持短短三天后随即夭折。

第二天清晨，金阳在柏栗寺附近听到了这个悲惨的消息。

据传，金阳听到金均贞惨遭叛军弑杀，尸身也烧尽成灰，不禁跪地痛哭。

金阳深深自责，认为所有这一切皆因己而起。

金阳仰天叹泣，指日发誓："天地神明在上，此仇不报死不瞑目！"

从此，金阳踪迹皆无，无人知晓他的下落。

杀死金均贞，夺取朝廷大权的金明一党，按照计划，拥立悌隆登上王位。由此，悌隆成为新罗第三十四代君王，即僖康王。

违背自己的意志，被迫当上傀儡君王的僖康王，即位后，即封金明为上大等，利弘为侍中。至此，天下实权掌握在这两人手中。

但是僖康王虽登上王位，却未能确保君王应有的正统性。因为，每位新登基的君王必须系在腰间的玉带不见了踪影。天帝借天使之力下赐天使玉带，腰上没有玉带，谁也不肯认僖康王为大王。金明命手下将王宫翻了个遍，仍未找到玉带。

为了笼络民心，僖康王即位后，赦免了除死刑犯外的所有囚犯，却依旧无法安抚人心。

此时，金均贞之子金祐徵仍留在京城庆州。金明一党完全可以斩草除根，但慑于民心他一直未敢下手。

金明弑杀金均贞，连尸身都被烧成了灰的这等不义之事，尽人皆知。如果再杀掉金均贞之子金祐徵则必将遭至民心谋反。因此，金明犹豫不决，不敢贸然杀他。

另一方面，金祐徵却不断散布父亲屈死的言论。声称父亲被大火烧死时，天使玉带也一并烧成了灰，这是违逆天意，触怒上天的报应。

“除掉他吧！”利弘气急败坏地说道：“趁早铲除祸根，才是上策。俗话说，祸生于忽。对金祐徵绝不能掉以轻心。杀掉他才能免除后患。”

对金明和利弘想要除掉自己的心思，金祐徵早有察觉。于是，当年五月，金祐徵带领全家悄悄地逃出了京城庆州。

金祐徵逃到了一个叫黄山津口的地方，即位于今天阳山和金海之间的洛东江港口。在这个港口，金祐徵率跟随自己的残兵，向茫茫大海驶去。

在无边无际的苍茫大海上，金祐徵万念俱灰，甚至想跳入海中，了此一生。

不过几个月的工夫，父亲登上王位仅三天，便惨遭弑杀，连尸身都被烧成了一把灰。

不知守卫宫殿的金阳躲到哪里去了。金阳的丈人是利弘，而利弘又是金明的策士。如此看来，金阳早已降服，站到敌人一边去了。

鼠辈小人！

与平素偏爱金阳的父亲不同，金祐徵对金阳无甚好感。

早在数年前，金阳半夜造访以后，金均贞曾对儿子佑徵说道："……我年纪大了，世间之事也经过了，荣华富贵也享受过了，死而无憾。但你不一样，你还年轻，必须为来日作打算。调金阳去武州任都督吧。金阳是个聪明出众之人，他日必将知恩图报，助你一臂之力。"

于是，金祐徵遵从父亲之意，将金阳升迁至武州任都督。

金祐徵望着远处的海平线，不禁叹息。

知恩图报?！这便是知恩图报吗?！事情到如此地步，归根结底均由金阳而起。金阳是辅佐金均贞登上王位的核心人物，也是指挥士兵护卫宫殿的将军。金阳事前夸下海口，声称已除掉金明。事实上，金明不但没死，还率兵杀了回来。所有这一切都是曾被父亲夸奖为聪明出众的金阳引起的。

像躲在洞里，伸出头左右察看的老鼠一样，心怀二心，伺机见风使舵，这不就是金阳的写照吗？

金祐徵将所有这一切都归咎于金阳，他认为是金阳让他落到如此地步。船内只有金祐徵和他的家人以及三、四名追随自己的心腹。天地之大，却无容身之地。到底应逃往何处？

突然，金祐徵的脑海里浮现出一个人，那便是清海镇大使——张保皋。

是的，在这茫茫大海上，可去的地方只有一处，那便是张保皋任大使的清海镇。所幸当时推荐张保皋任清海镇大使的正是时任侍中的父亲金均贞。父亲金均贞有恩于他，张保皋不会无动于衷的。

想到此，金祐徵急忙掉转船头，穿过南海，向清海镇驶去。

闻听金祐徵连夜逃到清海镇投靠张保皋的消息，金明气得火冒三丈。视金祐徵为眼中钉的金明之所以迟迟未动手杀死他，还有一层原因。那便是金明的大姊昕明。

原来上大等金均贞丧妻续取的正是金忠恭之女，金明的大姊昕明。

金明拥立为王的悌隆是金明的姊姊文穆王后的夫君，被金明弑杀的金均贞是金明的姊夫，新登基的君王悌隆亦是金明的姊夫。

夫君遭叛兵弑杀后，昕明找到弟弟金明哭着说道：

“你怎能不顾手足骨肉之情，杀死我的夫君？”

虽非亲生，但名义上金祐徵仍是昕明夫人之子。因此金明确有些不忍一下子杀死姊姊的丈夫和儿子。于是一念之差，金祐徵从眼皮底下溜掉了，并且投身于清海镇大使张保皋。

当时，张保皋已经拥有自己强大的武力，连朝廷都惧他三分。张保皋率先王认可的万余军队镇守海上。不仅如此，张保皋还掌管着通往唐朝和日本的整个南海，拥有一支强大的商船船队，能赚取大量的财货。更何况，他所治理的清海镇是一个新罗法令所达不到的地方，简直像一个独立王国。

气急败坏的金明直接闯进君王的寝宫，高声说道：“大王陛下，阿餐礼征一党正是金祐徵投身清海镇的帮凶，应迅速拿下处以斩刑。”

礼征是金均贞的妹婿，也是助金均贞登上王位的核心人物之一，自然是金明不共戴天的仇人。金明带刀闯入寝宫，胁迫僖康王。在金明的逼迫下，无奈登上王位的悌隆僖康王，这位无意于政治的白面书生，情急之中不得不应允了金明，但却实难忍心杀死礼征。

恰好这时，发生了一件值得举国同庆的大喜事。先王兴德大王末年，前往唐朝“献忠守卫”唐文宗的金义宗回到了新罗（实际上他被派到唐朝充当人质，以示忠心）。后来，唐文宗下赐接替金义宗“献忠守卫”的金忠信锦彩，以示两国之间的友好。

锦彩，是指染绸缎的泥金或金粉。下赐锦彩，实际上是唐朝间接表示承认新罗新君王之意，是一件值得庆贺的事情。

而且，王子金义宗从唐朝归来时，直接带着唐文宗赐封的官爵。

于是六月，一场盛大的酒宴在王宫举行，地点是雁鸭池。雁鸭池是统一三国的文武大王为了建造人间世外桃源而造的王家庭园。

完成三国统一大业的文武大王，汲取了高句丽和百济的文化营养，为开创统一新罗的黄金文化，修建了这座雁鸭池。

金明决定便在这个酒宴上除掉阿餐礼征以及和他一伙儿的良顺。

终于，六月十二日在雁鸭池举行了庆祝新君王登基的盛大酒宴。金明及手下裴萱伯和利弘均身穿铠甲，全副武装。按理，任何人不得持刀进入王宫内，于是将守宫门的武将上前阻拦。

金明瞪眼喝道："你等胆敢阻拦？你是保卫王宫的武将，我是保护君王的将军。将军岂能放下手中武器！"

金明打算就在这举行酒宴的雁鸭池里擒拿金礼征和金良顺，并当场斩首。

然而，天下没有不透风的墙。金礼征和金良顺对此早有耳闻，已于前夜逃出了京城庆州，乘船前往清海镇逃命去了。

原本金明派兵将雁鸭池团团围住，挖好了陷阱，只等两人前来送死。不曾想，金礼征等却早已听到风声跑掉了。金明怒气冲天。金明对如此无能而又不顾自己警告的僖康王，忍无可忍。

不过，雁鸭池的盛宴仍然照旧举行。当时，贵族社会非常流行掷骰子游戏。那些贵族们边饮酒边玩儿掷骰子游戏，玩儿兴大发，热闹异常。

略赘述一句，在1975年3月开始的对雁鸭池进行过为期两年的考古挖掘中出土了十四面体的骰子，每一面都刻有四字铭文。掷骰子游戏的方法是将骰子掷出去，照着骰子冲上的一面所显示的意思做动作。

流传至今的骰子每一面上都刻有诸如此类的四字："饮尽大笑"、"三盏一去"、"自唱自饮"、"任意请歌"等。

此时，参加雁鸭池盛宴的宾客中有一位叫金大廉的大臣，他于兴德大王三年，即公元823年，曾作为使臣出使唐朝。从唐朝返回时，他带来茶叶种子，种在智异山。时至今日，著名的庆尚南道河东郡双溪寺栽培的茶叶正是那时金大廉从唐朝带回来种下的茶叶种子。因此，金大廉被后人称为"茶叶之父"。

除此之外，他身为外交官出身的元老级大臣，与金均贞关系十分亲近。

有人劝金大廉也掷一次骰子，金大廉便笑着拿起骰子掷了出去。骰子最上的一面写着："象人打鼻"。

这真是令人感到非常滑稽可笑的动作。金大廉虽说是老臣，为了不扫大家的兴致，他便用手捏着自己的鼻子，在回廊上，一边转着圈子，一边打自己的鼻子。大王等众臣看罢都忍不住哈哈大笑起来。

不过，一圈人中只有金明却仍铁青着脸，杀气腾腾的。看到事态不妙，众人都劝金明玩儿掷骰子游戏。金明先是拒绝，但在众人的再三相劝下，便拿起骰子环视周围，意味深长地说道："不管掷出去的骰子上是什么意思，我都将照办，对此可有异议？"

众人均表示无异议。

于是，金明拿起骰子掷了出去，在别人看到之前，他抢先捡起骰子看了看上面的意思。随后，他让利弘斟酒，自己连饮了三杯。众人都以为骰子上写的是连饮三杯。正在这时，只见金明"嚯"地从座位上站起来，一步一步走到金大廉跟前，叫喊道："大人，将你的颈上人头拿来，骰子上便是这样写的'连饮三杯，割敌头颅'"。

金明的话如同晴天霹雳一般，所有在坐的人都清楚骰子的十四个面中，没有一面写有"三盏斩首"之类的字句。

更何况，金大廉并不是金明的敌人。

尽管如此，金明仍认定金大廉是叛敌，因为金大廉与已死去的金均贞是老朋友。更重要的是，金明将对金祐徵和金礼征一党逃跑的愤怒和不满全都发泄到了金大廉的身上，同时也是为了给不听自己警告，对此放任不管的僖康王来个下马威。金大廉成了金明泄愤的替罪羊。

"将你的人头拿来，照着骰子上所写的意思，我得割下你的人头。"

金明瞪眼喝令，酒宴的气氛一下子变得杀气腾腾。

“还愣着干什么？快拉出去斩首。”

听到金明的命令，金明的手下裴萱伯上前捕缚金大廉。金大廉气得浑身发抖，却无一人敢上前制止。连坐在御座上的僖康王也束手无措。

正在这时，有人拍案而起，大声说道：“这是干什么？”

众人都将目光投过去，原来是金昕。他曾是康州（即今日的镇州）大都督，后升迁至阿餐，兼相国。虽然金昕是金阳的堂兄，但金明却从心里十分敬佩他。

金明钦慕金昕，是因为金明的父亲金忠恭生前曾对金昕大加赞赏，称他“精神明秀，器宇深沉。”在金忠恭的推荐下，金昕作为朝贡使入唐，发挥了重要作用。

“今天是庆贺大王登基的大贺之日。怎能在如此喜庆之日，酿成惨祸？”

见金昕站出来阻拦，金明大笑着说道：“相国不必如此。自古敌人不是在外面，而是在里面。俗话说‘衣冠之盗’，是指盗朝服穿的人。金大廉不正是盗官服穿的贼吗？”

金昕虽再次阻拦，金明却心意已决，根本不听劝阻。裴萱伯推搡着金大廉，拉了出去。参加酒宴的贵族们早已没了兴致。这时，金明却拿起骰子笑着对利弘说：“来，轮到你掷骰子了。”

利弘接过骰子便掷在廊子上。骰子停止滚动后，冲上的一面写着“自饮自唱”四字。

利弘一口气自斟自饮罢，说道：“我喝完了，该唱了。”

说完，利弘走到莲花池边，摘下一朵盛开的莲花，回到廊子里，开始边唱边舞。他唱道：

但若夫人不嫌我牵牛之手

不为我耻

我愿为夫人攀登高山

只为摘花献夫人。

这是一首自古传唱下来的歌颂男女之情的新罗民歌，是新罗三十三代圣德王时期由一位老人传唱的。这首民歌的背后，还有一个小典故：

圣德王时期，纯贞公赴任江陵太守。途中在海边进食午餐。海边矗立着连绵起伏的高山，如同屏风。而山峰上开满了鲜艳的山踯躅花。

纯贞公夫人水路看到鲜花，不禁问众侍从，是否有人愿意为她攀登高山摘朵鲜花。众人纷纷说道，山高难登。正在这时，牵牛经过此地的一老翁，听罢夫人言语，立即攀上高峰，摘花献给夫人，并唱出了这首民歌。

从此，这首民歌被誉为“献花歌”。

水路是韩国历史上著名的美人。

《三国遗史》中，描述水路夫人容貌称：“水路夫人容貌绝世。”

因此，这首歌便成为男人示爱之歌，在新罗广为流传。摘花献人暗示求爱，而女人接受献花，则表示默许。

利弘唱罢，手持鲜花走近端坐御座旁的文穆王后前。

周围王亲贵族看到利弘恭手向王妃献花，纷纷惶惶不安。口吟《献花歌》向王妃献花，实在是一种胆大妄为之举。不管怎样，对于任何一个臣子来说向王妃献花，是一种亵渎和放肆的行为。

正在那时，将金大廉拉出去的裴萱伯又回到了廊内。他手托一个大碟，碟上放着金大廉的首级。金明在金大廉的席位上放下那个首级后，面对惊魂不定的众臣放声大笑。他说道：“叛贼已除，现下可以开始真正的酒宴了。好！让我们尽情饮酒，放声高歌吧！”

金昕气愤之极，愤然离席。而其他那些王亲贵族们也早已魂飞魄散，不知所措。

看到这个情景，文穆王后当场吓昏了过去，僖康王也慌忙逃离了雁鸭池。

当天夜晚，僖康王泣声向王妃说道：“看来，我是保不住王位了！”

僖康王深知自己“王位不稳”。尽管他自己也非常清楚，他只不过是金明的傀儡大王，但直到那时才预感到，迟早有一天金明除了王位之外，还会要了他的命。

文穆王后安抚叹泣的僖康王，说道：“不管怎么说，金明还是我的弟弟，我再劝一劝他。”

听到夫人的这番话，僖康王摇摇头说道：

“上大等已经弑杀了他的亲姊夫——金均贞。上大等真正想要的不是金大廉之命，而是我的命。实际上，他想要的也不是我的命，而是这个王位。”

不久，僖康王的预感果然不幸应验。

新罗王朝史无前例的血雨腥风终于来临了。

话说两头。此时，金阳在何处，又在做什么呢？

据记载，此时金阳隐身柏栗寺一带。柏栗寺地处庆州市东川洞金刚山山脚下，时至今日仍保存完好。

这座寺庙供奉的是大悲观音像。相传，这座观音像非常灵验和神奇，甚至连《三国遗事》中也收录了有关这座观音像的传说。

据推测，这座大悲观音像在“壬辰倭乱”期间被大火烧掉。现保存在庆州博物馆内的韩国国宝第 28 号——金铜药师如来立像，是现在人们所知的最完整的统一新罗时期金铜佛像。

金阳隐身山野等待良机东山再起之地，正是这个柏栗寺。

当时，金阳奋战金明军时，腿上中了裴萱伯的一支毒箭。实际上箭毒更甚于箭伤。但由于中箭当时，阎长及时拔出箭头，并用嘴吸出毒血，金阳才幸免于难。尽管如此，箭毒还是扩散全身，金阳昏死了过去。

金阳藏身的柏栗寺，其住持是曾经与金阳有过一面之交的月如大师。为了躲避他人耳目，月如大师暂且为金阳剃度，穿上法衣，装扮成一个和尚。

不过金阳因箭毒发作，全身肿胀，丧失意识，成了一具活尸。甚至当初连利弘都认为金阳因中毒箭，必死无疑，而放了他一马。

身中致命伤的金阳，之所以能奇迹般复活，应该全都归功于一种野生药草。月如大师每天在寺庙后山采集一种叫做“车前草”的野生药草，用嘴嚼烂后，敷到伤口上，才治愈了金阳的毒伤。

车前草又叫做“苤苡”，每年春季满山遍野长满了这种野草。它还可以当作野菜，帮助人们度过春荒时期，所以还叫救荒草。

车前草具有化脓解毒的神奇功效。

也许真是车前草化解了金阳身上的残毒。金阳昏迷三天后终于有了知觉，恢复了意识，但全身仍然肿胀，处于麻痹状态，无法动身。

这期间，金阳守卫积板宫时遭到杀害，连尸身也被烧成灰的传闻却传遍了整个新罗。

这已是两年前的事了。

背着金阳逃到这里的阎长和李小正回到故乡武州避难，金阳独自一人留在柏栗寺中过了两年卧薪尝胆的日子。金阳对金明的切齿仇恨与日俱增，一刻也不曾忘记过。

金阳麻痹的身体经过漫长的一年时间，终于恢复如初。但是，金阳仍藏身山野诵佛念经，敲打木鱼。

金阳虽藏身山野，却敏锐地关注着动荡不安的形势。

弑杀金均贞，赶走金阳的金明一党终于拥立悌隆登上王位，但是悌隆王位将保不了多久。金阳清楚地知道，想登上王位的不是悌隆，而是金明。只是金明碍于名分，不希望人们认为他杀死金均贞是为了自己登上王位，所以暂时推出悌隆当傀儡君王。

禅让之变。

中国前汉时期的政治家王莽，是一位使用各种权术发动“禅让之变”，最终篡取皇位的野心家。他立九岁的中山王为皇（即平帝），使自己的女儿被封为王后，从此大权在握。但他并不满足于这些，最后还是毒死了皇帝。他密谋假相，令人在水井内发现白色碑石，其上写有红字“安告立汉公莽为帝”，以此迷惑民心，最终成为摄政王，行皇帝之事。

金阳一眼便看穿了这个把戏。

尽管眼前金明立僖康王为君王，自认摄政上大等，但是迟早有一天他会弑杀僖康王而自立为王。

前有安汉公王莽设计水井内发现写有红字的“安告立汉公莽为帝”的白色碑石来蛊惑民心之事，他金明又何尝不敢？朝廷内迟早都会有一场血腥屠杀。

金阳的预言全都一步一步地应验了。

后来，传出倍受众臣尊敬的老臣金大廉在御宴上被斩首的消息。

金阳认为时机再次悄悄来临。

金阳每日早晚在柏栗寺观音菩萨前诵佛念经，脸上现出不易觉察的笑容。

金明真正要杀的人决不是金大廉而是僖康王。迟早有一天，他会弑杀僖康王，而篡夺王位。

那么，一切都将会真相大白。

正如当年王莽在长安未央宫遭刺杀一样，金明也会难逃厄运。

因为金明登基，拂逆天道，必遭天谴。如果金明再弑僖康王登基，意味着他两度弑杀君王，篡夺王位，闯下天理难容之大罪。

古人曰：天网恢恢疏而不漏，多行不义必自毙。

再说，金均贞之子金祐徵和他的旧日部下礼征、良顺等人已逃亡清海镇，投身张保皋。

迟早有一天，只要时机一到，我金阳定会率阎长等旧部到清海镇与他们合兵举事，报不共戴天之仇，拥立金均贞之子金祐徵为王。

斗争尚未结束，一切才刚刚开始。

正在这时，发生了一件意想不到的事情。

忽然有一天，金阳夫人四宝携女儿德生出现在柏栗寺。

金阳做梦也未想到她们会来。尽管四宝夫人以烧香拜佛之名来到柏栗寺，但不言而喻，烧香是假，来见藏身此地的金阳是真。

见到夫人和女儿的那一瞬间，金阳大吃一惊。他想不到自己身着僧服隐秘躲藏于此，而夫人是怎么知道他的呢?

如果夫人已经知道他的藏身之地，那就意味着那些不共戴天的仇人们也已经知道他的藏身之地了。

直到这时，他才从夫人口中得知，当时自己伏在阎长背上逃亡时，被岳父利弘之军发现，身陷险境。

也就是说，利弘对金阳的一举一动全都了如指掌。

利弘知道，金阳逃不出北山——金刚山一带。即使金阳死了，葬身之地也逃不出这一带。如果侥幸活命，也必定藏身柏栗寺附近。因此利弘秘密派人刺探柏栗寺，终于确认金阳还活着。于是他打发四宝夫人乘车前往。

在柏栗寺的一座僻静的客房内里，四宝夫人对金阳说道："父亲大人让我劝告您，不要再隐身此地，应早日归朝。"

金阳知道岳父大人利弘因铲除金均贞，辅佐悌隆登基有功而荣升侍中之位。所以，如果他离开柏栗寺，寄身现权居一人之下万人之上的利弘，便尚可保存性命。

"父亲大人说，只要您回到朝廷，便既往不咎。还说要和您一道共图靖国大业。"

靖国大业，治国大业。金阳非常清楚金明所指的靖国大业，那便是篡夺王位的大业。金阳明白了岳父利弘派四宝夫人来当说客的目的。

当夜，尽管已好久未与妻女共享欢乐，但金阳却辗转难眠。

岳父利弘派他的女儿，即自己的妻子四宝夫人到这里，无疑是给他下了最后的通牒。

利弘的意思非常清楚：我们知道你现在躲在何处，如果你接受通牒，那么你的性命尚可以保存；如果你不接受，那么我会派兵围住柏栗寺，将你捉捕归案。

金阳心烦意乱，难以入睡。若是接受夫人捎来的最后通牒，那么虽可暂且保命，但迟早有一天金明也会要他的性命。

那么，眼下，只有一条路可走，那便是天亮之前离开柏栗寺逃命。

他可以逃命的地方也只有一处，那便是金均贞之子——金祐徵逃亡的清海镇。

但是，金阳知道，即便是到了那里也不会一帆风顺。

因为金祐徵不像他的父亲金均贞那样欣赏金阳。金祐徵必会认为所有的祸事都因他金阳而起。

另外，金祐徵生性多疑，他会怀疑金阳在混乱之中是如何保存性命的。

再说，他也不会不知道金阳是叛贼利弘的女婿。即使金阳能平安到达清海镇，投靠金祐徵，他也会怀疑金阳是别有用心，居心叵测。

进也不是，退也不是，金阳陷入进退两难的困境。

回朝投靠利弘是死，前往清海镇投奔金祐徵也会遭到怀疑，难逃一死。他不知如何是好。

金阳呆呆地望着烛火出神，猛然，一个想法跃入脑际。这真是天无绝人之路，摆脱目前四面楚歌的困境，并非完全不可能。只要消除金祐徵对自己的怀疑……方法只有一个，那便是除掉金祐徵怀疑自己的祸根。金祐徵之所以怀疑自己，是因为自己是利弘的女婿。

俗话说，只要有怀疑之心，便会疑神疑鬼，妄下结论，做出错误的判断。

古代中国建立汉朝的韩信遭汉高祖刘邦怀疑，见刘邦召自己进宫，心里忐忑不安，担心刘邦杀了自己。见此情景，韩信的一个心腹大臣献计道：“如果带着钟离眛的项上人头晋见陛下，必会前嫌尽释，博得龙颜大悦。”

为了消除皇上对自己的怀疑，韩信依计行事，带着钟离眛的首级晋见了皇上。

金阳还想起荆轲刺秦王的故事。荆轲为了获得秦始皇对自己的信任，深思熟虑之下，割下樊於期的首级当作礼物送给了秦始皇。樊于期是亡命燕国的秦国将军。

一番苦心思虑之后，金阳终于做出了决定。

既曾指天发过毒誓，便绝不能就此回朝，向丈人利弘委曲求全，苟延残喘。那么，只有一种选择，那便是天亮之前马上离开柏栗寺，逃到清海镇。只是，在此之前，有一件必须要做的事情。韩信为了获取刘邦的信任，割下钟离昧的首级，荆轲为了获得秦始皇的信任，割下樊於期的人头。同样，为了消除金祐徵对自己的怀疑，金阳也必须带着一条人命去见金祐徵。

那便是……

夜深人静，金阳望着摇曳的烛火陷入深思。

这条人命，便是正在一边熟睡的夫人四宝的性命。夫人四宝是叛敌利弘之女。为了表明自己与利弘断绝关系，惟一的证据便是结束与夫人四宝的姻缘。如果金阳果真能带着四宝的头颅去见金祐徵，那么金祐徵对自己便不会有丝毫怀疑。

想到此，金阳凑近燃烧着的烛火，拔刀在蜡烛底部划了一道线。然后，毫不犹豫地叫醒了睡梦中的夫人。

夜深人静，屋内只有一闪一闪的烛火发出微弱的光亮。

金阳对四宝夫人说道："夫人，我仔细想了想你所说的那些话。整晚，我都在想岳父大人命我回到朝廷，合力共图兴国大业之事。不过我想明白了。我不能回去。不仅不能回去，我还决定天亮之前离开柏栗寺再次逃亡。岳父大人和我走的是截然不同的两条路。从此，你我便成为不共戴天的仇敌了。"

四宝夫人默默地听着金阳的这一席话。四宝夫人从一开始心里便非常清楚，金阳所爱的并非自己，而是心中另有他人。

金阳深爱着的那个女子，是正明，即金明的姊姊。也就是说，金阳所爱的是仇敌的姊姊。

很早以前，金阳的祖父与金忠恭便定下两家的婚约。但是后来因为金阳家族受金宪昌叛乱的牵连，婚约自然解除。后来正明嫁给了金阳的堂兄金昕。

正明是远近闻名的绝世美人。

对于这一切，四宝夫人自然心如明镜。

四宝夫人听到金阳将自己的父亲称为不共戴天之仇敌，心中乱成一团，不知该说些什么才好。

金阳提笔写下“大义灭亲”四个字，然后问道：“夫人可认得这些字?”

“是‘大义灭亲’。”

“夫人可知其意?”

“春秋时期，卫国州吁杀死兄长卫桓公，自立为国君。卫国忠臣石碏之子石厚，助纣为虐，为非作歹。州吁驱使百姓去打仗，激起人民不满。他担心自己的王位不稳定，便与心腹大臣商议。于是石厚去问他的父亲，怎样巩固州吁的统治地位。石碏对儿子说：‘诸侯即位，应得到周天子的许可，他的地位便能巩固。’石厚说：‘州吁是杀死兄长谋位的，若是周天子不许可，如何?’石碏回答：‘周天子十分信任陈桓公，陈卫又是友好邻邦。’石厚没等父亲将话说完，抢着说：‘父亲是说去请陈桓公帮忙?’石碏连连点头。州吁和石厚备了许多礼物，却被陈桓公扣留了。原来，这是石碏的安排。卫国派人去陈国，将州吁处死。卫国的大臣们认为石厚是石碏的儿子，应该从宽。石碏便派自己的家臣到陈国去，将石厚杀了。史官认为石碏杀了儿子是‘大义灭亲’。”

四宝夫人一如平常聪慧、得体、从容地回答了金阳。

四宝夫人之言果然不差。

父亲石碏为了申明大义，果断除掉骨肉，甚至致自己的亲生儿子石厚于死地。为了国家社稷和民众之利等大义，不顾血肉之情，果断行事之意的“大义灭亲”这个成语正是来自这个典故。

“夫人所言极是，”金阳说道，“正如夫人所言，为了国家大义，父亲杀死了自己的亲生儿子。州吁逆天道弑杀自己的血脉之亲篡夺王位，不是为了大义，而是万人所指的不义之举。同样，金明弑杀上大等也是不义不举。州吁之臣石厚助纣为虐，也是不义行为。因此，岳父大人助金明叛乱，也是不义中的不义。夫人你说，我怎么能遵从岳父大人之意，回到朝廷呢？”

话已出口，二人都缄口不语，陷入沉默之中。只有夜风吹过山谷的声音。过了许久，四宝夫人终于首先打破沉默，开口说话。

“贱妾斗胆问一件事情，夫君能否回答？”

“夫人请讲。”

“适才夫君说，我的父亲现在是夫君的不共戴天之仇敌。我是夫君您的内室，也是我父亲的血肉之亲。所以我想问一句：我到底是您不共戴天之仇敌呢，还是夫君您的结发之妻？”四宝双眸正视金阳问道，眼神中充满决不退让半步的果毅。

沉默许久以后，金阳开口说道：“回夫人的话，从现在开始，您不再是我的结发之妻，而是我的不共戴天之仇敌之女了。”

勿需再言，一切都已明了。但是四宝夫人的脸色丝毫没有动摇，依然冷若冰霜。

“那么，贱妾斗胆再问一句，大人还能回答吗？”

“夫人请，”金阳答道。

“既然我是不共戴天之仇敌之女，大人为了大义会杀我吗？”

金阳毫不犹豫地回答：“当然！”

不需要再说什么了。这种状况下，还能再问什么，谁还能再说什么？

正在此时，传来附近寺院里的法钟声。

“当，当，当”

随着唤醒芸芸众生的法钟声，也传来告示做晨法的法鼓声。

于是，金阳站起身对夫人说道：“该做晨法了，我先出去了。”

离开前，金阳驻足将视线落在房间一角沉睡的女儿身上。看着年仅五、六岁的女儿酣睡的模样，金阳心如刀割，疼痛不已。因为金阳非常疼爱自己的亲生女儿德生。时隔两年才得以相见，孩子也长大不少，略有少女的风范了。

去做晨法只不过是金阳摆脱尴尬的借口，实际上这是又一次的离别。然而这一去，他们不知何时才能再相见。

金阳抚摸着女儿面庞，手不由自主地微微颤抖。与睡梦中的女儿道别之后，金阳对四宝夫人说：“我已经在蜡底划了痕。天快亮了。”

扔下这句令人难以捉摸的话，金阳便消失在黎明前的黑暗中。四宝夫人一动不动端坐着，细细品味着刚才金阳的那些话。

在燃烧着的蜡烛上划出印迹，源于科举时在科场内限定时间的一种做法。是指蜡烛燃烧到划线之处，表示时间到，不能再继续写了。

夫君金阳已事先在蜡烛下面划好了一道横线，无疑是让自己在限定的时间内定夺何去何从。

金阳在前面已经说过，她是金阳不共戴天的仇敌之女，自己要大义灭亲。换言之，金阳暗示四宝夫人，她应该结束自己的生命。

四宝夫人突然从怀里掏出一将银藏刀。银藏刀是一种利用银器打造的刀具，平常只是作为装饰用刀佩带，但是需要时也足以取人性命。

正如金阳所言，蜡烛下方果然刻有一道明显划痕。其实金阳早在唤醒自己之前，便已经有了决断，要在限定的时间内让她自行了断。

四宝终于明白了金阳那句话的含义。

夫君金阳便是权力的化身。他在蜡烛底部划出的横线，真正的意思便是让她去死，让她在限定的时间内自行了断。

只有自尽一条路了。夫君金阳不是说过自己已不再是他的结发之妻，而是不共戴天的仇敌之女吗？自己已然成为阻碍他立身扬名的绊脚石了。

此时此刻，金阳正在走出柏栗寺的法堂。法堂前的岩石上有一个奇异的脚印。

金阳脚踏大佛留下的脚印，口中喃喃祈祷："菩萨保佑我平安离开这里，南无阿弥陀佛！"

金阳身穿僧服，从法堂出来，走出了山门。

天虽未破晓，但黑暗中已透出些许黎明的光亮，若是不想被利弘的士兵抓住，最好天亮之前逃离柏栗寺，逃得越远越好。

金阳知道夫人四宝必会自尽而死。金阳太了解夫人的为人了。

两人的婚姻是没有爱情的政治婚姻。受金宪昌叛乱的牵连而落魄的金阳需要庆州新兴贵族利弘的强大权势，而利弘需要太宗武烈王直系孙金阳的名誉。四宝夫人便成了这场政治婚姻的牺牲品。

在黑暗的山路上疾步行走的金阳，内心还是放心不下自己的小女儿。夫人四宝自尽而死后，女儿德生怎么办呢？毕竟是一个只有五岁的孩子。母亲自尽而死，女儿便将成为一个孤儿。虽说父亲还在，却是不能做出任何承诺和约定的逃亡者，也不知何时才能再相见。

女儿德生将成为举目无亲的孤儿。但是，金阳相信即使自己不留一言地突然消失，四宝夫人自尽而死，月如大师也会念及旧情，收留德生，将其抚养成人。

赶到山脚下，忽然从临近的村子里传来公鸡打鸣的声音。两年来从未离开过山门的金阳，又重新回到了世俗的洪流中。

金阳在死亡边上奇迹般复活，虽身着僧服，遁身尘世，但是面对即将奔赴生死未卜、龙虎相搏的决战场，内心却难以抑制激动和兴奋。

金阳咬牙发誓：我一定会回来，我一定要卷土重来！

而此时，在柏栗寺的客房内里，四宝夫人凝神望着烛火。东方即将放白，燃烧了一夜的蜡烛，正一点一点地接近金阳事先划好的那条线。

死亡并不可怕。

既然来到这个世界上，便注定将来有一天会死去。

俗话说，生寄死归。人活在这个世界上，只不过是短暂停留，死才是永恒。

四宝夫人不忍去看在房间一角沉睡的年幼的女儿。

老天哪！怎么办？我这条命不足惜，年幼的女儿怎么办。

泪水无声地从四宝夫人的脸上滚落下来。

既为人妻，丈夫便是自己的天，为了不成为丈夫的绊脚石，自己死不足惜。但年幼的女儿怎么办。自己死后，谁会像母亲一样照顾她呢？

怎么办？怎么办？

烛火已紧逼丈夫在蜡烛下面划出的横线，已经没有时间再想什么，再做什么了。

四宝夫人呜咽抽泣着，猛然低声唱起了歌。

那是一首《挽歌》。

《挽歌》是一种行丧时唱的哀歌，用来表达对死者的哀悼之意。

蒿里是谁家？

魂魄终归处。

夜叉在相促，

凡人不得误。

蒿里位于山东省泰山南侧，是中国人传说中人死后灵魂所归之处的邙山。

这首《挽歌》是当时黎民百姓常用的送葬曲，送葬时通常由抬丧舆的人吟唱。歌词令不得不即将死去的四宝夫人心如刀绞。

如歌中所唱，阎王为何如此追命？时辰到了，自然会死。烛火为何一味燃烧，不肯停歇？果真是凡人不得耽搁片刻吗？

烛火终于燃到了那条线上。人生也要结束了。

四宝夫人不再犹豫，拿起了银藏刀。她不想有朝一日金阳回到这里，看到烛火燃过了那条线。四宝吹灭了蜡烛。天尚未破晓，房间内顿时黑了下来。四宝不想血染女儿沉睡的房间，便悄悄地打开房门，走到院子里。她拔出银藏刀，刺向自己的脖颈。

四宝夫人果然没有猜错。三年后，金阳回到柏栗寺，为四宝夫人举办了祭祀礼。据说，当金阳看到当年自己刻下的烛痕依然还在，顿时痛哭流涕。

正如金阳所料，四宝死后，他们的女儿德生，由柏栗寺的月如大师收养，在寺院里艰辛地成长。但是，德生后来却成为新罗第四十六代君王文圣王的次妃。看来，人生果真是：塞翁失马，焉知非福。

与此同时，金阳已走出庆州境内，走向麻珍良。麻珍良位于庆州以西六十余里地的地方。

不知不觉之间，日升中天，八月酷暑难当。

金阳的目的地便是那个武州。武州，现在称为光州，是当年金阳数年担任都督的地方。金阳在这里任都督期间治理有方，深得当地百姓的拥戴。因此，在此藏身是再适合不过的了。而且，武州还有金阳的手下阎长和李小正。另外，这里还有金阳任都督时的当地官吏金良顺，他仍然存有原来的势力。因此，只要能平安逃亡到武州，金阳便能聚集原来旧部，一同投奔清海镇。

令金阳最得意的是，他手里还有一张有力的王牌，那便是金均贞临死之前赐给金阳，象征着君王身份的神圣的新罗三宝之一“天使玉带”。有了它便能紧紧抓住金祐徵的心。

这便是那条镇平王元年，天国使臣下凡宫廷庭院内，向君王称：“上皇令我传玉带”，君王跪地承接的玉带！

在过去的两年时间里，金阳始终将这条玉带系在自己的腰上，从未解开过。如果没有这条玉带，即使金明拥立悌隆为王，也不能名正言顺地坐稳王位。进而，假如有一天金明谋害悌隆篡取王位，也会因没有这条玉带而不能信服于天下百姓。

在这两年时光里，尽管金阳身穿僧服装扮成僧侣，但是腰上始终缠着那条玉带。金阳在想，只要身藏这条玉带，即便金祐徵对自己心存怀疑，他也会因这条玉带而重新获得掌握天下的先机。再说，金阳为了消除金祐徵对自己的怀疑，令自己的夫人自尽而死。也就是说，现在他金阳应该是……

想到此处，金阳禁不住流露出得意之色，一边走路，一边仰天大笑。

“如今可谓如虎添翼啊。现在有了玉带和利弘之女四宝夫人的性命，我便又有了重见天日的良机了。”

金阳仰天对着太阳纵声大笑道：“两年前，我被逼无奈逃亡藏身柏栗寺时，曾指天发誓，此仇不报非君子，现在我终于又有机会了！”

这时，从迎面走来一队出殡的行列，看起来是王亲贵族的出殡。众人举着花花绿绿的挽幛，抬丧舆的人为数众多，场面盛大。最前面有两个方相在唱挽歌，那正是金阳也熟知的《韭露歌》。

据传，刘邦即位前，田横应召动身前往洛阳，却在城门前刎颈自杀。他的部下拿着田横首级去见刘邦后，也追随将领自尽而死。不仅如此，所有的部下都自尽而死，此后，为了告慰田横的在天之灵，唱出了这首《韭露歌》。

抬丧舆的人用哀伤的语调唱道：“韭上露水易逝去，露晞明朝更复落，人死一去何时归。”

这时，金阳确信，夫人四宝已自尽而死。送殡队伍在路边停了下来，进行祭奠。金阳在半梦半醒、恍恍惚惚中，分明看见了夫人的魂魄坐在丧舆之上。

那一瞬，金阳跪地放声大哭。

直到送殡的队伍走过，金阳仍在田野上放声痛哭。与其说是为了死去的夫人，不如说是因为他的脑海中突然浮现出朗慧和尚的谶言。

金阳曾与堂兄金昕前去浮石寺见朗慧和尚时，朗慧对金阳说：“将有三女子助你。”朗慧对金昕说的话是：“三棵草将助你成大事。”于是，金阳问道：“大师，那么，我通过三名女子能得到什么?”朗慧和尚写下一个“世”字，也便是说，通过三个女子的性命得到天下权势。

金阳一边大声痛哭，一边想：夫人四宝是三女中的其一，难道说我为了得到天下的权势，还要再杀两个女子吗?

天哪！命运对我怎么如此残酷！

乱世枭雄金阳的眼泪不是因为对夫人的哀伤，而是对自己坎坷不平的一生，追悔莫及。

4

僖康王三年，公元 838 年。

金明、利弘、裴萱伯等终于起兵叛乱。金明一党虽合力拥立悌隆登基，但软弱无能的僖康王远远满足不了他们。

铲除金均贞不过两年，在这两年的时间里，朝廷一日不得安宁。

侍中利弘得知金祐徵及其部下逃往清海镇，投靠张保皋，便有一种不祥的预感。利弘心想，先下手为强。只有在金祐徵一党起兵之前，掌握朝廷大权，才是上上之策。因此，一有机会，利弘便催促金明说：“上大等大人，应及早策划举兵之事，将君王赶下台，自立为王。不然，臣担心不久会大祸临头。”

对此，金明总是犹豫不决说道：“作为臣子，我们怎能废掉还在王位的君王?”

利弘便说服道：“先王宪德王，举兵打入王宫，弑杀君王，自立为王。还有春秋战国时期五霸之一的桓公。在大乱中兄襄公被杀，桓公便逐走同父异母兄弟纠，自称为王。桓公听信鲍叔牙的进言，起用纠的老部下管仲任宰相，并与各诸侯签定盟约，获取信任，最终成为全国第一大霸王。‘春秋五霸’之晋国文公、楚国庄公、吴王夫差、越王勾践都是为了国家大义将君王赶下台，夺取权力，自立为王的霸王。”

“但是，孟子不是这样责难这些霸王吗？‘他们都不是依靠仁义王道取得权力，而是依靠武力和权术的霸道夺得权力。’”

金明所说不错。

发扬儒家思想的孟子的确指责“春秋五霸”是不走王道，靠霸道夺取政权的霸王。金明担心自己若举兵起事，会得到和“春秋五霸”一样的评价，即靠霸道篡夺政权者。

“但是，大人，荀子却评价说，霸王是平定乱世的英雄。”

荀子是战国末期的思想家，是儒家思想的集大成者。他以儒家实践道德为基础，是一个更具合理性、现实性的思想家。

利弘继续说道：

“大人，今日朝廷比战国时代更黑暗，生灵涂炭，百姓呻吟。这不正是如荀子所说是产生霸王英雄的绝好时机吗？”

当然，金明虽实权在握，高居上大等之位，但绝不会便此满足。不过，金明担心杀死金均贞不过两年，又将君王赶下台，自立为王，会不会操之过急，不得民心？

正在犹豫不决之际，一件意想不到的事，为金明一党将君王赶下台找到了借口。

利弘之女四宝自刎而死。

利弘坚信，自己的女儿四宝不是自杀，而是遭反对势力所杀。第一嫌疑人便是女婿金阳，但利弘坚持是朝廷大臣中，试图谋反的势力杀死了四宝。

于是，金明、利弘等全付武装闯入宫中，说道：“宫内必有谋反之势力。若不事先将叛敌除掉，必将遭致大祸。”

对僖康王来说，这实在是左右为难。怎能无中生有地从大臣中找出叛敌。

于是，一天一天拖着，终于在正月，金明和利弘等举兵包围了王宫。金明开始将君王的左右大臣一个一个拖出来斩首。金明此举是为了向君王施加心理压力。

对此，僖康王向文穆王妃哭诉道：“时候到了，我命休矣。”

文穆王妃则愤然而起，说道：“上大等是我的胞弟，我再试图去说服他。”

文穆王妃亲自来到宫门前，向包围王宫的利弘问道：“上大等在哪里？”

利弘理应遵守君臣之道，下马行礼。但利弘却仍高高骑在马背上，笑着说道：“找上大等有何事？”

“上大等是我的弟弟。姊姊找弟弟还需要什么理由吗？”

利弘听罢，呵呵大笑着说道：“王妃难道不知金均贞的夫人昕明也是上大等的姊姊吗？”

利弘的话无疑是一个下马威，让人不寒而栗。利弘一党杀死的金均贞的夫人昕明是金明的大姊，利弘的意思再明白不过了，他是在警告王妃不要以区区骨肉之情随心所欲。同时，也是一种变相的威胁。

事已至此，文穆王后再无话可说。

文穆王后回到宫里，对僖康王说道：“扭转事态，怕是为时已晚。”

僖康王叹息道：“俗话说，‘劝上摇木’。他们将我推到我并不愿的权势之颠，现在又想将我推下去。”

说罢，僖康王进到宫里，悬梁自尽。王后见此，也跟着悬梁自尽。此时，僖康王在位不过两年。

金明一党将悌隆僖康王，葬在苏山。据推测，僖康王陵墓位于现在的庆州市内南面望城里山 34 号。说是王陵，却与其他的王陵不同，因为其底部较宽的封土坟，与一般民坟相同，无任何特征，由此也可猜测出僖康王悲惨的结局。

葬礼结束后，金明自立为王，登上王位。他便是新罗第四十四代君王，闵哀王。

第五章 再相逢

闵哀王元年二月，公元838年。

一艘商船停泊在清海镇，这是一艘新罗传统式的双桅帆船。它从山东半岛启航，船上装满了从中国运来的瓷器。正在往码头上卸货的时候，一位乘客从船上走了下来。新罗商船一般有两三间屋顶相连的船舱，但一般只供使臣或僧侣等地位比较高的人使用，普通的乘客住在甲板下。

这是一艘多用船，如果有事时在船前栏杆上树起盾牌，便成了一艘用于战斗的盾牌船。从船上下来的乘客衣衫褴褛，行色疲惫。

他感慨无限地上了岸，默默地低头望着自己脚下的土地。

久违了，故乡的土地。

那人掐指计算着离开故乡的年数，他离开故乡时还是尚不足二十岁的青年，现在已快五十岁了，三十年时光悠悠而过。

那是公元 812 年，满怀着对新世界的向往和对未来的憧憬，他去了唐朝。而今已是公元 838 年，准确说来他有二十六年没有踏上故乡这片热土了。

当初的凌云壮志实现了吗？.

离开故乡时豪气冲宵的青年，现在沦落为没有梦想，没有希望，一个潦倒的流浪汉。

汉子抬眼望着故乡的山野，恍如隔世。古语说“十年江山一变”，在这两三个十年飞逝期间，桑田已成苍海，青山已变绿野。

兴德大王三年四月，在他的故乡于设了清海镇营。那年是公元 828 年，现在算来整整十年了。

仅仅十年之间，故乡那曾经闲适的小渔村已不见踪影，取而代之的却是繁荣的大藩镇。

他儿时的衣食之源、嬉戏之所——助音岛上现在坐落着规模庞大的军营，海边的将佐里一带，一边是十里长街，有店铺以及供唐朝日本和远从大食国来的商人们吃住的客舍旅馆。另外一边则是驻守清海镇的一万名士兵的军营，好不威风。

军营对面，店铺如雨后春笋般冒出来，汉子在这条商业街上慢慢地走着，恍如置身梦中。

回想自己，曾志向高远，赴唐发展，也一度金戈铁马，战功赫赫，令人羡慕。然而现在竟剩下这副样子？虽然也梦想衣锦还乡，可现在却俨然是一个在街上流浪的乞丐。

晚唐杰出诗人杜牧在《樊川文集》中对他潦倒的形象这样描写：

……年饥寒客涟水。

他的故乡便是他在异乡穷困潦倒之际，繁荣发展起来。

如今商业街上的商品应有尽有，大街上热闹非凡。人们挑选着自己中意的东西，商家们则为了吸引路过的行人，喜气洋洋地命人敲着锣鼓吹响喇叭，期间还能不时的听到商贩们的揽客声、吆喝声。

汉子觉得肚子饿了，进了街上的一家小酒店坐下。这是一家只卖烧酒及汤饭的简单的小食店，但却里面挤得水泄不通。

汉子先喝了一杯酒。

他坐在那里放眼向蔚蓝色的大海望去，正好看到了海中间军队大本营的所在地将岛。

这是海上的长途颠簸劳顿之后，踏上故土喝的第一杯酒，仅一杯便已经有些醉意了。

"喂，来点吃的，我已经很饿了。"

这时正在小店前招揽来往行人的酒店老板娘，忽然唱起歌来。

月亮圆圆高高挂啊

照到我爱人的身上吧

啊

你走在哪条街上啊

踩着烂泥怎么办

啊

月亮圆圆照四方啊

我的爱人在何方

让他无事回家乡吧

啊

已经微醉的汉子正侧耳倾听老板娘的歌声，这是一首儿时就听过的非常熟悉的故乡歌曲。

这支著名的歌曲从古时百济王国流传过来。唱的是丈夫外出行商，妻子独自在家，很晚了丈夫也没有回来。于是妻子来到高山上，望着升起来的皎洁的月亮，祈祷月亮照亮丈夫的路，不要让丈夫掉到烂泥地里，不管挣钱也好，其他的也罢，都暂且放下吧，赶快回到自己的身边来吧。这首歌便表达了妻子这种恳切的愿望。

汉子听到酒店老板娘熟悉的歌声，才有了回到故乡的真实之感。

“呃归呀呃嘎得哩啊得隆得哩”

汉子出声地跟着老板娘唱着歌曲的副歌部分。

是啊。

汉子低声嘀咕着。

过去三十年里，只走过没有月光照耀的黑暗的大街，只踩到了湿漉漉的烂泥地啊。

汉子填饱肚子后，待客人少了一些时，便向坐在酒店门前的老板娘问道：

“请问，”

酒店老板娘漫不经心地抬头看看他。

“怎么才能见到清海镇大使?”

天渐渐黑了下来，风越来越凉，正是乍暖还寒的农历二月。

老板娘关上对着海的大门，走进来重新问了一遍。

“海风太大了，没听清你说什么。”

“我打听一下怎么才能见到清海镇大使?”

于是老板娘上下打量了一下这位衣衫褴褛的汉子，好像觉得很滑稽，说：“你是说要见清海镇大使?”

“是呀。”

“这位大人。”老板娘语带嘲讽地说道，“清海镇大使是这儿的天人，哪儿那么容易见到。真想见他的话，就到前边的军营问问吧，拜托守卫大使军营的哨兵试试看。”

“好吧。”

汉子出人意料地慢悠悠地掏出饭钱，令老板娘大吃一惊的是，那竟然是开元通宝。

开元通宝是唐朝特有的铜钱，在国际港口清海镇是通用的国际货币。

衣衫褴褛的汉子一掏出唐朝的开元通宝，酒店老板娘的表情马上变了，这个人如果真的是从中国来的，那么便算看起来衣衫褴褛，怀中盘缠一定很多。

“你从唐朝来吗？”

“是啊。”

开元通宝是为纪念唐朝创业而铸的货币，是历代王朝铸币的样板。在当时的清海镇，它相当于今天的美元。

“那么是来做生意的吗？”

汉子苦笑着摇摇头。

“那到这里来做什么呢？”

汉子没有回答，端起杯，将剩下的酒一饮而尽。他虽然衣衫褴褛，但气势凛然，一副大丈夫模样。他用手背揩去嘴角的酒，脱口说道：“来见清海镇大使张保皋。”

汉子咧嘴朝酒店老板娘笑笑，一副爱信不信，该说便说的神气。听到汉子的嘴中说出张保皋三个字，老板娘又大吃了一惊。

“大使是我们这儿的天人，你为什么要见大使呢？”

“大使是我的大哥。”

汉子又微笑着说。这个人不是喝醉了酒在耍酒疯吧？老板娘仔细地看看他脸上的神情，又不象喝醉了酒信口胡说。

“那么，是为了见张大使才从唐朝过来的吗？”酒店老板娘又问。

“是呀，就是为了见张保皋大哥，才飘洋过海回到这里。”

汉子说得很明确。

他说的也是事实。

为了见义兄张保皋，不惜飘洋过海回到了故乡清海镇的汉子，姓郑名年。

他正是那位早在赤山法华院时，张保皋便劝他弃武从商，但他却认为商人是低贱的，而要做军人，继续留在军队里的郑年。但是，他最终还是回到故乡来找大哥张保皋了。

如杜牧在《樊川文集》中所述那样，郑年怀着与其在客乡贫寒而死，不如回到故乡战死的决心，回来了。

到底到哪才能见到张保皋呢？大哥张保皋现在在清海镇像酒店老板娘所说的那样，是比天人还要高贵的人物。

郑年恍恍惚惚离开老板娘，走出了小酒店。

顺着老板娘所指的方向，张保皋所在的将岛军营在夕阳的照耀下，被染成了金色。

郑年从怀里掏出一件小东西。这是自他与大哥张保皋分别以后，数十年间一刻也不曾从怀里离开过的信物。

那尊曾在赤山法华院讲经会的和尚朗慧送给张保皋的佛像。那佛像首身分离，张保皋留下佛身，将佛头送给了郑年，并对他说："好好收着吧。"

郑年看着佛头想，那时郑年不是这么对张保皋说的吗？

"但是，大哥。若我拿走了佛头，那佛像不就分为两块，成了一尊身体不完整的残佛了吗？"

张保皋听后回答："是啊，不一样吗？弟弟如果离开我到军队，我的身体也是不完整的，是残缺不全的。你不在，我便像这没有头的佛像，无论何时都会等你回来。日后，你一定要回到我身边来，我们一同齐心合力开创大业。"

那时，郑年作出保证："直到再见面时，我会一直珍藏着这件信物。"

那信物便是这个佛头，只要能将这个佛头交给张保皋，他便会知道我漂洋过海来这里找他了。

但是，怎么才能将这个佛头交到大哥手里呢？

当时清海镇军营戒备分外森严。自从去年五月，金祐徵害怕惹祸上身，带着亲信乘船流亡到清海镇，张保皋便加强了戒严。

一个月之后的六月，阿餐礼征和阿餐良顺也逃到了清海镇，张保皋又下令进一步加强非常警戒态势。

当然，张保皋现在一直对新罗朝廷采取中立的立场，但是对避难来到这里的金祐徵又不能视而不见，因为金祐徵和他的父亲金均贞是支持设立清海镇营的大恩人。

不过，金祐徵对新罗朝廷而言是叛乱的祸根。朝廷的军队随时都有可能会打过来，因此只好宣布全军进入非常状态。

郑年怔怔地望着通往军营所在地将岛的那座桥。过了桥便是军营的帐篷，帐篷前全副武装的将守士兵们正在一一盘查过往的人。

郑年脑海里突然蹦出一句话：不入虎穴，焉得虎子。

这是曾率三十六名壮士打败匈奴，颇具传奇性的后汉将军班超的名言，意思是说，不亲自深入到危险的地方，便不能获得成功。

这也是他和张保皋在平定李师道之乱时，每当冲锋陷阵的时候激励自己的铭言。

就这样吧。

郑年握住佛头，下了决心。不入虎穴，焉得虎子。要想见到大哥，只能到军营中去。

郑年在桥上向帐篷走去。守门卫兵看到了，举起刀枪，挡住去路，大声喝道："站住！什么人?"

郑年沉着地回答："我来见大使。"

卫兵犀利的目光盯着郑年，问："来见大使干什么?"

"有东西要交给他。"

"什么东西?"

于是，郑年将手中的佛头递了过去。

卫兵接过来，表情冷冷地对郑年大声说道："这不就是一块石头吗？你这个家伙竟敢到这里开玩笑?"

卫兵一下拿起佛头，想把它扔到大海里。刹那间，郑年飞身跃起，以迅雷不及掩耳之势夺过卫兵手中的佛像，又一拳将他打倒在地。

郑年虽然已年近五十，但依然雄风不减，对打起来一如当年，无人能与之匹敌。

顿时，许多士兵闻声冲了过来。即使郑年赤手空拳，五六名手持武器的士兵联合起来也根本不是他的对手。他从被打倒的士兵手中夺过枪来，在狭窄的小桥上，上下飞跃，一口气将拥过来的士兵们打得落花流水。

此时军营里又拥出数十名士兵。尽管郑年功夫了得，但桥上狭窄，不足以施展身手，一人与一群士兵相搏，最终也还是寡不敌众。

郑年很快便被士兵包围并擒获了，被直接关到了军营的监狱里。

那天，负责守卫军营的是张保皋的骁将李顺行，他听到部下的汇报，询问起事情的始末。

“到底是怎么回事？”

守卫营门的将领回答：“一个衣衫褴褛的人来到军营门口，要见大使大人。”

“就这些吗？”

因这么点儿小事便一下子出动数十名士兵，李顺行发火了。

“但是，我们十几名士兵才好不容易擒到他。那是一个力大无比的壮士。”

“那个家伙来找大使到底要干什么？”

“他说有东西要送给大使。”

“有东西要送？”

李顺行发觉事情好像不那么简单。

“那东西是什么？”

于是，守卫的士兵将从郑年那里没收来的东西呈给了李顺行。李顺行接过来，那是一个佛头，虽然佛身已经不在了，但很显然那是一个佛头。难道就为了转交这个不起眼的佛头而不惜只身与数十名士兵相斗，最终被擒坐牢？

李顺行摇摇头，觉得很奇怪。

此时，张保皋正在军营里举行盛大的宴会，欢迎几天前前来投奔的金阳。

金祐徵一开始并不信任金阳。正如金阳当初预料的那样，他怀疑这所有悲剧都是由金阳一手挑起的，他活了下来是因为他是叛贼利弘的女婿。

不过礼征却谏道：“不要怀疑金阳，金阳此来还珍藏着你父亲交给他的天使玉带。”

礼征说得很有道理。

若金阳想背叛，借此平步青云，则万不可能将金均贞交给他的天使玉带带到这里来。因为没有天使玉带，不论是在父亲之后登上王位的僖康王，还是窥视王位的金明，都无法证明他们登基的正当性。

“但是谁能肯定这些不是奸计。孙子很早便在兵法中说过，发动十万大军，开到千里之外打仗，极其消耗百姓的费用和公家的俸禄。与其每天如此浪费，不如派一名生间，效果会更好。金阳或许便是金明派来的生间。”

生间，意思是活着的间谍。孙子将间谍分为五种，除了生间，还有乡间，内间，反间，死间。

间谍。

孙子在他所著的兵法中说“先知者，不可取于鬼神，不可象于事，不可验于度，必取于人，知敌之情者也。”他点明人才是间谍。

因此，金祐徵将金阳视为金明派来的间谍，不是没有道理的。

“但是大人，”礼征回答说，“金阳的妻子四宝已经送了命了。她是叛贼利弘的女儿，但她已经死了，现在金阳和利弘之间完全没有任何关系。金阳杀死夫人的传闻曾一度四海皆知。

而且还有一种说法也广为流传，即后来利弘知道女儿已死，便下令抓捕曾是自己女婿的金阳，要为他女儿报仇。所以，万万没有理由将金阳看作是敌人派来的间谍。”

礼征的忠告没错，叛贼利弘的女儿四宝死后，金阳与利弘之间已无任何瓜葛，因此没有任何理由再怀疑金阳了。而且，金祐徵只带着妻子儿女和几名亲信到清海镇来投奔张保皋大使，对他来说，率士兵前来投身的金阳，不啻千军万马的大股援军。

夫人四宝之死比天使玉带更能消除金祐徵对金阳的戒心。只借助三个女人便能得到天下权势，这是朗慧和尚的谶语，难道金阳果如其所言是天生命运曲折的奸雄？

那天晚上，军营中正在为率军前来会合的金阳接风洗尘，但庆贺的喜悦只持续了一会儿。酒宴正在进行当中，一份密报从庆州飞传而来。

金明伙同利弘、金贵、金宪崇等闯入内宫，杀死近臣。君王和王妃眼见难保性命，悬梁自尽。不仅这些，金明还自动禅位，当上了君王。

短短两年时间，金明便先后杀死两位大王，自己称王。这种残忍无道的行为在新罗历史上闻所未闻，见所未见。

金祐徵听到消息，酒也不喝了，痛哭流涕，边哭边说："父亲死于这个叛贼之手，我与他有不共戴天之仇！现在连新王也被他害死了，我一定要将他千刀万剐才能报此彻天之冤仇！"

彻天之冤仇，比喻冤仇之大。

酒宴中好不容易鼓动起来的兴致，在金祐徵的放声痛哭声中荡然无存，一时间，凄凉之感攫住了在座的每一个人。

于是坐在金祐徵旁边的谋士兼亲信礼征开口说："大使大人，高句丽时渊盖苏文弑君，自为莫离支，窃国专权。唐朝太宗皇帝决定亲自讨伐，并说：'吾知之矣，去本而便末，舍高以取下，释近而之远，三者为不祥，然盖苏文弑君，又戮大臣以逞，一国之人延颈待救，伐高丽是也。'

于是太宗御驾亲征，渊盖苏文虽然弑君戮臣，但并没有自称为王，而金明自任大王，其残忍无道比渊盖苏文有过之而无不及。

尽管如此，太宗还是出于同情，亲自拉满弓箭，亲手将友谊系于鞍鞯。所以，大使您不要推却阿瓅大人关于借将军之兵，报大王及父亲的冤仇之请了。"

礼征的说词颇能打动人。

但是张保皋仍默默地端着酒杯饮酒，没做任何回答。迄今，他还不想听任何辩论，他要坚持中立的态度。

张保皋要将清海镇营建成与新罗朝廷无关的自主性的拥有治外法权的地区。

张保皋在中国的经历，使他了解并全盘接受了藩镇的统治方法，所以他才会有如此建设清海镇的打算。

但张保皋也觉察到了问题：曾经占有并统治地方的平庐淄青藩镇，仅仅五十五年便灭亡了，其原因在于它过分干涉政治，造成了与中央政权的矛盾。

倘若平庐淄青能坚守对中央政府的中立态度，那么，这个独立的王国也许便会世世代代地繁荣下去。

曾亲自参加武宁军打败平庐军战斗的张保皋对藩镇的长处与弱点了解得一清二楚，他一方面将清海镇建设成为国际性的贸易港口，一方面与新罗朝廷保持着一定距离，坚守着不近不远的中立态度。

不可近不可远。

太近则热，太远则冷，这是权力的固有属性。不近不远，保持中立态度是张保皋的统治哲学，因此张保皋不会痛快地接受金祐徵的请求。

正在这时。

从宴会外面闯进一位全副武装的将领。

“什么事？”

按照规矩，将领不得携武器进入宴席，因此张保皋非常严厉。

李顺行回答道：“有一汉子闯入军营要见大使大人，被捉住关在监狱中。”

听完李顺行的报告，张保皋脸色阴沉地说：“就这事？”

如此琐事便闯宴会，张保皋十分不满。

于是，李顺行立即回答：“不过，那个人另有要转交大使大人的东西。”

“是什么？”

李顺行将没收来的东西呈了上来，张保皋漫不经心地接过。不想，他大吃一惊，缩回了身子。接着他从自己的怀里掏出一样东西，一尊佛像的佛身。

“那是什么？”

金阳向张保皋问道，此时的张保皋像受到了巨大冲击似的，身体在发抖。听到金阳询问，他将打怀里掏出来的东西递给金阳，那是一尊正在进行禅定印手印的小佛像，奇怪的是佛头不见了，只有佛身。

“怎么回事？”金阳满脸不解地问道。

张保皋答道：“我一直珍藏着这个无头佛像。”

接着张保皋大笑起来，说：“这是在唐朝时，朗慧和尚在法华院送的护身佛像。他给我时，佛像的头和身便已分开。他这样对我说：‘这尊佛像送给你，身体丢掉也罢，头一定要保存好。’

“但是，我迄今只保存着佛身，直到此时此刻，才找回了这佛身的佛头。”

张保皋边说将李顺行呈上的东西边递给金阳，“对上看看。”

张保皋递过来的是一个小佛头，金阳将它接在先前的佛身上一看，正正好好，完全吻合。

“是这样，”张保皋在空杯里倒满酒，说：“直到今天，我才找回了完整的我！直至此刻，这尊只有佛身的残佛才重新找回了佛头，成为一尊完整的佛！”

张保皋的话一时让大家丈二和尚摸不着头脑。可是他好像没注意到别人茫然的表情，自顾自地将那一杯酒一气干下，大声命令：“还不快请到这里来！”

李顺行被搞得蒙头转向，弄不清张保皋大使邀请的是哪一位。是那位衣衫褴褛的流浪汉吗？要将因寻衅滋事被抓到监狱里的犯人请来吗？

“请谁啊？大使大人。”李顺行只得又问了一遍。

张保皋看了看他，说：“带这个东西来的人，快请过来！”

李顺行接到命令，答应了一声转身离开。

张保皋环视四座，大笑着说："现在，我要向各位展示展示我的股肱！不，各位现在可以见识到真正的我！"

股肱。

即胳膊和腿，比喻关系非常密切的臣下。

金祐徵等在坐的各位对张保皋所说的这位人物非常好奇，都屏息盯着宴会的场外。终于，从外面走进来一个人，一眼看上去，是一个衣衫极其褴褛的流浪汉。

然而更让人吃惊的是张保皋的举动，他一看见大汉急切地连鞋也没穿，赤着脚奔出席外，伸开双臂，紧紧抱住了来人。

"快让我看看！"

张保皋抱着那大汉，亲切地看着他的脸。此时的郑年如杜牧在《樊川文集》中描写过的那样，"生活在饥寒交迫之中"，看起来也许更像一个乞丐。

在坐的人无不惊讶地注视着张保皋，不解他竟那么热烈地欢迎一个乞丐。

"大哥，别来无恙。"大汉就地行礼，跪了下去。

张保皋受礼以后，一边强行将他拽到宴会上，一边说："各位，我失去的弟弟又回来啦，我的股肱回来啦，我的头颈回来啦！"

张保皋立即将郑年安排到自己的身旁坐下，对大家说："刚才阿餐大人请求依靠我的兵力来为大王和令尊报仇，我并没有马上做出反应。那是因为我找不到合适的能指挥军队的将领。无论再强大的军队，若没有能统率它的将领，最终也只不过是乌合之众。

"但是现在恰逢我兄弟回来了。他是天生的大英雄，在唐朝时曾和我一道驰骋沙场，立下过赫赫战功，任过武宁军小将。得我兄弟相助，我们一定能直捣庆州，报仇雪恨！"

在坐的所有人都为张保皋的话感到鼓舞。酒杯里的酒满上了，人们心里升腾起复仇的火焰，他们对天地盟誓，一定要为大王和金均贞报仇。

这是具有历史意义的一刻，为金阳接风的酒宴陡然变成了战斗前的誓师仪式。

张保皋分兵五千给郑年，这可是清海镇一万精兵的一半。杜牧对张保皋在此事上所表现出来的勇气是这样赞叹的：

张保皋之仁义之心，圣贤也未能及。

最终，结义兄弟郑年回到了张保皋的身边。战争的局面有了新的变化，张保皋终于卷入了蔷薇战争的旋涡中。

第三部 宦海逐鹿

第一章 胜战鼓

1

一个月后，闵哀王元年三月，即公元 838 年。

五千士兵的讨伐大军终于出发了。

这支军队高喊“除旧布新，报冤雪耻”的口号，为平定东部而出征，被称为平东军。

虽然在名义上，金祐徵任总司令官，但实际上率兵打仗的却是金阳。他亲自带领着这支平东军出征，自称为“平东将军”。

金阳之下，张保皋任命郑年为首长，其下又立五名骁将，分别是张弁、骆进、张建荣、李顺行，还有一位就是金阳的心腹之臣阎长。

从某种意义上可以说，这是一只联合军队。因为张保皋拥有的一万名兵力中，有一半兵权是外来的，其中就包括金阳的兵马。

这样，这支军队带着报仇雪恨、洗刷耻辱的使命开拔了。他们首先进攻的是武州。

金阳选择武州作为进军的第一个目标，有两方面的原因。

金阳认为征伐新罗王国，必须绕过大邱，直接进攻徐罗筏。因为此路线不仅距离最短，而且从一开始就可以避免与新罗军队正面冲突而带来的危险。

依据《三国史记》，金阳的平东军“兵卒极勇”，而新罗军队其进攻也是强大无比。

此时，虽然新罗王国已开始趋于衰败，但是金大问所著的《花郎世纪》中描述花郎团“宰相贤明，臣下忠诚，比比皆是。故此将帅优良，士兵勇猛”。因此，由花郎徒加入的新罗军队依然拥有强大的战斗力。平东军若是与他们迎面而战，稍有不慎则会惨败而归。

况且，新罗军队由九个支派整编而成，是一支作战经验丰富的精锐部队。

所以金阳首先攻取武州有双重意义，一是为了锻炼平东军的作战能力，同时又要以占领武州来威胁新罗的朝廷。

声东击西。

这是金阳采取的战术。

表面上宣扬进军东边，其实是要攻打西边。

金阳兴兵，对外声张要进攻新罗的中心地徐罗筏，这使新罗的朝廷坐立不安。事实上，他想占领的却是反方向的武州。他认为只要占领了武州，首先在心理上就会使新罗朝廷感到孤立无援。

况且，武州又是金阳曾被任职都督立足安身多年的地方。一旦能够占领武州使之成为自己的据点，那么，自己便可以拥有与张保皋进行协商谈判的资格，以实现自己多年的愿望。这也是金阳进攻武州的一个原因。

于是金阳率领平东军袭击了武州，并且不费吹灰之力，轻而易举地便获得了极大的胜利。

原来，驻守武州城的是一个名叫停的地方军军长。当他一听说金阳率联合军队攻打过来，便早早地将城门打开，以表归顺之意。

武州城民早年间便对曾是武州都督的金阳心生敬佩，极其爱戴。其中有个叫金良顺的地方将领，还曾是金阳的亲信。他更是派他手下的士兵打开城门，迎接平东军。

这样，金阳率领的平东军不费一兵一卒，整整齐齐地入了城。

以闪电般的速度迅速征服了武州的金阳，又一鼓作气向南原进攻。

南原曾属百济王国的高龙郡，唐高宗派苏定方领兵消灭百济时，这里就是刘仁轨逃亡落难的地方。是年，文武大王在这儿汇兵。神文王时，这里改称为小京。

如果金阳不及时攻下南原，他便无法使武州与清海镇相接；同时，也将无法构筑一条稳固的军事防线。因此，金阳决定攻破南原。

当时金允长任南原城太守，他是金阳叔父金欣的后辈。生性耿直的金允长与他的部下共赴疆场，誓守南原，与金阳的平东军展开了激烈的战斗。

南原城的城墙以石块砌成，由五百士兵把守。金允长一面死守城郭，一面急急地派人送信请求援兵。但是由于兵力悬殊，还没等救兵到来，金允长保卫的城邑就在郑年的率领下被攻破了。

郑年的骑兵号称天下无敌，他一出兵，攻无不克，因此常常作为先遣部队，“骑马使枪，莫敢对垒”。

郑年率领他的先遣骑兵以犹如辟开参天大树之势，击败了敌兵，冲破了对方的防线。目睹此景的金阳赞叹不已：

“确似杜预之风，犹如破竹之势。”

破竹之势。

晋武帝时，大将军杜预讨伐东吴，最终使三国时代画上了句号。

当时，他的部下建议："今即攻打东吴实有困难。现春雨绵绵，疫病亦时时侵染，先行退兵后，再做打算，如何?"然而杜预坚定地否决："不可退兵。今我军之势可破参天大树，怎可放弃如此绝好机会呢?"他坚决反对退兵，一鼓作气打败了东吴，成为统一中原的大英雄。

破竹之势，即以辟开参天大树之势击破敌军，这正是比喻杜预的战术所具备的猛烈的攻击性。而郑年就是此类英雄，他拥有杜预般的战术和武艺。

这样，金阳以两日之时占领了南原，太守金允长弃城而逃，被平东士兵在芝梨山上俘获。

当金允长被五花大绑带到金阳面前时，金阳立即走上前去给金允长松绑，一边说道："我们之所以成为敌我，相互攻打，都是出于误会，而不是为了得到南原城。所以，我并不仇恨你。"

谁知，面对着正在松绑的金阳，金允长却以唾骂回答了他，唾沫正吐在金阳的脸上。

"若是我早知道你这个家伙是叛贼金宪昌的叛骨，身上流着叛贼的血，当时就该杀了你。"

旁边，将这一切都看在眼里的郑年，急忙上前想要擦掉金阳脸上的唾沫，却被金阳一把推开，喝道："别动，擦掉脸上的唾沫就表明拒绝对方。"接着又对金允长说："那么，你还有什么愿望?"

金允长毫不犹豫，立即答道："我不想死在敌人的刀下，你就成全我结束在自己的手上吧。"

话音刚落，两旁金阳的部下，个个全都气势汹汹地拔出刀来，要杀掉这个侮辱大将军的俘虏。然而，金阳却制止了他的部下，答应了金允长的要求。只见，金允长"嗖"的一下拔出身上佩带的匕首，一把插进了自己的胸膛。

金允长死后，金阳以极其高的礼节厚葬了他，而吐在自己脸上的唾沫却一直保留到变干为止，没有擦掉。

对此，郑年很是奇怪，问道："您为什么不早点儿擦掉呢?"

金阳则这样回答："擦掉唾沫，表明我拒绝吐者之意。"

"可是，那家伙不是侮辱大将军您了吗，理所当然就应该拒绝他，不是吗？"

"可拒绝的前提是接受。"

"您为何这样说？拒绝是逆，接受是顺。逆和顺怎么会一样呢？"

这时，金阳笑了。

"他的确吐唾沫在我的脸上侮辱我，可这只是他的意思。如果我擦掉，表明我接受了他的侮辱。而不擦，直到它自己变干为止，则表明我不接受他的意思。也就是说，他不过是吐在虚空中而已。"

"若真是这样，那他侮辱的又是谁呢？"

"既然不是我，"金阳哈哈大笑起来，"自然就是他自己了。"

唾面自干。

一直等到别人吐在自己脸上的唾沫自然变干，指人生处世有时必须以极度容忍的耐力容忍一切。

金阳的这一席话，以及他先前的这种与常人截然相反的行为，使郑年真正见识到了金阳与众不同的风范。

如此，金阳统率平东军出征未满一个月，便占领了武州和南原，已经掌握了新罗领土的一部分了。

然而，得胜的平东军还未来得及享受这些胜利战果，金阳便又发出了撤兵退回清海镇的命令。立时，军中上下议论纷纷，将领们也都满脸疑问，尤其是郑年。

郑年引用金阳称赞自己像名将杜预一样有犹如破竹之势的比喻，反驳道："为什么要退兵？大将军不是说，我军有辟开参天大树的气势吗？"

"因为，杜预还曾说过，劈开三两下即可，余下的顺着刀刃，便自然开裂。"

金阳说得很对。

劈树时，第一下、第二下，甚至第三下都非常困难，但有了这几下之后，顺着刀刃，这树就会极其容易地"迎刃而解"。

但是，金阳的这种回答使部下们更是迷惑而不得其解，于是干脆直接问道："是啊，如今我们已经占领了武州和南原，这就等于头几下，其余的还犹豫什么呢？只要一路直下攻到徐罗筏，这树不就辟开了吗？大将军为什么要放弃这个绝好的机会呢？"

然而金阳断然否定了这种说法，坚定地回答："现在，士兵们长期作战都已精疲力竭，马匹也疲乏劳累。这正是该回去休养的时候了。"

于是不久，平东军便班师回朝，退到了清海镇休养一段时期。撤军的理由一直被大家认为是军马劳顿的缘故，以至于《三国史记》中的记载也是这样。然而，这不过是一个表面上的借口罢了，其实金阳撤军的理由却在别处。

这是金阳思虑了很久的一个计划，他今天后退一步是为了明天能够前进十步。

金阳回到清海镇之后，不仅休整了兵马，更重要的是，他要使张保皋立一个坚定而不可动摇的决心。

虽然张保皋的一万兵马有五千，即一半是他借来的，但他却从始至终毫不贪恋他人军权，而且一直对此对彼保持着中立的态度。但是，他这种不即不离的态度却令金阳深感不安。

自从金明集中兵力反攻徐罗筏，登上了王位之后，金阳一直等待一个时机能与金明一决胜负。毫无疑问，这需要有更多的兵力，因此，金阳急需张保皋的支持。

金阳认为，如今只要借助张保皋的兵力，他就可以战胜金明。而且，这是惟一的一个方法，只有依靠张保皋。

金阳十分清楚这一点。

所以，金阳要想方设法促成张保皋下这个决心。事实上，很早以前金阳便开始暗自谋划，为有朝一日能够建功立业提前做好了准备。

回到清海镇的第二天，金阳立即去拜访了金祐徵。

“祝贺你取得了胜利！”

身为总司令官而未出征的金祐徵满面笑容，祝贺战果累累、凯旋而归的金阳。接着他问道：“但是，为何将军不趁这骑虎之势乘胜追击呢？这未免有些不妥吧？”

骑虎之势。

顾名思义，指骑着老虎奔跑的气势。而骑在老虎身上的人在老虎停止脚步之前，中途却无法起身，否则就会有被老虎伤害的危险。这便是骑虎之人的境地。既然这样，就应该坚持到底才是。

“大人，因为有比骑虎更重要的事情，所以小人就回来了。”

“有什么事情这样要紧？”

“画龙点睛。”

听到金阳的回答，金祐徵连连摇摇头，问道：“什么龙？谁是这龙？我听不懂将军究竟在说什么？”

于是，金阳微笑着回答：“大人，大人难道已经忘了先辈了吗？不知大人是否还记得多年以前的半夜造访，小人向上大等大人的一个请求？”

金祐徵记得金阳所指的这件事请，那已经是十年前的事了。那时，金阳设法躲开耳目，深更半夜求见父亲上大等大人金均贞，要求无论如何派自己去武州任都督一职。

“那时，上大等大人曾问小人，为什么一定要去武州任都督。小人回答说想去武州上任都督只是为了能结交上张保皋大使。所谓远交近攻嘛。古人认为应该结交远国结为同盟，而共同攻打邻国。因此，为了讨伐邻国新罗，小人自以为有必要结交张保皋大使，与远处的清海镇结成同盟。这便是小人一直以来的想法，而且一切也按照小人的预想实现了。”

金阳的这番话倒是千真万确。

十年以前，金阳便预测到今天会有这样的局面，那时他便开始为策划今天这个计谋而准备了。

这时，金阳压低了嗓音说道："十年前小人所预测的事情，如今都一一应验了。现在大人若想报仇雪恨，重新得到天下，除了张保皋，天底下便再也没有能共同图谋的人了。所以，如果张保皋不是龙，那还有谁能是龙呢？"

说到这里，金祐徵才明白这龙是指谁了。

"大人，"这时，金阳靠近一些坐过来，诚心诚意地说道："这龙若是只画在纸上，它果真能飞吗？"

"当然不能。"金祐徵摇了摇头。

"那么，若要画里的龙活动起来该怎么办呢？"

"只能点上龙的眼睛吧。"金祐徵回答。

画龙点睛。

如字面之意，给画中的龙点上眼睛，即要将画最终完成的意思，传说这是从中国南北朝时梁代名画家张僧繇而来的。一次，张僧繇受金陵（现南京）安乐寺住持之托，在寺壁上画了四条腾云驾雾、似飞欲飞的龙。画好之后，人们纷纷围上来观赏，并为张僧繇的画技赞叹不已。

欣赏之余，人们发现一个奇怪的问题，这两条龙的眼睛并没画完。当人们问起的时候，这位画家却回答说："若是画上眼睛，龙便会飞走了。"

但是人们不相信画里的龙真的会飞走，偏要让他画。于是，张僧繇无奈提起画笔点上龙眼。谁知，刚点了两条，只见墙上雷霆大作，震破墙壁，这两条龙便乘云飞出，升上天去，而墙壁上留下一片空白，只剩下还未点睛的两条龙。

从此以后，便有了"画龙点睛"的说法，画龙要最后才能点上眼睛去完成它，比喻做事时关键部分要最后完成，才能达到最好的效果。

"大人，"金阳继续问道："大人以为张保皋大使的眼睛要怎样点为佳？"

金祐徵默默思索，没有回答。

于是，金阳这样说道："若不为张大使点睛，那他只能是画里的龙。而想要为皇上和皇妃报仇，则必须要使张保皋大使行动起来。"

金祐徵依然无语。沉默一阵之后，金阳首先开了口："小人倒有一个可施之计。"

"什么计策?"

"这计策就在大人的手边。"

"就在我的手边?" 金祐徵用疑惑的眼神看着金阳，问道："你为什么说就在我的手边呢?"

于是，金阳解释说："因为这条龙是大人您画的，确是这样。在纸上画出龙的画师正是大人您哪，所以，给龙点睛的事情不该劳您的贵手吗?"

"那我又该怎样画呢? 将军不妨讲一讲。"

为了防止隔墙有耳，金阳环顾了一下四周，声音压低得只有他旁边的金祐徵才能听到。

"那小人就失礼了。"

一见金祐徵点头允许，金阳便立即近身上前，在金祐徵的耳边窃窃私语起来。

听完了金阳的密谋，金祐徵脸色大变。

"什么！我年已四十有六，怎能再举行婚典呢。"

"大人!" 金阳一本正经地说："只有这样，惟有这一计可画龙点睛啊。"

此计便是政治联姻。

这是一种不考虑当事人的意见，完全按主婚人的利益而强制的婚姻。这正是金阳的计谋中重要一环。

张保皋生有二子，一男一女。儿子后因受父亲的牵连遭到迫害，逃亡日本。而当时，张保皋的女儿未及婚嫁之年，只有十三、四岁。

张保皋给女儿取名为义英，并且格外疼爱这个孩子。金阳在清海镇的几个月期间，从未见过张保皋的夫人朴氏，却常常能看到他的女儿义英。

据传闻，张保皋的夫人曾被海寇贩卖到唐朝时的中国大陆沦为奴隶，后来被张保皋营救。张保皋那样憎恶那些海寇，不仅因为他曾亲眼目睹那些被海寇强行劫持沦为奴隶的新罗人悲惨的命运，而且他所心爱的妻子也有过同样的经历。当时，这个传闻被传得沸沸扬扬，人人皆知。

张保皋的女儿义英聪慧且貌美，一次，金阳在看到义英的刹那间，电光火石一般想起了向朗慧和尚占的那一卦。

"因三女得世。"

既然点明是女人的女，必指男女之间而言；得世则说明他将会成为乱世中的枭雄。金阳逼迫妻子四宝自尽，搬开了阻挡自己的绊脚石。如果说这算是利用了第一个女人，那如今会不会是到了该利用第二个的时候了呢？

想的正是。

或许，张保皋的女儿就是他要在世上寻找的第二个能助他得势的女人。

若能促成张保皋女儿义英和金祐徵的婚事，或许就是卦中所指的那个画龙点睛的秘诀吧。张保皋将女儿高嫁于金祐徵不仅是攀龙附凤，而且还抬高了地位，改变了下等人的身份。反之，金祐徵若下娶张保皋的女儿为妻，得到的将不只是一个人，而是一个强大的军事后盾，可为报仇雪耻助一臂之力。这便是金阳一直以来所谋划的一石二鸟之计。

听到这一计，金祐徵面露难色，说道："可我已是有妇之夫啊。"

金祐徵的担心不无道理，他确实早已娶妻。这位夫人名贞继，在《三国史记》中被称为定宗太后。

"大人，不管怎样您只是有正房，可并无二房，不是吗？"

正房是指原配夫人，二房则是指小妾。按当时古代的风俗，若愿意是可以娶妾的。

“不过，我年已老迈，不适宜再娶了，而且从古至今，只有新罗贵族之间可以通婚，却从未有过下娶之说啊。”

下娶即落婚。

门第高的家族与门第低的家族之间联姻被称为落婚，也叫降婚。这种不循常规的婚姻在新罗贵族阶层中甚为罕见。

新罗的贵族们一直固守其氏族内部间的近亲婚姻制，如之前的宪德大王，迎娶的是其堂姐；而兴德大王则立其侄女位王后。

因此，无论张保皋大使背后的势力有多么强大，他都不可能跨越新罗贵族的传统，与贵族中的王室联姻。

“大人，”看到金祐徵依然举棋不定，金阳语气坚定地再次劝说道：“古代越王勾践为了报仇雪耻，每日睡在柴草上，饭前必要尝一尝苦胆，后人称此为卧薪尝胆。而且，他还在臣下面前发誓必为冥间的父亲洗刷耻辱。那大人您是否曾为了不忘给父亲报仇而睡在柴草上呢？或者您是否为了记住耻辱而尝过苦胆？是否为了报仇您曾对死去的人发誓？如今，报仇雪耻惟有此计，您究竟还犹豫什么呢？”

金阳的这一番苦口婆心动摇了金祐徵的思想，最后他终于答应向张保皋的女儿求亲。

“那么大人，”金阳请求道：“就请书写一张龙凤礼书吧。”

龙凤礼书。

即婚书，这是古代男方向女方求亲纳彩时，送给对方的一种求婚的书函。这种书函必须写在大红底色并画有金色龙凤图案的信纸上，因此称为龙凤礼书。而接到这龙凤礼书的一方若不退回书函，就表明同意这门婚事，这样双方便可以纳吉请期了。

从金祐徵的手中接过龙凤礼书，金阳按捺不住心头的喜悦，畅言道：“这下，张保皋大使这条龙与大人您便血脉相连，使龙得以升天，而凤也可以飞上天空了。”

但是，事情果真能如此吗？

果真如金阳所设想的那样，张保皋与金祐徵的政治联姻能够使龙凤升天吗?

然而，谁也没有料到，这场婚姻日后却给张保皋带来了致命性的悲剧下场。当然，这是后话。

当张保皋看到金阳递上的龙凤礼书，他满面诧异，问道："这是什么?"

话音刚落，只听金阳回答道："请您过目。"

于是，张保皋打开了这张系着红线的信折。信折上的红线象征传说中月下老人手中牵着的姻缘线，意味着男女之间的姻缘关系。

"啊，这不是龙凤礼书吗?"张保皋大吃一惊，叫道。

"正是，大使大人。阿餐大人恳求能与大使大人之女结为百年好合。良缘难逢，大使大人万万不可推辞升攀的机会啊。"

张保皋无法相信金阳的回答，因为在当时新罗森严的等级社会里，千百年来，贵族阶级一直维护氏族内的通婚制度，这种事简直无法想象。

在新罗贵族阶层里，若不是出身于完全纯正的圣骨血脉，便无法成为新罗贵族中的一员。更何况金祐徵家族属于名门中的名门，张保皋的确无法相信如此不合常规之事竟然发生在自己的身上。

"大将军，"张保皋直视金阳说道："在下是出身卑微的海岛之人，怎敢与名门圣骨互结姻缘呢?"

张保皋道出的是事实。

海岛出身地位卑微的贱民张保皋，对金祐徵的请婚未敢当面接受。因此，金阳再次劝说："阿餐大人希望能借助大使大人的兵力为皇上和皇妃雪耻，若是没有大使大人相助，如何言报仇之事。

虽然大使大人叹息，卑微之身怎可与贵族之门联姻，但自古有'嫁女须胜吾家'之说，嫁女只有选择家产和名望都高过自家，女儿才算守住妇道。请大使大人务必接受阿餐大人的请婚。"

接着，金阳又说道："唐朝初年，有个叫韦固的人外出，在月下遇到有位老人席地而坐，正在那里翻一本又大又厚的书，而他身侧放着一个装满了红色绳子的大布袋。

韦固很好奇地过去问他说：‘老伯，请问你在看什么书呀！’

那老人回答说：‘这是一本记载天下男女婚姻的书。’

韦固听了以后更加好奇，就再问他：‘那你袋子里的红绳子，又是做什么用的呢？’

老人微笑着对韦固说：‘这些红绳是用来系夫妻的脚的，不管男女双方是仇人还是距离很远，我只要用这些红绳系在他们的脚上，他们就一定会和好，并且结成夫妻。’

男女被红线缚住了脚踝走到了一起，虽然两家之间彼此仇视，他们最终仍结为夫妇，其嫡出之子继承了家族。

仇家之间都可联姻，更何况大使大人与阿餐大人间并无嫌隙呢？”

张保皋听到此话被金阳说服，接受金祐徵送来的龙凤礼书，答应了他的求亲。这样，金阳促成了金祐徵与张保皋之女义英的婚姻。

当然，婚期就定在消灭金明，为先王与王妃雪耻之后。于是，金阳终于达到了自己真正的目的。

完成了这番艰难而成功的说客工作之后，金阳连呼快哉，快哉，喃喃自语道：“现在所有的准备都做好了，金明的好景不长了。”

然而，当张保皋的夫人朴氏知道自己的夫君已经接受金祐徵的求亲时，不禁长叹起来：

她幽幽地问道“大人为何一点儿商议也没有便答应下来了？”

“我希望看到我的女儿义英能嫁到一个名门贵族的家门里。而且，如果日后军士们能够打败新罗朝廷，平定患乱，阿餐大人便会成为皇上，那我的女儿不就是皇后了吗？”

听到了夫君的回答，朴氏讲了一个故事。

“在我的家乡流传着这样一个故事：一只田鼠为了子女的前途，要给他们寻找一个门第高贵的亲家。开始，田鼠认为天是最高贵

的，就向天求亲。谁知，天却说：‘虽然我拥有万物，但若没有日月就无法施展我的能力。’

“听到这话，田鼠就找到日月，向他们求亲。但是，日月又这样说：‘虽然我能照亮大地，但是云彩却能遮蔽我的光。所以，云在我之上。’

“于是，这次田鼠又向云求亲，不料，云却说：‘虽然我能使日月失去光芒，但是起风的时候，我会被风吹散。所以，风在我之上。’

“这样，田鼠又找到了风，风回答说：‘我的确能够吹散云，只是地上的石佛，怎么吹它都纹丝不动。所以说，石佛在我之上。’

“无奈之下，田鼠只好向石佛求亲，石佛这样回答它：‘我并不害怕风，但是！若是田鼠在我的脚底挖洞，我便会轰然而倒。因此，田鼠在我之上。’

“听了这一番话，田鼠耸耸肩感叹：‘原来世上最高贵的莫过于我们田鼠了。’”

朴氏心平气和地讲到这儿，抬眼看了一下丈夫张保皋，说道：

“最后，田鼠还是和田鼠结了婚。大人，就像这个故事一样，作为田鼠，最合适的配偶还是田鼠。难道田鼠与日月结亲，它就会变成日月吗？难道田鼠和石佛联姻，它就会成为石佛吗？”

“夫人的意思是把义英当成田鼠吗？”张保皋听了微微有些不快，提高了声音反问道。

然而，夫人朴氏并没有因此而后退，反说：

“古人云‘野鼠之婚’指的正是这种‘田鼠之间的婚姻’，对于田鼠来说，再没有比田鼠更合适的配偶了。大人，像我们这种出身低微的贱民，那些我们连正眼看都不敢看的日月风云一样的贵族并不适合我们呐。大人，现在还为时不晚，请您退回龙凤礼书，解开女儿脚踝上的红线吧。”

夫人朴氏的这番话，字字句句都是事实。

然而，张保皋却突然冲夫人发起火来：“古人还说‘王与侯，将与相，生而异?’人与人地位身份的贵贱，并不是从出生时就有区别的，只要勤奋努力，任何人都可以改变自己的地位。”

张保皋理直气壮，信心十足。

张保皋的这种观点由来以久。据说很早以前有平民百姓看到皇上巡游，车马豪华，气势森严，感到忿忿不平，于是骂道：“王侯将相，宁有种乎!”从此开辟了一种要求平等的新思想。这句话一直被张保皋记在心中，成为他的梦想和抱负。

虽然没有跨越夫人这道阻碍，但是，为了实现自己的梦想，年幼之时便离开家乡的张保皋，曾来到唐朝时的中国这个全新的世界。经过一番拼搏，他终于以高强的武艺成为军中小将，达到身为异国之人的最高级别。

但是这并不是张保皋的最终目标。后来出乎人们的意料之外，他竟然成为了清海镇大使，成为拥有无数财富和一万兵力的强权者，一位统治其海上王国的海洋之王。

然而，他血脉中涌动的血液却依旧无法改变。

可是如今，若是他果真能够消灭金明，辅助金祐徵成为皇帝，义英自然而然便会成为皇后；若义英成为皇后，那他自然就会以皇帝岳父的身份被封为王侯。

于是无论有多少阻力，金张两家还是约定了婚期，金阳画龙点睛的计谋也终于得逞了。

等到同年十一月，金阳盼望以久的时刻终于到来了。

恰巧在这一月，西方有彗星显现，彗星的尾巴一直扫向东方。彗星原本是围绕太阳旋转的一种星体，拖着一条长长的尾巴。

金阳一听说彗星尾巴指向东方的消息之后，认为时机已到，便四处宣传：“彗星的尾巴向东指，是在传达上天要助我一臂之力消灭东方的信息啊。”

金阳用兵的目的是“除旧布新，报仇雪耻”，为了平定东部，甚至军队的名字都叫平东军。他一下抓住这次机会，利用彗星显现的天象，在普天之下八方宣扬，说什么这是上天的征兆，指引他们去平定东部。

于是十二月，平东军向徐罗筏进军了。

总司令官金祐徵身佩弓箭，骑一高头大马，亲自出征。金阳则一如既往，自称平东将军，率郑年、阎长等六名干将统领大军，浩浩荡荡地出发了。

而此时，曾为金阳亲信的金良顺听说此信，也急忙带领人马归于其名之下。如此，一时间军中上下士气高涨，冲破云霄。

平东军首次与官军正面接触，是在今罗州郡南坪面武州的铁冶县以北。

新罗官军在金敏周的指挥下，在铁冶县以两倍兵力布好阵势，迎接平东军。

铁冶县位于罗州郡南坪面，此地为一开阔平原，因自古以来多产铁矿而得名。百济时代称为宝于山县，被新罗吞并后改称现在的名字。此地还因四周有枫山和德龙山围护，成为各国相争的军事要地。

金敏周任新罗兵部副官之位，称为大监。他是军部中总管全部军务的第二人，在军中权力之大只在一人之下。

虽然一将之下设有两名大监，但得到金阳率平东军进攻的消息，金明意识到事态严重，不可轻觑敌方，于是派出优秀的军事家金敏周应战。同时，他亦希望能够从铁冶县一战中窥伺到平东军的真正实力。

金阳率军五千，而金敏周却领兵一万，在数量上是平东军的两倍。然而平东军个个勇猛好战；而新罗官军，虽然为精锐部队，但是其军中士气却非平东军的冲天之气可比。

两位将军在铁冶县展开了战斗。新罗官军凭山城之城严阵以待，而平东军则借德龙山摆兵布阵。

平东军虽然在数量上不占优势，但其战术的机动灵活却比对方更胜一筹。那是因为平东军的战马。张保皋早在立身武宁军，讨伐藩镇所经历的大小战役之中，便认识到了马的重要性。

李正己正是凭借出色的骑兵，占领了大片领土，巩固了自己藩镇的势力范围。因为，一名骑马冲锋的骑兵可以抵挡百名手持矛枪的步兵，以一挡百，毫不夸张。

张保皋十分认同这一点，他甚至还在南海的无人岛上放牧养马，使一万名士兵个个都佩马武装。

尤其是以郑年为首的那些曾与张保皋一同活跃在武宁军中的骁将，个个都善驾驭战马，神出鬼没。骑兵灵活机动，是速战速决的关键之所在。

然而出乎意料之外，才一出兵，平东军便遇到了问题。还没等正式开战，冲在最前沿的骆金、李顺行便先行撤退回到军中。

“发生了什么？”骑马观战的金祐徵问道。

骆金察颜观色，小心翼翼地回答：

“将军大人，出现了一个意外情况。”

“意外情况？”金阳怒视两人，问道。

但是，这两人你看我，我看你，谁也不敢开口。

“什么事情！没听到问话吗？”

在金阳大声斥责下，骆金才勉为其难地开了口：“敌军传出话来，说他们抓了将军大人的女儿为人质。”

顿时，整个军帐里一片沉寂，每个人都汗毛竖立，像是吹过一阵冷风似的。

骆金所言那将军的女儿是指金阳的独生女德生。

当年，金阳身受重伤，在走投无路之下，两年多一直躲藏在柏栗寺以和尚的身份掩人耳目而暗中疗伤。后来夫人四宝带女儿找上门来。

那段时期，金阳正值图谋治国大业之时，而夫人却是带着岳父利弘的最后通牒而来的。于是为了不影响自己飞黄腾达，立身扬名，他不得不逼迫妻子四宝自尽。

那时，女儿德生就躺在妈妈的身边。金阳对女儿熟睡的样子至今仍记忆犹新。那时她刚五岁，如今日月变换，她也该七岁了吧。

然而，金阳并没有因此而茫然失措。他在想，就算妻子死得悲惨，女儿德生被柏栗寺的住持月如收养。可是，现在她是被敌人抓住当了人质啊。

“啊呀，”正在此时，金祐徵叹息道：“这如何是好啊？战争也该依军规而行嘛。都说若想持久争战，关键在铠甲与头盔。而如今，竟然连年幼的孩子都成了战争的要挟。没想到国家社稷竟已堕落到如此地步啊。”

甲胄生虮虱。

《韩非子》里曾有“久战甲胄生虮虱”一说。意思是，打仗打得时间太长，以至于铠甲里竟然长了虱子。

沉默了很长一段时间以后，金阳不露声色，泰然自若地说出了这样一番话：“请大人不要过于担心。古代百济曾有一位将军叫季柏，在国家将亡之时，他面对自己精心挑选的五千名决死队员说：‘以一国之力对抗唐与新罗两国之和，我们无法预测国家的存亡。所以，既然本将家室有被俘的可能，成为敌人的奴婢，虽然活着却受到辱骂，那莫不如死了痛快。’

说罢，季柏当即便手刃妻妾，毫无顾虑地冲向了战场。同样，将我军的五千将士视为决死队员也并不为过。别说一万敌军，即使唐军十万，我军也不会后退半步。

无论何时，我军将领都愿以身报国。如同季柏一样，与其家人被俘为奴，受辱挨骂，不如死而后已。所以，恳请大人不要为此忧心。”

但是，金祐徵仍然摇摇头说：“将军，怎能让幼女为战争而牺牲呢，还是集合军兵撤退把。”

这时，金阳哈哈大笑起来，说道：“人生迟早都会以死结束，即使这次女儿死了，等到天下太平之时，无论多少子女都能再有，难道不是吗？”

金阳说罢，立刻纠集军兵，命令击鼓前行，亲自率兵急驰而去。

金阳一直冲在最前线，带领士兵如旋风一般，不一会儿便来到敌军城下。

他喝住战马，向城内高声喊道："我是平东将军，要与金敏周大监对话!"

金敏周听到喊声，便来到城楼上探察。他刚一露出头来，只听得城下的金阳愤然喝道："抓了我的女儿，倒是敢当面让我看看哪!若真是我的女儿，我当即领兵回身，不在话下。但若不是，我会剖开你的肚子，挖出你的心肝下酒喝!"

听了这话，金敏周微微一笑，回道："是你在放肆。原本只道你是反贼金宪昌的贼骨，还不知你是个不畏虎的牛犊啊，胆敢集结军队叛国。来人，给他看看他想看的。"

话音刚落，城楼上立即出现了一个女童模样的孩子，头上还戴着一顶夺人眼目的红色童帽。

几乎与此同时，金阳抽出一支箭来，搭弓拉弦出了手。箭"嗖"的一声伴着哨响飞了出去。这是一支鸣镝的箭。

在那一瞬间，头戴红色童帽的女孩一下中箭，应声而倒。

正是金阳，这个作为父亲的人射中了自己的亲生女儿德生，眨眼之间夺去了女儿的生命。

顿时，两方所有的士兵们被这突如其来的事情吓得哑然失色，目瞪口呆。他们怎么也没想到，金阳竟然毫不犹豫地亲手射杀自己年幼的女儿，而且就发生在这一瞬之间，这一切简直不可思议。

然而正是金阳这种毅然决然，为了胜利而牺牲女儿的意志和态度，激发了平东军勇猛不屈的精神和不可遏制的士气。旋即，金阳带领这支平东军上上下下团结一致，发起了全面的总攻击，很快便攻破了城邑。金敏周逃出城外，躲避到附近的平山，被骆金带领的士兵擒住，杀了。

就这样，金阳率领五千誓死平东军一鼓作气，只一下便剿灭了金敏周的一万官兵，取得了极大的胜利。

得胜的平东士兵们在城内四处查看，企图寻找到将军女儿德生的尸首，将其埋葬，但是竟然什么也未发现。他们分明亲眼目睹将军的女儿德生中箭而倒，可在城内上下一一搜索，仍未所得。

然而出乎人们意料之外，一名士兵在城楼的石墙上发现了一件东西。那是一个用麦秸扎成的娃娃，远远看去极像一个活生生的孩子，而实际上却是穿着童衣，戴着童帽的稻草人。

这个稻草人的胸口正中插着一支箭，竟然就是一支鸣镝的箭。

金阳一直爱用一种能发出哨声，且箭杆装饰有金色野鸡羽毛的鸣箭。毫无疑问，稻草娃娃身上的这支箭正是他射的那支。

原来，金敏周其实并未抓到金阳的女儿德生。但是，他为了先声夺人，用一个假人来挟持金阳，以便能挫败平东军之士气。

兵贵先声后实。

古人认为，两军相战，不战而胜为上，若万不得已才以武力取胜。所以，这分明是金敏周夺人士气的一个诡计。

“真是令人震惊啊，大将军。将军出箭有力，竟然都能射入石中啊。”金祐徵指着被金阳射中的稻草人说道。

“若不是大将军的箭法如此高超一箭中石，我军恐怕不会如此迅速地获取空前的胜利啊。”

金祐徵所谓一箭中石，是从称赞中国古代名将李广的一句成语“中石没镞”而来的。李广尤以箭术和马术见长，在北方匈奴犯境之时，常能制敌先机，被称为“飞将军”，致使敌人闻风丧胆。

有一次，李广与同伴去山林中射虎，日暮时分，当李广转过一山包时，突然发现山脚下的草丛里，若隐若现地蹲着一只猛虎，仿佛就要向他扑来，李广赶忙搭箭，“嗖”地一声向猛虎射去。

奇怪的是，那虎明明中了箭，却不知为何毫无挣扎之相。心中疑虑的李广提刀持棒走上前去一看，原来，哪里是什么猛虎，分明是一块大石。再看那支箭，箭簇已射进石头，拔也拔不出来。

“啊，怎会这样，这一箭竟能射进石头里。”

于是，李广又照原样向石头射了几箭，只见石头迸出火花，箭也应声落地，即使用尽全身力气，再也无法射进石头。

因为那头一箭是为了要一箭杀死猛虎，使出浑身力气射出，力量之大竟中石没镞。而后几箭，却明明知道那不是虎，便也无法超常规发挥。

从此以后便有了“中石没镞”说法，意思是如果全神贯注，使出浑身力气，便会以超常的力量发挥出惊人的效果。

金祐徵赞叹金阳“大将军一箭中石”就是如此。

金祐徵以为金阳之所以能够一箭中的，是因为金阳认为那个戴着红色童帽的娃娃就是女儿德生，所以才能这样使出浑身解数。倘若事先知道是个稻草人，肯定不会一箭射中。因此，他更加坚定地相信金阳对女儿的行为是大义灭亲，而恰恰这种毅然决然的意志，就是带动军兵取得光辉战绩的原动力。

然而，金祐徵却完全错了，他并没有真正看透金阳的内心。

事实上，金阳在射箭时已经认定，站在城楼上的不是他的女儿德生，而是一个稻草人。

因为女儿德生在丈人利弘的眼中是可爱的孙女。利弘是与金明关系最近的当权者，一人之下，万人之上。虽然他对女婿杀自己女儿四宝的事咬牙切齿，但是，金阳肯定他一定不是一个将孙女德生用作人质的铁石心肠的爷爷。

因此金阳十分清楚，那不是一个活人，而是打扮成女儿模样的一个稻草人。同时，他也意识到这反倒是一次使平东军士气高涨，绝地反击的大好机会。

换言之，他要让全军都感受到自己亲手杀死女儿大义灭亲的果敢和觉悟，以振奋军心，鼓舞士气。

事实上，即使金阳真以为那就是自己的女儿德生，而不是什么稻草人，他也会照样发出箭来。因为，他是那个逼迫妻子四宝自尽，不允许腾达之路上出现绊脚石的金阳。

金阳坚信，只有走这条以五千决死队员击败一万大军的道路才是最有利的方法。而且，金阳同样清楚或许今后还会有与数万名官兵决一死战的时候，但这都是通向胜利的必经之路。

他想到了吴起。

吴起是中国春秋战国时期杰出的军事家，著有与孙武的《孙子兵法》地位等同的《吴子》兵法一书，是一位卓越超群的英雄人物。身为鲁国将军的吴起，其妻是他本国的女人。后来为了避免他人的怀疑，他竟然将妻子杀死以示忠心。在这一点上，吴起和金阳是相同的，他们杀妻都是为了避嫌显忠。

不仅如此。

吴起每战必胜，其原因在于他极其爱惜自己的部下，以至于部下受疮疡之苦时，他竟会吮吸脓疮，亲自为他的部下医治。因此，吴起的部下全都为吴起这种爱兵如己的行为感动，对吴起赤胆忠心，成为一支天下无敌的军队。

此谓“吮疽之仁”。

即对别人施以口吮吸脓疮的仁慈。

为士兵以口吮吸脓疮的吴起之所以在部下面前做出如此令人感激涕零的行为，并不是因他卑下谦虚，而是为了笼络部下的人心。

与此相同。

既已清楚不是自己的女儿，只是一个稻草人，金阳却仍然从容坚定地一箭射中，做出大义灭亲的样子。他这样表现也是为了得到士兵的忠肝义胆，与吴起口吮脓疮并无两样。

总之，金阳在第一场战役中取得了辉煌的胜利战果。

后人纷纷认为金阳只以一箭取胜，是一个为夺取胜利而不择手段的乱世枭雄，并将铁冶县一战称为“一箭射没金饮羽”。

由此，后世之人可以窥伺到金阳戏剧性人生的一个片断。

正当这边庆祝胜利的时候，那边朱砂山烽火台的烽烟已燃起了第五炬。朱砂山位于徐罗筏以西约四十里，是敌军进攻王都的必经

之路。

烽火台是作敌人进犯情况紧急时，传递消息之用。夜间点火称为烽，白昼燃烟称为燧。

白天由于风云雪雨的遮蔽，有时无法观望远处，遂以烽火作警示信号。若遇到十分紧急的情况，则燃烟数次。

那时，烽火所燃之物通常是原野里的狼或其他野兽的粪便，因此又称之为狼烟。而眼下朱砂山烽火台已狼烟四起了。

朱砂山烽火台与方山烽火台相连接，以传报徐罗筏西边的军急消息为主，是向新罗朝廷禀报之前的最后一站。

朱砂山烽火台已经燃起了第五炬烽火，这实在是一个不祥之兆。

通常，平安无事燃烟一炬；危情突发燃烟二炬；敌人入侵，进犯边境燃烟三炬；敌我交战，不分胜负则燃烟四炬。而今已燃烟五炬，表明我军已被敌军击溃，节节败退。这已经属于最高警示了。

其实几天以前，新罗王都的朝廷已接到铁冶县出现战况的消息，正焦躁不安地等待结果。如今，五炬烽烟已经清清楚楚地表明，金敏周带领的官兵一败涂地。

“这可如何是好？”

在许多朝中大臣聚集的御前会议之中，闵哀王金明异常焦急地问道。

“金敏周大监率领的我军被敌军击败。急报传来，金敏周大监已战死疆场。该如何是好啊？”

参加御前会议的都是当时最高权利的代表者，其中以利弘为首，还有金贵，金宪颂等。大家全都表情沉重，无人敢言。

“不仅如此，敌军正以最快速度向我王都袭来，即可冲破防线，不是吗？”

大王金明说的都是严峻的事实。

《三国史记》中也曾记载，十二月在铁冶县一战中，三千骑兵将一万官兵几乎全部歼灭。

打败了金敏周，平东军已无阻力可言，屡屡击破各地的防御战线，所到之处官方已毫无招架之力。

不知不觉，转眼间已到了第二年正月。金阳的军队正在冲破最后一道防线达伐，即将到达王都。

以往，每年正月的第一个地支日如子日、丑日、寅日等是宫内制定的一个禁日。每到禁日宫内主仆全都谨慎度日，不敢出半点差错，以至于后来有了成语“怛忉之日”。据说这些禁日是为了纪念炤知王避免琴匣之灾的缘故而定的。

这件事情的由来被《三国史记》记载了下来：当年炤知王的王妃与僧侣勾结，密谋那年的正月十五日暗杀大王。到了那天，王妃事先将僧侣藏于玄鹤琴琴匣之中。不曾想，在鼠、彘等物的帮助下，乌鸦将一张字条衔落在王的面前。于是，大王抢先一步辟开琴匣，杀死僧侣，及时避免了一场杀身之祸。从此以后，定每年正月十六为乌鸦纪念日，同时流传开以糯米饭祭拜乌鸦的风俗。

然而，金阳的军兵却无视这些传统的禁忌之日，仍然雄赳赳气扬扬地继续向徐罗筏进军。

据说在当时，金阳曾这样对军兵说道：“为了赞颂乌鸦而停止前进是决不可能的事情。日后等待完成为王报仇雪耻的大业之后，再祭拜乌鸦也不为迟。”

正在平东军如火如荼之时，新罗朝廷的御前会议之上，金贵终于打破沉寂，开口谏言：“大王陛下，请不要过于忧心。虽然我军战败，金敏周大监也战亡，但是我军已处于高度战备状态，随时都可以对抗敌军的讨伐，与敌军一决胜负。即使敌军再勇猛，也不过五千人而已，我军却是实实在在的十万大军，怎会杀不了敌军的士气呢?”

十万大军。金明所说的十万大军，事实上的确是《三国史记》中所记载的数字。

“那么，”金明问道：“派谁担任将军最为合适呢?”

这时，利弘回答道：“大阿餐金胤麟将军和金义勋将军正日夜指挥士兵加紧训练。”

金明承认，金胤麟和金义勋都属优秀军长之列。然而他也很清楚，若要指挥此次战斗，这两位恐怕不能完全胜任。金阳之所以能以五千小兵乘胜追击，长驱直入，完全是因为他们“除旧布新，报仇雪耻”的口号发挥了凝聚人心的作用。而且，同心同德的不仅是士兵，凡平东军沿途经过的那些城邑，城内百姓也纷纷夹道迎送，端茶倒水，甚至连某些官军也倒戈投靠，与他们一同齐心协力进军王都。因此，金明心里明白，即使他有官军十万与敌军对战，但若没有明确的作战目的与目标，怕是无法轻易取胜。

“除这两人以外，没有其他人选了吗?”大王金明问道。

无论如何，民心即天心。金明感叹为何自己竟没有一个可以聚民心为天心的人物?

这时，利弘不失时机地进言道：“大王陛下，事实并非是无人可替。”

“是谁?”

“正是阿餐泰昕。”

利弘所推荐的泰昕，就是金阳的堂兄金昕。

金昕学识渊博，不仅身为当时新罗第一学者，而且还是金明父亲金忠恭所推选派往唐朝的外交使臣，并曾得到唐朝皇帝的嘉奖，品至高官。尤其重要的是，在如今被金阳所进驻的城邑中，比如南原的江州，金昕曾在那里任大都督之职；还有其他的几个地方，金昕都曾担任过太守之位。并且，在金昕任职时期，地方百姓没有不对金昕尊敬钦佩的。所以，金昕与金祐徵和金阳相比毫不逊色，是一位真正能与金阳对抗的人物。

“可是，大王陛下，”金贵却言道：“阿餐金昕公并非武将，而是一位毫无骑马出征、领兵打仗经验的白面书生啊。”

“何出此言!”利弘反驳道：“金昕公早年出身花郎，金宪昌叛乱之时，他便参加平乱之战，以磨炼年幼之躯。不仅如此，金昕公可以胜任将军之位的理由，正是因为他是金阳的堂兄。金昕公之父璋如与金阳之父贞茹为亲生兄弟，金昕公与金阳则为同族兄弟。而且我已耳闻，平素两人之间的关系非常亲密。”

以往，利弘视金昕为自己的眼中钉，肉中刺。而且他一直认为金明与其父都盲目推崇金昕，实在令他感到不安。况且清除金均贞之时，无半点功劳可言的金昕竟然仰仗金明之势升至相国之位，令人厌恶之极。如今利弘借此机会力荐金昕，其意却在“以夷攻夷”，即以野蛮之民攻克野蛮之族，要实现他自以为以敌败敌的妙计。

一听到利弘推荐金昕，大王金明内心便当即认同。金昕所具有的人格上的魅力足以能够将四散的民心重新凝集起来，是对战金阳最为合适的人选。

“传金昕进宫。”

一听到大王的命令，利弘不禁面色得意，心中窃喜：“这次终于能够以夷攻夷，快哉，快哉。”

这“以夷攻夷”的说法首次出现于北宋第六位皇帝神宗之时，出自宰相王安石之口。这虽是王安石施行富国强兵政策的其中一个环节，却也是中国自古以来的一种传统的外交政策。

接到大王传旨进宫的命令，金昕脸色严肃，心情沉重，缓缓地开始更换朝服。

服侍他换衣的夫人贞明夫人一面帮助夫君更衣，一面小心翼翼地说道：“大人，大王陛下这样急切传您入宫，一定有重要的原因吧。”

金昕的夫人是金忠恭之女，即大王金明的姐姐。这位贞明夫人深知自己的弟弟，当今的皇上金明，为了权力不惜一切，甚至以杀死亲姐夫为代价，就是僖康王。而今，金明又这样急召自己的丈夫进宫，这使贞明夫人预感到一丝不祥之兆，这分明是一个阴谋。

贞明夫人与丈夫结婚十年以来，两人一直没有子女，然而他们夫妇之间的情愫却非常人可比。

贞明夫人仔仔细细地为丈夫更换朝服，每一个细节都亲手服侍，满手满心充满着无限的情意。只听贞明夫人轻轻说道：“很早以前，中国的孔子说过这样一句话：‘贤者避世，其次避地，其次避色，其次避言。’（注：贤人躲避乱世，次一等的躲避混乱的地方，再次一等的躲避别人难看的脸色，再次一等的躲避别人不中听的话。）大人切切不可忘记啊。”

贞明夫人所说的这句话出自《论语》中的“宪问篇”，是孔子教导弟子在乱世中怎样立身处世的方法。贞明夫人欲借孔子之言，提醒丈夫一定要躲避人心险恶的世间，躲避诡计多端的谄言。

听到夫人的一席良言，金昕温情脉脉地微微一笑，说道：“但是夫人，孔子还有这样的言语。当微生亩问道：‘丘何为是栖栖者与？无乃为佞乎？’（注：孔丘，你为什么是这样奔波不定忙碌的人呢？恐怕在凭你的能言善辩游说吧？）孔子回答说：‘非敢为佞也，疾固也。’（注：我不敢显示我能言善辩，而是痛恨那些坚持己见不肯改变的人罢了。）”

微生亩是中国春秋时期的鲁国人，他憎恶乱世，只求鹤立鸡群超然于世，于是隐遁起来。他与孔子的这一问一答是《论语》“宪问篇”中极其著名的一个对话。孔子一面主张躲避险恶世间，躲避混乱之地，躲避他人之疑，躲避谗言之群，而另一面却又强调不可因乱世之肮脏而躲避，反倒应该挺身而出，以清新的思想改变天下，使天下得到应有的秩序。

贞明夫人识破了其弟金明传丈夫金昕入宫，是为了要命其为大将军，与金阳应战，于是便忠告丈夫“躲避乱世为上策”。不料，丈夫金昕却认为“越是乱世挺身而出才是君子的责任”。两人双双都引用孔子之言，表达出自己内心的真实想法。

这时，贞明夫人接过丈夫金昕的话，又说道：“大人，孔子不是还曾这样说吗？‘朽木不可雕也，粪土之墙不可圬也。’大人，如今世间已腐坏得像朽木一样，混浊得如粪土般肮脏，又同即将塌倒的墙垣一样。无论大人您有如何高尚新颖的思想来改变世道，腐朽的树木也已无法雕刻成器，粪土般肮脏的墙也无法粉刷出一面新的墙垣出来。”

贞明夫人这次引用的是《论语》“公冶长篇”里的名言。

孔子对待学问一向是严谨诚实的，因此他也一直严格要求自己的弟子学习知识应诚实而勤奋。

可是，有一次孔子看到一个叫宰予的学生白天睡觉，于是非常不满，说道：“朽木不可雕也，粪土之墙不可圬也；于予与何诛?（注：朽烂的木头不能雕刻，像粪土一样的墙不能粉刷。对宰予这样的人哪，责备又起什么作用呢?）”

或许有人以为宰予不过是白天困倦罢了，孔子的指责未免太过严厉了吧，其实不然，因为孔子又说：“始吾于人也，听其言而信其行；今吾于人也，听其言而观其行。于予与改是。（注：从前我对于人，是听了他的话就相信他的行为；现在我对于人，是听了他的话还要考察他的行为。从宰予开始，我改变了看待人的方法。）”孔子不满的是宰予懒惰而不诚实的学习态度，因此以这样严厉的批评来警示大家。

“还有，”贞明夫人一面为丈夫戴正头上的黑色官帽，一面又说：“有道是：良禽择木而栖，贤臣择主而侍。”

良禽择木。

贞明夫人所引的“良禽择木”是孔子在卫国时说过的话。当时卫灵公寻问孔子关于作战布阵的事情，孔子立即回答：“俎豆之事，则尝闻之矣；军旅之事未尝学也。（注：祭祀礼仪之类的事，我听说过；用兵打仗的事，我没有学过。）”

之后，孔子便催促学生们准备离开卫国。学生们不知其故，于是孔子说道：“鸟择木，无木择鸟。”

此言后来演变为“良禽择木而栖，贤臣择主而侍”孔子认为，君子遇事之时应看清在哪才能使自己的聪明才智得到最大程度的运用。

贞明夫人正是以孔子之道委婉地劝说自己的丈夫：“因此，大人，千万要作出一个最稳妥的立身处世之道才好。大人与孔子一样，是一位学识渊博的学者，却从来未研习作战之法。况且，国家如腐朽之木一般败坏，世间如粪土之墙一般恶臭混浊，无论大人选择哪一枝，都已是行之将死之木，稍有劲风吹过则会有断枝之忧啊。”

贞明夫人异常谨慎地表明了自己的担忧，而知妇莫如夫，作为丈夫金昕也洗耳恭听到最后，才说道：“明白夫人的意思了。但是，即使良禽并不一定都不计较哪一棵树强壮繁茂，哪一棵是经不起风吹雨打的。虽然如今国家如腐朽之木一般败坏，世间如粪土之墙一般恶臭混浊，然而见危授命是义不容辞的事情啊。”

见危授命。

这也是出自《论语》，意思是“在国家存亡的危险关头，应该为了国家不惜献出自己的生命。”

已经更换好朝服的金昕，在起轿出发以前，回头望着贞明夫人，最后语重心长地说道：“孔子言：‘见利思义，见危授命，久要不忘生平之言，亦可以为成人矣。’（注：只要见到财货利益能想起道义，在危亡关头不惜献出生命，长久处于穷困的境地而不忘记平生的诺言，也就可以算是德才兼备的人了。）虽然我不能算是忠臣，但是我又怎能会见利忘义，又怎能不见危授命呢？好了，夫人，我去了。”

贞明夫人挥手送别丈夫，一直目送到丈夫的身影消失为止。之后，她倚靠在墙边站着，长叹一声：“唉，劝君不要渡河，而夫君竟要渡河啊。”

乘轿来到王宫的金昕正像贞明夫人所叹息的那样，踏上了一条不归路。

大王金明立即任命金昕奔赴前方，以将军之位指挥十万大军。

然而，那天一早便入宫而去的金昕与其夫人的一番对话，好似二重唱一样，引《论语》之言表对立的处世之道，是他们夫妇之间极其重要的一次谈话。

身处乱世，是退缩引咎还是积极主动，而孔子竟能超越这两种截然相反的处世哲学，建立了看似对立却又统一的人生价值观念。

这对于两千年后的我们也是一个严峻而又现实的问题。

这样，金昕接受了大王陛下授予的将军之位，径直被火速派往达丘伐赴任。这时已经是闵哀王二年闰一月了。

与此同时，金阳的平东军在第一战铁冶县一战大获全胜以后，马不停蹄地昼夜向王都进军，已在大邱一带摆兵布阵充分地做好了讨伐的准备。而新罗朝廷的十万大军在大阿餐金胤麟的一线指挥下也构筑好新罗的最后一道防线，等待这最后的决战。

这里所说的清海镇之军是指金阳带领的不过区区五千的平东军，与十万官军相比，平东军明显处于劣势，人数少得竟不值得一记。

然而，金阳面对十万敌军却这样激励自己的五千平东军："中国古代越王勾践，睡柴草尝苦胆，不忘自己盟誓报仇雪耻的复国大业，后来竟以五千兵力击败了吴国的七十万大军。如今，虽然敌人拥有十万军兵，却远远不及吴国的七十万大军。越王勾践能以五千打败七十万，我们为何不能以五千消灭十万呢?"

接着，金阳在全军面前又是慷慨激昂的一番鼓吹："古代百济将军季柏，挑选五千决死队员之后，为了不使自己家人被俘受辱，他竟亲手杀死平素宠爱的妻妾。在义无反顾地奔赴疆场之前，季柏有一句豪言壮语：'今天，我们要与敌决一死战来报效国恩'。"

金阳一面拔出佩刀，指向朗朗白日，一面呐喊："现在，我们也要与新罗决一死战，除陈布新，报仇雪耻，以此来报效国恩!"

此时此刻，被任命为十万官兵大将军的金昕正策马急驰，火速奔向达丘伐指挥战斗。

而贞明夫人则听到了丈夫急速奔赴战场的消息，眼前仿佛看到丈夫出征的英勇威姿，潸然泪下："唉，夫君竟要堕河而去，当奈君何?"

贞明夫人心若明镜，知道自己的丈夫将一去不回。即便能够从战场上得胜而生还，也将生不如死，失去活力。她深知若被利益熏染，玷污了原本清白高尚的名誉，丈夫虽身未死，心却已死，如同行尸走肉一般。

那天晚上，贞明夫人独自拨响箜篌，为夫唱起悲歌：

公无渡河

公竟渡河

堕河而死

当奈公何

贞明夫人所弹奏的箜篌为古代拨弦乐器，如今只能在江原道尚元寺里的雕刻中才能看到。她拨弦弹唱着，不禁悲从心生，泪流满面。她唱的悲歌名为“公无渡河歌”，有人也称之为“箜篌引”。

根据中国历史上的记载：古朝鲜时期有一位艄公子高每天以摆渡为生，一天清晨，他看到一个白发老者，踉踉跄跄，披发提壶，神态狂乱，欲渡河而去。河岸上，老者之妻追赶过来，劝说丈夫不要过河，而老人执迷不悟，最后竟被河水淹没而死。妻子当场便捶胸顿足，痛哭不已，唱了一曲悲歌，便是这“公无渡河歌”。唱罢，痛不欲生的妻子也投河随夫而去。子高亲眼目睹了那对夫妻先后沉水而死的悲剧，回到家中便讲述给他的妻子丽玉，还唱了那首悲歌。

后来这个艄公死后，艄公的妻子丽玉便弹着箜篌为夫唱了这一曲悲歌，旋律深沉，歌声悲怆，以至于闻者莫不堕泪饮泣。

贞明夫人将丈夫的出征比喻为无法渡过的乱河，叹息丈夫要离她而去。几天后，她的预感果然应验了。

闵哀王二年正月十九日。

金阳之军行至徐罗筏，此时王闻敌军迫近，命阿餐金泰昕为大将军，率大阿餐胤麟、义勋等名下之兵应战。

两军展开最后的决战是在达丘化县，又叫达伐城。

新罗官军以公山城为中心布下防守，平东军则倚靠连龟山严阵以待。当金阳听闻金昕被任命为新罗官军大将军的消息时，他正与金祐徵一起在军中对酒小酌。

一接到此信，金阳突然仰面朝天，大笑三声。

“将军为何而如此大笑?”

金祐徵的话音刚落，金阳便急不可待地回答：“从古至今，天下便是男子在田间耕种，女子于家中织布的规矩，何况是战争，怎能无规无律可循。泰昕兄不过是一个只会读书，连一只鸟也没射中过的白面书生，而且，泰昕还是我的同族兄弟呢。更重要的是，……”

金阳面露得意之色，将手中的酒杯啪的一声用力地放在几案上，胸有成竹地说道：“若果真是泰昕兄为敌军的大将军，那无论敌我决战与否，我军都将赢定了，这是板上钉钉，毫无疑问的。”

听到金阳这一番战与不战都会取胜的说法，金祐徵满心迷惑而不得其解，问道：“为什么？为什么金昕为敌将军，我军便一定会不战而胜？还请将军明言。”

金阳没有立即回答，而是先给自己斟满了酒，一口饮干，接着又大笑三声之后，才缓缓说道：“因为，阿餐大人，这是上天之命不可违啊。”

“上天之命?”金祐徵仍然满脸疑问。

看到金祐徵越发迷惑起来，金阳终于解开了疑问，说道：

“不知大人听说过朗慧和尚没有?”

这朗慧和尚又曾被誉为海东神童，是先王太宗武烈王的第九代后孙，系出名门之族。其父在位时，他因倒向图谋叛乱的叛贼金宪昌，被贬六级头品革职降级。再后来，他便出家成为贵族出身的一代高僧。当时，这位朗慧和尚前往中国唐朝寻求佛法，还未归国，对于这样一位以新罗第一高僧而名闻全国的朗慧和尚，金祐徵不可能没听说过他的大名。

“当然知道。”金祐徵答道，却又问：“但是，这场战争与朗慧和尚有什么相关？并且，朗慧和尚与上天之命又有什么关系?”

金阳自然又是一番大笑，回答说："早年间，朗慧和尚曾在位于浮石寺后的醉玄庵面壁修炼。那时，他一门心思只埋头于佛经中参悟，拒不接见任何外人。有一天，泰昕兄这样问我：'听说浮石寺有一位叫朗慧的和尚，是个有神奇大能的高僧。我们一起去找他为我们的前途占一卦，怎么样？'

那时是宪德大王十二年，想想也已经是十多年前的事了。当时，我们都身为花郎团成员，正在全国巡游，以磨炼身心。泰昕兄十八岁，而我刚刚十三岁。"

虽然如今两人之间已然被神奇的命运安排下，成为你死我活的战场敌人，但金阳回想起十年前的往事，想起曾经亲密无间的泰昕兄，脸上也不禁露出对骨肉亲情的一片思念。

"后来我们千辛万苦，终于见到了那位朗慧和尚，于是便求他给我们两个人算一算以后的命运如何。朗慧和尚为泰昕兄以草下了谶语，说将有三棵草会在危难之时挽救他。"

"三棵草？"金祐徵打断金阳问道：

"三棵草究竟是指什么？"

金阳微微一笑，答道："朗慧和尚这样对泰昕兄说：'若能有三棵草，日后必将草木繁盛。'不过大人，您知道三个草组成何字吗？"

"三个草不是卉字吗？果然是草木繁盛之意啊。"

听到金祐徵的回答，金阳微微点头，说道："是啊，阿餐大人。照朗慧和尚之意，泰昕兄是草命，三棵草将会解救他免除灾难。"

话已至此，金祐徵依然一头雾水，无论如何也始终想不通这之间的关系，便再次问道："那草与战争的胜负又有什么关系？将军刚才所言不论战与不战我军都将必胜，这究竟与草何干？"

"我怎会不知这其中的奥秘呢？"金阳又连连大笑三声，接着说道："朗慧和尚认为泰昕兄将因草而成圣。朗慧和尚的谶言是这样：'你必将因草木茂盛至极而成圣。'可是大人，凭借繁盛的草木固然可成'圣'，却不能成得'胜'。而且，'圣'是指品德行为高尚的圣贤。但是战争所必需的是胜利的‘胜’，不是圣贤的‘圣’，难道不是吗？所谓圣贤之‘圣’，追求的只是‘佛’。泰昕兄这次必定会‘草木俱朽’。”

草木俱朽。

意思是还未扬名便与草木一同朽败而死。这是金阳给其族中堂兄所定下的命运。

“所以，阿餐大人。”金阳哈哈大笑起来：“臣下认为无论战与不战，我们必定获胜。被上天定为草命之人怎会在战争中取胜，即便他能成佛。”

金祐徵终于明白金阳狂笑的理由了。不过，他话锋一转，又提出了另一个问题：“那么，还有一个问题：将军的命运又如何呢？朗慧和尚给两个人占卦，没道理只谶言一人的命运，而不谶言另一人。族兄将因草木繁茂而成圣，那将军所占的又为何卦？”

金阳一听又连声大笑，答道：“遗憾得很，朗慧和尚并没有为臣占卜。”

“怎么会呢？”

“当时臣尚年幼，刚不过十三，小到甚至无法占卜命运，因此朗慧和尚对臣并无任何谶语。”

然而，果然如金阳所言吗？朗慧确实因金阳年幼而未有任何谶语吗？

其实不然。那时朗慧并不是没有给这位当时对花郎团深感不满的花郎占卦谶语。其所谶之言是：他将因三女而得世。

那时，朗慧和尚分别为兄弟二人占卜了将来的命运。金昕将因三棵绿草而成圣；金阳则将凭三女得势。这就是朗慧和尚的谶语。

但是，朗慧和尚为自己所解的占卦谶语，金阳从未对任何人开口透露过。

三个女人。

为了得到权势，他必须牺牲三个女人。第一个是被他逼迫自尽的妻子四宝，金阳以她的死换取了金祐徵对自己的信任。

第二个便是张保皋的女儿义英，金阳促成张保皋与金祐徵的联姻，以此换取了兵权。

这第三个又指何人而言，又将发生什么事情，金阳靠她又得到了什么，谁也不知道。

是的。

不到秘密解禁的时候，金阳对任何人也不会泄漏这个天机，他将坚守到最后一刻。

第二天清晨。

金阳的平东军阵营向公山城方向射出了一支箭。

这是一支箭体纤细的细箭。

细箭不是用来杀敌，而是用来给敌人传送两军之间的决战书。

守卫公山城的一个士兵接到了这支飞来的细箭。

箭尾插着一封红色的决战书。

这个士卒立即向大阿餐金胤麟禀告。

金胤麟打开一看，这不是别的，正是金阳向大将军金昕递来的专信。

金胤麟便径直向将军金昕所宿之营走去。

“大将军大人，”

进了帐中，他双手向金昕呈报了书信，并报告：“敌军向我军发来一支细箭。”

金昕漫不经心地打量了一下这支有金色野鸡翎装饰的细箭。

只一眼，金昕立刻认出这是他的堂弟金阳的专用箭。

金昕知道，堂弟金阳不仅特别喜欢射箭，而且还喜欢在自己专用箭的箭尾特意用一种金色的野鸡翎毛作表记，使人一眼便能认出来。人们常常称这种装饰用的金黄色野鸡翎毛为金羽，而金阳的金羽箭却百发百中。

金昕拔出插在箭尾的书信，打开一看，在红色信纸上写着是一封决战书，内容很简单，只有寥寥几个字：“以一匮长江河。”

看罢，金昕的脸上浮现出一丝会意的笑容，他十分清楚堂弟金阳的意思。

这是《汉书》里的一句名言。

《汉书》是中国二十四正史中的其中之一，记录了中国古代汉朝的历史。这本史书最开始由东汉的班彪着手编写，而其中绝大部分是其子班固接替父亲编纂的，班固死后便由其妹班昭续成。班固的《汉书》是中国第一部断代史，与中国史书之最的《史记》堪称史书双璧。

《汉书》不仅记录了中国汉代历史，还收录了当时其周边国家的历史事件。其中“朝鲜传”、“地理志”中所记录的文字对研究我国历史有极大的帮助。除了在历史上的价值以外，《汉书》的文学造诣也极高，其中不乏许多为后人千古传颂的佳篇。

金阳送来的决战书引用的就是这《汉书》里的名言，意思是以小小一篑黄土怎能阻断奔流而下的滔滔江水，常常用来比喻鲁莽之徒试图去做一些无法实现的莽撞之事。

其实金阳在以此告诫金昕，个人的微薄之力无论如何也根本抵挡不住似江水般滔滔不绝的历史河流。

金昕的嘴边之所以露出笑容，是因为他识破了堂弟金阳引用这句《汉书》之言向他挑战的缘由。

历史长河正如澎湃汹涌的江水一般顺流而下，为何有人竟异想天开，以为一篑黄土便可阻挡。金阳委婉地向堂兄表达了自己的劝戒：如今平东军的胜利已是天下的大势所趋，而堂兄为何却要做出靠区区一人之力企图挽回局面的愚蠢之事。

然而不知为何，金昕却并不责怪堂弟一篑黄土的比喻。

想到这儿，金昕提笔在红色信纸上给堂弟回复，因为这是敌军送来的决战书，所以也一定要给敌军答复。

金昕回复的决战书也插在细箭上，射出了公山城，朝平东军驻扎的连龟山飞去。

平东军的一个士兵看出这支插着红色书信的细箭为传信之用，立即送到了金阳所在的军帐里。

此时，金阳正在焦急地等待堂兄的答复，一看到手里拿着细筒的士兵进来，他便确定回信来了。

金阳迫不及待地打开红色信纸，看到堂兄的答复更为简单，只有四个字："万折必东。"

金阳也心领神会地微笑起来。

这句也是《汉书》名篇佳作中的一句名言，意思是无论黄河之水有多少道弯，曲曲折折之后依然向东而流。换言之，无论救国之路有多少波折，其赤胆忠心的气节也会像奔流向东的河水一样，无法折断。

金阳引用《汉书》中的名言劝告自己：一个人的微薄之力绝不可能阻挡万马奔腾的历史河流；金昕便也引用《汉书》中的佳句表明自己救国的一片丹心，不论道路多么艰难也不会改变。

"果然是泰昕兄啊。"

金阳确认了敌军的答复，跪下双膝感叹道。

不过金阳感叹过后，又仰面向天大笑三声。

"将军为何连连大笑？"郑年在旁边问道。

金明依旧笑着回答："古人云：百年河清，即使等待一百年，沉淀在黄河河底的淤泥也绝不可能变得清澈。"

郑年听到过这句古语。

早在中国春秋时代，郑国被楚国攻打陷入覆国危机之时，郑国的大夫军士一番紧急商议以后，内部出现分歧：一派支持和亲论，即不战而降；一派支持主战论，即战而不降。

正当两派争得面红耳赤，不分上下之时，一大夫站出来说："周时有言'人生之短不足以待黄河水清'，同样，如今等待别国救援也不过是'百年河清'而已。"

等待百年河清。

不论等待多长时间，不可能的事情永远也不可能出现。

"许多人都认为泰昕兄贤明智慧，实际上，世间再也找不出第二个比泰昕兄更愚钝的人。他不仅想以一篑黄土阻挡长江水，甚至还要等待奔流的黄河之水沉淀澄清，真是等待百年河清。即使等一百年黄河也不会清澈的!”

“是啊，正如将军所言，绝不可能阻挡长河之水，也绝无法等待黄河水清。”

听到郑年坚定的回答，金阳再一次笑言：“好吧，如今是时候了，掷骰子赌天地的时候到了。这次，我一定会赢。我一定要当面问问败兵之后的泰昕兄，黄河之水果真向东流吗？我一定要听到泰昕兄的回答!”

此时已是正月十九日。

我国历史上史无前例的弟兄之间以天地为赌注的乾坤一掷的大决战终于展开了。

然而，大决战的序曲却拉开了令人始料未及的一幕。

首先，在新罗心脏的中心之地发生了一起暗杀事件。新罗朝廷的上大等大人金贵在一个深夜被人杀死了。上大等金贵曾因逼迫僖康王自尽而立下一等功劳，金明登基之后立即升他为代表最高权臣的上大等之位，成为金明王朝的核心人物之一。金贵是在自己的深宅大院中被刺杀的。

紧接着，当晚讲武殿、永昌宫等多个宫阙竟接连燃起了熊熊大火，火势之大将纪念三国统一时所建造的华丽庄严的宫殿在一夜间顷刻焚尽。

这样，徐罗筏的新罗贵族立时陷入了空前的且无法挽回的恐怖灾难之中。这时官军与平东军还并未正式开战，而新罗的京都已是一片混乱。

这便是大决战的序曲——攻心战，它是金阳以五千士兵对应十万官军的策略之一。

在开战之前扰乱敌之后线，令敌军阵营人心惶惶，趁其前有来兵后无退路之机一网打尽。

所谓阳动作战。

将敌人的视线从其目标引至别处，分散敌人的注意，阻挠其正确的判断力，而后乘敌不备进攻袭击。为了消灭敌军士气，偷袭猛击敌后的中心徐罗筏，使其陷入混乱，造成无法收拾的惨剧——没有比这更有效的了。

这个计策出自郑年。早年间，郑年随武宁军从军之时，这一计便是李师道对战唐朝收效最显的游击战术。

李师道先下令在唐朝最大的粮仓——转运院里纵火，然后再派刺客暗杀了当时的宰相武院衡和裴度。这些事件直接引起了朝廷内的惶惶不安，极大地打击了唐兵的士气，使唐军刚一交战便一败涂地。

曾与张保皋一同参加武宁军作战的郑年十分清楚，若要以五千兵力击败十万大军，佯动作战是最佳方案，除此之外别无他计。

“大人，”郑年对金阳说道：“古人有声东击西之说，若要取得胜利只有这一计可施。”

声东击西。

表面上宣扬进军东边，其实是要攻打西边，是一种蒙蔽敌人伺机奇袭的功略战术。郑年之言千真万确。若要确保五千敌十万的决战获得胜利且万无一失，必须转移敌之视线，扰乱敌之军心。

此次深入敌后的偷袭是由十名士兵组成的特工队完成的，特工队队长不是别人，正是阎长。

几年前，阎长曾刺杀过一次金明。当时金明正在去王家庙宇仁容寺的途中，阎长袭击了金明的车轿。然而意想不到的是，坐在轿内的人不是金明，却是仁容寺的住持头光。于是，金明由此看清金均贞一派对自己的企图之心，拉开了新罗朝廷内部从未有过的血腥的蔷薇之战。

对自己曾经造成无法挽回的失误追悔莫及的阎长，这次在赴命带领特工队奇袭敌后之前，对金阳发誓说：“大人，这次属下一定要杀死上大等，将他的首级拿来献给将军大人。请大人放心，这次属下一定不会失手。”

果真，阎长遵守了自己的盟誓之言，刺杀了上大等金贵。当人们发现金贵的尸体时，其首级早已不知去向。同时，数个宫殿在一夜之间变成废墟，徐罗筏笼罩在一片凄惨与恐怖之中。

几乎是与此同时，烽火台上竟有黑色烽烟被燃起。

一炬、两炬、三炬……当燃至第五炬时，前方的新罗官兵已败下阵来。而后方的城内，百姓也惶恐不已，纷纷东奔西跑，逃命去也。

烽火台的烽烟仿佛成为平东军到来的信号，不久便看到击响胜战鼓的平东军进军王都的身影。他们由六位军长分别率领六组骑兵队，包围了王都，从东西南北四面八方破城而入。金昕所领的官兵一筹莫展，束手就擒。

平东军虽全线胜利，官军死伤者不计其数，然而金阳麾下的六位将帅却严守金阳在战前所下的一个军令，即有一人绝不可杀。金阳还千叮万嘱："一定要生擒，且不能伤及一根汗毛。倘若有人违反此令，必按军法严惩不怠。"

金阳所下的这个至高无上的军令中，要生擒且不能伤及一根汗毛的人不是别人，正是官军的大将军，金阳的堂兄金昕。

这是次奇异的决战，血腥杀戮随处可见，然而就在这惨绝人寰之中，竟有一个人未遭受半点伤害而被俘。因此，后人都称这次战役为且战且走。

且战且走。

争斗的一面是残酷的，而另一面却是宽容的。

总而言之，达伐一战五千平东军又获得了辉煌的胜利。新罗官军死伤过半，其余都沦为俘虏，其中官军将领金胤麟与金义勋在战中阵亡。大将军金昕目睹官军的败北已无法回转，原打算与官兵共死疆场，不料还未来及，便在对方军将金阳的最高军令下，未曾伤及一根汗毛即被生擒成为俘虏。

金阳听到金昕被俘的消息，立刻下令，派人将其带到军帐之中。而当看到自己的属下们连捆带绑，押送金昕来到自己的面前，金阳火冒三丈，大声责问："我是命令你们用绳索绑过来的吗？"

语毕，金阳立刻上前，一面亲自给金昕解开绳索，一面和颜悦色地说道："泰昕兄，未见久矣，别来无恙啊。古人说得好：人生在世，最亲密的莫过于弟兄之间，无论祸福都将彼此牵挂，甚至'原隰尸矣，兄弟求矣'。而今天我们这是从何说起啊，竟然在无情的战争中与兄长相逢了。"

金阳所引用的古语出自于《诗经》。《诗经》是中国最为古老的一本诗歌总集，也是儒家经典之一。

金阳之所以引用《诗经》中这句古诗，是因为十年前两人同为花郎之时，金昕有一次对金阳这样问道："如果有一日我在战争中死去，曝尸原野，你是否还能够寻找我呢？"

金昕的疑惑源于《诗经》中"原隰尸矣，兄弟求矣"这句诗。因此，如今金阳便以同样的诗句回答他："应泰昕兄之约，小弟我今天找回了兄长之身。"

金阳话音刚落，金昕便哈哈大笑不再沉默，说道："未成尸身，反以活身被俘。身为败军之将，我又怎敢开口。"

金阳亦犀利的目光注视着金昕，问道："小弟我只想问兄长一个问题：无论黄河之水有多少道弯，曲曲折折之后果真依然向东而流吗？"

这个问题实在是令人难堪。决战之前金阳飞箭传书，规劝堂兄不可"以一匮长江河"；堂兄金昕则回信答曰"万折必东"。如今金阳成为赢家，却对战败者的回答记忆犹新，耿耿于怀。

不料，金昕却巧妙地回答："古人道：'亡国之臣，不敢语政；败军之将，不敢语勇'。如今我已成亡国之臣，败军之将，岂敢谈论天下。"

金昕之言出于中国古代《吴越春秋》一书。

而金阳听后却反驳道："并非如此，泰昕兄。中国古代卫国贤人百里奚因本国灭亡，来到晋国，后又因晋亡而败。但是，百里奚的失败并不是因为自己的才能不足，而是因为他在卫国受到的冷遇和怠慢。不仅如此，亡国之国皆因不循正道。如今，腐朽的朝政已消亡殆尽，这与百里奚在晋国的失败有异曲同工之处。然而除陈布新，报仇雪耻之后即将出现一个新世界。兄长，若我们兄弟二人齐心协力，定能开创出一个伟大的事业。”

金阳语音刚落，只听得堂兄金昕大声斥责道：“残忍之极，竟要剖棺斩尸吗？”

剖棺斩尸。

这是罪大恶极的囚犯死了以后还要受到的刑法，即打开已埋葬的棺墓，割除棺内已受刑而死的犯人的首级，不让其尸身保留完整，属极刑。

金昕义正言辞地断然回绝了堂弟金阳的诱劝，表明了自己忠心不二的坚定意志：“若你还当我为你的兄弟，就成全我为清白的名誉而死吧。”

得到堂兄的回答，金阳却笑着说道：“已入棺而死的尸首竟然自己开口要求，难道还愿再死一次吗？”

他环顾一下四周，接着说道：“那好，拿箭来。”

郑年侍立在旁，将金阳的角弓与箭筒呈上。金阳的箭法灵活多变，百发百中。令人料想不到的是，他真从箭筒中抽出一支箭来，搭在弓弦之上。

这时，军帐里一片死气沉沉，连那些跨过重重困难完成军令，成功地将大将军之族兄未伤及一根汗毛带到将军面前的平东军士兵竟也忐忑不安，静观其变，谁也无法预测即将发生的事情。

“中国古代卫国的神弓庾公之斯在杀死自己的师傅之前，曾说：‘要我杀死教我箭术的师傅，我实在于心不忍。然而，今日之事是为国为君的国事，我又无法转身推辞。’同样，我也并不忍心杀害泰昕兄长，但是，今日实非你我兄弟之间的私事，而属建国立业之大事，我也无法放任自流。”

说罢，金阳抬手搭箭，拉开了弓弦。

弓箭瞄准的方向正是金昕，然而金昕却坐在那里稳如泰山，纹丝不动。

只听“嗖”的一声，离弦之箭飞出金阳之手，正中金昕的胸膛。令人更加意外的是，这支箭并没有射进金昕的身体，却一下弹了出来，落在一旁。

郑年赶忙上前一步捡起弹落在地上的箭，仔细端详起来。

这是一支没有箭镞的空箭，箭镞已被金阳在射击之前悄悄折断了。古时的神弓庾公之斯在师生之情与国家之义间左右为难，只好发出一支空箭；金阳也是如此，以一支空箭斩断了兄弟之情，敌我之仇。

金昕在其堂弟金阳的手中“死”过一次之后，便归隐于少白山中。

金昕于山中悠然自得，被后人称为“山中宰相”，实为当之无愧。

据说一日，金昕凝视着自己脚上的麻履出神。之后，他恍然大悟似的顿足畅笑起来。贞明夫人看到他反常的行为，不禁问道为何如此兴奋，这时，金昕回答说：“我看到脚上的麻履想起一件事情，所以才开怀大笑。夫人请看，这麻履不是又叫草鞋吗，而且我身上穿的又叫葛衣，每日盘中吃的又都是素食野蔬，连我安身的地方也是茅屋。如此，我吃、穿、住的都是草木之类啊。”

金昕说到这里，又满面笑容，接着论道：“早在我十八岁还身为花郎的时候，曾去寻访在浮石寺修身的朗慧和尚算了一卦。那时，朗慧和尚对我说我将会因三草而成圣。当时我年幼无知，听不懂朗慧和尚的谶语，以致后来无法忘怀。

“如今想来，我脚上的皮靴已被麻履替代，身上的丝绸换为葛衣，盘中的美味佳肴变成了山林野菜，家居之处也非高大宫殿而是茅草小屋。这时我才恍悟朗慧和尚所言极是，许多年后，我的境遇果然如他所谶之言，分毫不差。所以想到这儿，我便开怀大笑啊，夫人。”

至此，金阳又语意深长地补充了一句：“即便如今我能够在凡俗尘世中得到一官半职的权势，又岂能与在村野山林中成圣可比啊。”

如同《三国史记》中的记载“与仆同乐”，金昕在远山村野中像僧侣一样悠然地度过了自己的余生。

有趣的是，金昕戏剧性地竟然在晚年再次见到了曾为他谶言将“因三草成圣”的朗慧和尚。当朗慧和尚在中国学习佛法二十三个春秋归国之后，曾被力邀主持圣住寺，而金昕死后正是在这圣住寺盖棺封土的。

圣住寺位于现中南宝岭，为九山禅门之一。被称为“东方大菩萨”的朗慧和尚之所以成为圣住寺的住持，皆出于金昕与他渊源的世俗尘缘。

对此，崔致远在“白月宝光塔碑”上写道：

朗慧和尚前往北方，找到其终生修身之处。此时，王族后人金昕退出朝政，隐遁为山中宰相。两者相逢皆因早年尘缘……。

关于金昕与朗慧和尚的尘缘，崔致远还有其他记录，这里便不一一赘述了。

击败了金昕十万大军的平东军在胜利之后，乘胜追击，直奔新罗的心脏——徐罗筏。

此时，新罗皇帝金明已逃到王都的西郊，孤独地在一棵高大的古树之下站立着。他的随臣们听到平东军即将入城的消息，早已纷纷四下逃散。

“有人吗？”金明环顾四周高声叫道，然而身边无人应答。

无可奈何之下，金明躲进了西郊别宫月游宅。此宅曾是皇帝夏季消暑的别墅之一。

“还有人吗？”金明沉痛地近似绝望地呼喊着。

看守此宫的一个宫女，瑟瑟发抖地从院落一角探出身来。

“人都在哪里？”

看到落魄逃亡的大王金明，宫女答道：“混乱之中，哪有不逃走的道理。”

金明沉默片刻，开口道："能给我拿一杯水吗?"

宫女点点头进屋取水去了。

恰巧此时，一群平东军士兵们攻城至此，一拥而进，擒住了皇上金明。可怜的大王还未及饮一杯清水以解干渴之苦，便惨死在士兵们的乱刃之下。

这样，金明登上王位不过一年，便遭杀戮。

然而，平定了徐罗筏的金阳却下令全军搜寻金明的尸身，只是宫院已被战火一烧而尽。所幸的是，当金明被焚至一半时，便有士兵认出了这位昔日的皇帝。

最终，金明以君王的身份被军兵按最高礼节埋葬，谥号为闵哀。

现今景州仍有存留至今的闵哀王之陵，与其他帝王王陵不同的是，其墓陵简易寒酸，除有一个封土的坟包之外，别无他物。

不过后来却发生了一件令人震惊的事情。在桐华寺石塔的一层塔身内，有人竟发现了闵哀王的舍利壶。

原来，闵哀王惨死之后二十四年，即公元 863 年，景文王建立了此塔。依据塔内所刻铭文，断定此舍利子为不幸惨死的闵哀王之骨。

如今，此塔铭文已被风化得所剩无几。从依稀残存的一点文字里，后人仍能感受到昔日君王无上的威严。

闵哀王死后，金阳带领左右将领，一鼓作气收复了王都。

城内的新罗贵族原本以为，金阳收复徐罗筏之后定会血洗王都，因而心惊胆战。但当他们听此一言，方安下心来。

事实上，上流贵族之所以能够彻底相信金阳，是因为他们有目共睹金阳对裴萱伯的宽赦。

裴萱伯原为金明心腹之臣，早年曾参与刺杀了金均贞。行刺之时，裴萱伯还射伤了当时身为肃尉的金阳。

而当士兵擒住裴萱伯，将他带到金阳面前时，金阳却笑着说道：

"古人云'跖狗吠尧'，涂跖的家犬见到尧这样的圣人也会叫个不停呢。"

金阳所言跖狗吠尧出自《三国史记》，比喻人各随其主，不辨善恶而忠心耿耿。

接着，金阳问道："如今主人已死，你该忠心跟随哪一位呢？"

裴萱伯听罢，立即痛哭流涕地指天发誓："小人定忠心侍奉大人您，绝无二心。"

从此以后，城内之民没有不对金阳感恩戴德的，以至于满城只流传一句话："对待裴萱伯尚且如此宽宏大量，别人还担心什么。"看来，金阳这次不仅平定了王都，还凭借此次心理战术成功地收复了王都的民心。

因为金阳认为，金明一死即深仇已报，与其占领城池大肆屠杀，不如收买人心，奠定自己安身立足之地为上策。

然而对于曾是自己岳父的利弘，金阳却另眼相待。

得到裴萱伯被金阳赦免的消息，利弘立即派密使向过去的女婿讨饶，而金阳断然拒绝了对方的请求，说道："裴萱伯射伤我如同涂跖的家犬一样，是为了自己的主人。而利弘暗害我却是为了得到天下的权势。因此，利弘跟随所服侍的主人而去是理所当然的事情。"

利弘听到这样的回复，惊恐万分，便不顾妻妾独自逃命，躲到深山老林中，从此不见踪迹。

这时已经到了四月份，即公元 839 年 4 月。

金祐徵终于登上王位，成为新罗第四十五位皇帝，即神武王。

第二章　黑暗中巡行

神武王元年四月，即公元839年。

清海镇大使张保皋得到神武王金祐徵的传旨，急忙奔赴庆州。

金祐徵内心十分清楚，若没有张保皋鼎立相助，自己就不可能为死去的父王报仇；若不是张保皋全心扶持，自己也不可能登上王位。因此，他坐上皇帝宝座之后，第一件事便是召第一功臣张保皋入宫。

而对于张保皋来说，此时入京离上次已有整整十年了。

十年前，即兴德王三年的春天。张保皋有生以来第一次来到王都，那次他被皇帝委任为清海镇大使。

向王宫策马急驰的张保皋，一路上浮想联翩。十年前，同样是在春天，同样是去拜谒皇帝，然而十年前后物是人非，血腥的宫廷政变接二连三地发生，如今这已经是第三位皇帝金祐徵，他的胜利最终结束了一场场你死我活的争权大战。此时的张保皋也不只是以清海镇大使的身份，更重要的是以国家一等功臣的身份入京了。

金祐徵一见张保皋入宫，便从皇帝的御座上起身，亲自迎接，说道："快上前来，张大使。"

以金阳为首的各路文武百官，此时都聚于王宫大殿之内，然而他们却无法阻止皇帝对张大使如此恭谦的行为。因为他们明白，此次讨伐成功完全仰仗于张保皋大使的兵力。

张保皋几次推让之后，仍被金祐徵安排在自己的御座旁边坐下来。

之后，金祐徵毫不掩饰地夸赞张保皋，说道："此次能有起死回生的奇迹，全部都是如活佛转世的张大使所付出的功劳啊。"

故此，神武王金祐徵口谕圣旨，赐封张保皋为感义军使，一个新的称号。

感义军使一职拥有统领全军的特权，这在历史上首次出现。同时，神武王还赏赐给张保皋俸禄，粮两千石。

张保皋跪下双膝，接受了皇帝的任命，从清海镇大使的身份又荣升一级，成为统管全军的总司令官。

当所有的加封仪式结束之后，张保皋从怀中掏出一件东西来，对神武王言道："大王陛下，臣张保皋接受大王陛下曾受的旨意，妥善保管了这件珍贵之物。今天我也一并带来了。"

"什么珍贵之物?"

张保皋立即将物双手呈上，原来是一封书信。

此信正是平东军出征以前，由金阳转递的那封金祐徵向张保皋之女请婚的龙凤礼书。

"接到大王陛下的龙凤礼书，臣因国家内外患乱四起，一直未敢提及此事。而如今战事结束，天下太平，于是臣自作主张将书信回呈。"

张保皋上呈的礼书系着一根红线。作为回呈的龙凤礼书通常若以红线系缚，表示此方欣然接受对方的请婚。

赤绳系足。

以红线系住脚踝，默许对方的求婚。这是从唐朝韦固而流传开来的习俗。

“如此以红线缚男女双方的脚踝，定下婚约，即使世仇之间，也必是其嫡出继族啊。”

张保皋的意思非常明确，他以红线系书清清楚楚地回应大王，他同意两家的婚事。

神武王听罢满面笑容，回答：

“真是感谢了。张保皋大使同意朕的话，那大使便是新罗国舅啊。”

国舅。

王妃的父亲被称为国舅。

“朕虽年纪老迈如羸弱之老马，但既然有约在先，又怎能背弃约定呢。朕定会尽快立大使的女儿为次妃的。”

听到此言，站在一旁的金阳顿觉胸口刺痛，犹如万箭穿心一般。

大事不好。

金阳心头猛然一沉。

虽然不是别人正是金阳一手促成了大王与张保皋两家之间的婚约，然而他却一直认为，这不过是借用张保皋强大的兵力来争霸天下的一个计策罢了。

政治联姻。

难道这不是为了画龙点睛，与张保皋结成军事同盟所选择的权宜之计吗？如今国仇已报，平定叛贼，当初的目的已全部达到，从此则再也不需要张保皋的兵力了，而张保皋强大的军事力量反倒成为自己开创大业的绊脚石了。

除此以外，大王金祐徵竟然任张保皋为统率全军最高权力的感义军使；不仅如此，若张保皋之女被册封为王妃，那张保皋便身居国舅之位，成为皇亲国戚。如此一来，自己又置身何方？

当夜，金阳迫不及待地秘密邀了礼征来私宅做客。礼征作为讨伐前朝的核心人物之一，曾亲临前线与金阳一同指挥过平东军，也是立下赫赫战功的一等功臣。

而且，礼征还是大王金祐徵之父金均贞的妹婿。

深更半夜，礼征对金阳的神秘邀请颇为不解，问道："如此深夜，不知大人因何事急召臣下？"

礼征原比金阳年长许多，很早以前便升至阿餐之位，属名门中的名门，贵族中的贵族。不过，金阳成为平东大将军率军平定前朝之后，礼征深知金阳不可动摇的统领大军的地位，心中早已当他是自己的主子了。虽然此时金阳并未按功领赏得到任何官职，然而毋庸置疑，神武王最终会将上大等之位封于金阳。

面对礼征的疑惑，金阳却微微笑道："请你来是为了喝上两盅庆贺庆贺，聊聊世间的轮流回转。"

酒席早已备好。金阳先敬了礼征一杯，两人便划拳猜酒喝起来，不知不觉醉意萌生。

就在两人酒性正高之际，忽然，金阳话锋一转，说道："阿餐大人听说过功亏一篑这句话吧。"

面对金阳突如其来的问题，礼征略微一惊，回答："当然。以土堆山堆得再高，若还差最后一篑，也不能算成功，对吗？"

"是啊，若稍一不加防范，所有心血便将付诸东流啊。"

"是出于《书经》'旅獒'篇吧。"

金阳点点头，一言不发，又连干了三杯。

看到金阳提出了话题却又缄默不语，于是礼征首先开口说道："突然提及此言，不知您究竟是何之意？"

于是金阳放下酒杯，回答："想必殷周之事您早已耳熟能详。武王灭殷之后开创周朝，不久武王的神威便传遍天下，周围的蛮族弱国纷纷敬献贡物以博得武王喜悦。其中西旅厎贡奉的一种犬类为极其珍贵稀有的品种——獒，此獒身高四尺，外表凶悍，但却极有灵性，善解人意，甚至可与人对话，武王对此宠爱有加。其弟召公却深感不安，惟恐武王沉迷于宠物，而忽视国家社稷之大业，于是劝谏。召公所谏之言，想必您也记忆深刻。”

“当然，当然。”礼征回答道：

“所谓‘玩人丧德，玩物丧志’。玩弄他人者必失其德，玩赏所好之物则必丧其志。”

金阳默默听罢，连连点头，说：“的确如此。”

接着，金阳顺礼征之意趁机说道：“如召公所言，堆九仞高的土山，只差一筐黄土也不能认为事已成功。召公以此警醒武王，创立王朝的大业，怎可因沉湎于犬而高枕无忧。那么，阿餐大人，我们集合兵力雪耻报仇，推翻前朝而建立新朝，这还只是刚刚开始，土山不过高过五仞而已，前方还任重而道远。因此，大王陛下决不能因一只犬而陷入迷惘失去方向，不是吗？”

“对极，对极。”礼征拍拍大腿赞同，意会金阳所言何意。

珍贵之犬。

如今大王陛下所宠爱的珍贵之犬，不是张保皋又是何人。

他们思量，即便完全借用了张保皋的兵力，最终达到复仇建国的目的，九仞高山却并未完成。而正在此时，大王陛下任张保皋为感义军使，又因与其女的婚约将册封张女为妃。如此一来，不仅全军兵权将落入张保皋一人之手，而且新登王位的神武王也将成为傀儡之王。因为，若封张女为王妃，张保皋将因其国舅身份而成为府院君大人！

“您看这可如何是好？”金阳长叹一声，问道。

顿时，屋内一片沉寂，仿佛凝固一般。过了许久，礼征开口说道：“并非无计可施吧。”

“什么办法？”

“解除大王陛下与张保皋之女的婚约。”

礼征话音一落，金阳断然否定：“这绝不可能！大王陛下很早便给张保皋大使送去了龙凤礼书，这门婚事也早已定为国事，绝不可能轻易取消。”

“大王陛下不是已经有一位王妃了吗？”

礼征所指的王妃便是金祐徵的原配贞继夫人，即被后人称为定宗太后的那个女人。

“可是以次妃的身份被册封也不是不可以的。”

听罢金阳的担心之处，礼征立即道出一个事实：“但是，大王陛下如今已四十有六，属年迈体衰之列啊。”

“这又与此事有何相干？”

“大人，”礼征诡异地笑言，“大王陛下不是已立了太子了吗？若封不成王妃，却成了太子妃，想来张保皋大使也不会拒绝吧。”

礼征此言又道出一个事实。

神武王有一子，名为庆膺。一登基，大王便立其为太子。

这夜之后某一日，金阳拜见了大王禀奏此意，恰好合了大王的心意。原来，神武王因与年幼的张女定下婚约，颇感难为情，正为此事伤神之际，听到金阳进言，遂一拍即合。大王完全赞同金阳的建议，取消立张保皋之女已次妃之意，而改为太子妃。

神武王金祐徵有意与平民张保皋结亲是因为他深切彻骨地体会到，在近三十年来争夺王位的宫廷大战之中，他不可避免地与新罗上层贵族形成彼此对立的关系。他刚一登基便赐封张保皋为感义军使，正是出于要与上层贵族保持距离，以免贵族阶层插手干预王权的考虑。

因此，从不背信弃义的神武王认为，与其让世袭的贵族介入，倒不如将排位第三的强权人物张保皋的女儿立为太子妃，以自己与张保皋的政治联姻来制约那些无休无止挑衅的贵族，将来太子也可从这种均衡的权力分配之中强化自己的王权。

于是，得到神武王欣然允诺的金阳便立即拜访了张保皋。此时张保皋正准备择日返回清海镇。

此时，当张保皋看到金阳来访，倍感亲切，连忙招呼：“快快请进，大将军。”

“祝贺大人被大王陛下封为感义军使。”金阳郑重地向张保皋致礼。

张保皋见此情景，朗朗大笑，豪放不羁，说道：“这些都是受于大将军的恩德啊，不是吗？”

自从金阳说服张保皋与金祐徵联姻之时，张保皋便对金阳产生了一种特殊的友谊之情。

“感义军使大人，”金阳却认真而严肃地拿出在金祐徵处得到的礼书，递给张保皋，说道：“臣拜访军使大人是为大王陛下呈送密旨而来。”

“是何密旨？”张保皋笑问：“为牵丝之幸吗？”

牵丝之幸。

即为已定婚约择日请期。

张保皋猜想，金阳定是受大王陛下的旨意来与自己择定婚期，以实现大王陛下亲口承诺的婚约。

“非也。”金阳摆摆手，笑了。

“不是！？”张保皋诧异地提高了声音问道。

于是金阳哈哈大笑，回答说：“军使大人，大王陛下将自己比喻为即将枯死的杨柳树，还说道：将枯之木如何生发出新叶嫩芽来。”

金阳所言出自《易经》“枯杨生稊”，他以枯榭的杨柳重发新芽来比喻年迈老翁与年轻女子成婚之事。

“之后，大王陛下又说道：与其等待将枯之木重新繁茂，不如寄希望于枝叶正绿的苍苍大树。”

“大王陛下究竟欲言何意？”张保皋未解其意，迷惑地问道。

于是，金阳解开了其中的奥秘：“感义军使大人的女儿正是如花之年，而大王陛下却如枯竭之木。因此，大王陛下自知年老体衰，为此婚约惶恐不安，有意欲将大人爱女嫁于苍苍大木啊。”

“如此说来……”张保皋略有羞愤之意，面色渐红，问道：“大王陛下是违约毁婚之意吗？”

“此言差矣。”金阳断然打住张保皋，说道：“大王陛下绝不会毁婚失约，只是希冀目睹‘苍杨生生产稊’之景而已。”

苍杨生稊。

生命正旺的杨柳树生发新芽，这里暗示换年轻强壮的太子完成两家的联姻之约。

"苍杨？指何人而言？"

张保皋请金阳明言，于是金阳压低了嗓音说道：

"苍杨不是别人，正是太子殿下。"

太子殿下。

那不是指大王陛下的儿子庆膺吗？张保皋这次彻底听懂了金阳的解答，渐渐展开先前懵懵懂懂的疑惑面容，明朗起来。若解除与大王陛下的婚约，重新定为与太子殿下成婚，反而是因祸得福的好事啊。

依大王密旨所行，虽然正值花季的女儿义英没有被选为次妃，但是，将来终究是由太子殿下接替王位，这是不会改变的事实。如此则义英终将成为名正言顺的王妃，这也是不可更改的事实。张保皋的思想飞快地旋转着，面部表情也瞬息万变。而金阳则在一旁敏锐地捕捉到张保皋的这一切变化，暗暗得意起来。

"怎样，军使大人，您接还是不接大王陛下的密旨啊？"

"岂有不接之理。"

张保皋爽快地接过了密旨。于是，先前自己女儿的婚约改新郎神武王金祐徵为太子庆膺，重新纳采，新的龙凤礼书从大王陛下的手中送至张保皋的面前。

于是，张保皋心满意足的衣锦还乡，荣归清海镇。

然而，那果真为衣锦还乡吗？

据《三国史记》的记载，张保皋以为国奉献的一等功臣被封为感义军使，得到粮两千石的俸禄，同时还带着与神武王联姻的荣耀返回清海镇。但是，他做梦也万万没有想到，这竟又为自己的不幸结局埋下了一颗悲剧的种子。

张保皋还乡之后不久，王都突然传来噩耗：新登王位宝座不过三个月的神武王驾崩了。

从此，新一轮争夺王位的宫廷血战就这样在人们的意料之外展开了。因为，神武王的驾崩为金阳、礼征等那些当初商议权宜之计使金张两家政治联姻的新兴贵族坚实自己的政权地位提供了一个绝好的机会和一段足够长的时间。

更重要的是，神武王的驾崩将会拖延张保皋履行女儿与太子的婚约，而恰恰正是这个婚约，若能如期举行将会给新兴贵族带来致命性的打击。

自公元809年，王弟济雄伙同王叔金彦承谋杀了自己的哥哥，即先王哀庄王，登上王位开始，至今已连续更换了三位君王。如此臣下犯上弑君称王的惨剧——蔷薇战争，已上演了三十年，直到神武王才最后结束了争战。

蔷薇战争。

为了得到至高无上的王权，臣下谋反暗杀皇帝，兄弟残害骨肉血脉，是一次我国历史上史无前例独一无二、连续三十年争夺王位的惨不忍睹的宫廷大屠杀。

然而，人之贪欲无穷无尽。

新的争王血战又将上演。当年七月二十三日，登基不足百日的神武王一死，便拉开了新一轮夺权大战的序幕。

对于神武王的暴毙，《三国史记》的记述却令人感到意味深长。因为依照史书，前臣利弘竟成为神武王之死的罪魁祸首。

原来，金阳的岳父利弘为了保住性命，抛弃家室逃往山中，却终于被大王的骑兵抓获而命丧黄泉。因为，神武王金祐徵对利弘有着无法饶恕的深仇大恨。当年金祐徵避于清海镇，听到金明篡夺王位的消息之后，对张保皋这样说道：“金明弑君杀父登上王位，利弘也是同谋，他们于我有不共戴天之仇！”

如此，利弘是金祐徵不共戴天的仇人，神武王金祐徵则万不可能留下利弘的性命任其逃亡，利弘在劫难逃。

利弘被生俘之后，起初百般求饶放其生路，而当他最终意识到自己必死无疑的时候，便恶毒地破口大骂：“我定会报仇的。就算我死后作厉鬼在九泉下挣扎，也定会向金祐徵讨命的!”

利弘死后果真会变成一个厉鬼吗？厉鬼果真会向神武王金祐徵讨命吗？

第三章 坚白同异

文成王三年秋，即公元 841 年。

朝廷里召集了御前会议，文成王在上，其近臣上大等礼征、侍中义宗、金阳等也都聚集在大殿之内。

原来，几天以前，京城中出现了一位镇海将军。

镇海将军。

这是清海镇大使张保皋的新称号。

文成王在其先王父皇神武王登基未满三个月驾崩之后，以太子的身份接替了王位，并随即召张保皋入宫，颁下圣旨，赐予章服。

在文成王的内心深处，最敬佩最尊敬的人物非张保皋莫属，而且他一直视张保皋为自己的义父。

父皇神武王赐封张保皋为“感义军使”，薪俸粮两千石。而据《三国史记》的记载，文成王则又授予张保皋更高的职位“镇海将军”，即全权统治领海的将军。

文成王赐给张保皋的章服不同于其他臣使，其最大的区别在于此章服之上的纹饰是王室家族的标志图案。由此可以看出，文成王对张保皋的尊崇有多么深厚。

不仅如此。

父皇神武王与张保皋之间早已为自己和张女义英订下媒妁之言，男方向女方纳采的龙凤礼书也早已聘送回礼。因此，对文成王来说，张保皋还代表着另外一种非常特殊的意义。文成王早已下定决心，只要时间一到，他必履行婚约，迎娶张保皋的女儿义英为自己的妻子。

然而他万万没有想到，父皇神武王竟然只在御座王位上坐了三个月便离开了人世。

父皇神武王是在兴德王死后，经历了一场连续不断的夺权之战，才胜利地登上王位，结束这场血战的。然而父皇只在位短短三个月，还未来得及处理好争夺战中积累的许多矛盾纠葛便离他而去。

尤其使神武王刻骨铭心的是，这三十年来的争战已经将他推到了新罗贵族的对立阵营里去，因此，新登王位他便任张保皋为感义军使，消除了贵族干涉政权的可乘之机。

还有一件令神武王迫不及待的事情就是太子庆膺与张保皋之女义英的婚事。重义守约的神武王欲将张保皋置于自己和新罗贵族之间，以此来压制那些权贵贪得无厌的欲望。如此，神武王便可以在彼此均衡对立的中间稳固手中的王权。

然而，神武王的意外暴毙却将这所有的繁重任务全都无法推诿地压在了其子文成王的肩上。

文成王也如父亲一样十分信赖张保皋，而对那些也曾助父亲一臂之力的，如金阳、礼征、义宗等大功臣却或多或少地心存戒备之心。

文成王不得不多加防备，因为自己登基前后各种渐渐显露迹象使他不得不借前车之鉴，更何况已经发生过谋反未遂的例子。七月间，一位名叫金洪弼的军将不满于对自己的论功行赏而企图谋反，后因败露逃亡海岛。

正在文成王不知所措之时，眼前出现了一个希望。

一位使者从清海镇来到了王都，他便是镇海将军张保皋派来的策士于吕系，带着前辈钦定的婚约和龙凤礼书拜谒新王。

于吕系呈上红线系封的龙凤礼书，禀奏：

“大王陛下，先王曾聘下龙凤礼书与镇海将军血脉联姻。自古以来，红线系书则两家婚约神圣而不可侵犯。况且，先王承诺婚仪即在灭除盗匪，报仇雪耻之后举行。而当盗匪已除，深仇已报之后，先王烦事缠身，此婚约之事则日复一日一拖再拖。如今，新王登基，国丧已满，臣恳请大王陛下思虑迎娶之事，赐予张保皋大使之女名正言顺之名分。”

于吕系所言句句在理。

剿灭盗国大贼金明之事业已在先王时代圆满完成，而父王驾崩国丧三年，如今也已到期，还有什么理由不履行两家之间的婚庆喜事呢?

事实上，文成王反而更加殷切地盼望能与镇海将军张保皋之女义英早日完婚。

“各位臣下之意如何?”

宫廷大殿之内群臣侍立，文成王在上问道：“镇海将军派人问朕履行先王所订婚约一事，对此各位意欲如何?”

“万万不可。”上大等礼征高声喊道：“古人云，夫妇之道乃人之大道，此与人民兴旺国家存亡密切相关，岂能随心所欲；况张保皋虽功德卓著，但终究出身卑微，其女怎能为王室之母?”

立时殿内议论纷纷，反对者不止一人，侍中义宗也赞同上大等之意。

如此群臣力谏，令大王进入左右两难之地。最后文成王环顾殿内，向金阳问道：“卿意如何?”

金阳是辅佐神武王与文成王，跨越两代大王劳苦功高的元老之一，也是大王最强而有力的支持者。因此，文成王新一登基便加封金阳为校判兼仓部令。校判为新罗权势序列排位第三的官职，仓部令则总揽朝廷的财政大权。文成王又令金阳专司侍中兼兵部令，而兵部令又为掌握全军兵权的要职。如此一来，新罗朝廷的一切权力终于全都集于金阳一手之中。随后，中国唐朝也为集全权于一身的金阳准备了一份厚礼。

《三国史记》记载：

唐派使臣聘问，封公检校卫尉卿。

文成王知道，金阳必定会给出一个圆满的答案，因为，金阳就是促成自己和张保皋女儿之间婚约的月下老人啊。

然而，一直沉默不语的金阳却终于开口说道："各位大臣一致认为张保皋出身寒微，其女自然不配成为王室之母。而臣下以为，此事无可无不可。"

无可无不可。

此话出自孔子，表示既不肯定也不反对，没有一定的选择，也就是说，言行举止保持中庸之道的意思。

"先朝时，智哲老王阳物长达一尺五寸，无人敢嫁，于是他派使者前往参岛寻求。恰巧，使者目睹二犬为一巨大如鼓的粪屎相争，便问旁边一少女。原来此女为那地相公之女，外出洗衣因内急便猫于林中便出二犬所争之巨物。待使者见之，其身长竟高七尺五寸，于是王娶此女为后。

因此，大王欲立张保皋之女为王妃又有何不可？"

金阳的回答结束了。这时殿内的文武百官交头接耳，进而竟人声鼎沸。

接着，金阳又说道："那于林中解便的毕竟是相公之女，而不是如各位所指的寒微的海岛之人。所以，娶张保皋大使之女的确不合体统。"

金阳模棱两可的回答表明他态度暧昧。于是御前会议没有定论，不了了之。

然而当晚，参加会议的所有大臣却不约而同聚齐在金宅。原来，金阳派人秘密地召集了来。

金阳对他们说道："在下之所以邀请各位同僚，是想敞开胸襟，将无法在大王陛下面前表露的真实想法一吐为快。

先王时，在下为国心切，极力进言促成张保皋大使之女与先王陛下的婚约，以便借张保皋强大的兵力报仇雪耻。当时，在下出此计策实属无奈。而如今按照约定，张保皋之女被立为妃也是合情合理之事。"

随即，金阳缓缓地接着说道："但是，张保皋大使出身低贱，若要其女成为王室之母是万不可能的事情，如上大等所言此关系国家社稷之存亡。古代夏王禹因其夫人涂山而兴旺。殷王汤以其夫人有华而昌盛；可是周朝却因褒姒而灭亡，晋朝又因丽姬而患乱。因此，岂能任张保皋之女成为王妃。"

"检校卿大人，"上大等礼征对金阳说道："我们并不是不承认剿灭国盗最大的功臣当首推张保皋大使，而且先王也降旨封其为感义军使，赐俸禄粮两千石。不仅如此，大王陛下又颁诏封其为镇海将军，并赐章服。这些官职无一例外都是首次出现于朝廷。"

上大等礼征所言极是。

文成王所封的"镇海将军"等官职是在新罗历史上从未有过的特权之位，如同兴德大王赐封的"清海镇大使"，神武王赐封的"感义军使"，都是封予张保皋一人的特殊职责的称呼。

"由此，对张保皋大使朝廷已经论功行赏，对其功德也已赐予最高礼遇，所以没有必要和理由再将大使的女儿册封为王妃。"

"可是，"侍中义宗忧心忡忡地担心，"张保皋大使强大的兵力为国中之最，天下无敌。万一大使对其女未封为王妃心存怨恨而起兵谋反，恐怕朝廷一时无法平定，国家上下势必又要卷入混战之中啊。”

侍中义宗之言正中要害，一针见血。群臣对此没有不惧怕的，只是无人敢坦言罢了。

如今三十年来，新罗局势首次平稳下来，若是此时张保皋再出兵反叛，国家存亡则危在旦夕，后果也定然不堪设想。

“那可如何是好？”

《三国史记》里描述当时群臣担忧的场面时写道：

朝廷恐遭张保皋举兵叛乱，又无法容忍其所作为，故左右为难，不知所措。

接着，侍中义宗又说：“而另一方面，虽然张保皋为卑贱的海岛之人，却与王族联姻，并且先王陛下先后两度与其定下婚约，这又是天地间不可背信弃义而反悔的事情啊。”

正在此时。

缄口不语一直在倾听群臣商议的金阳突然从怀中掏出一个东西，置于几案之上。围坐一旁的大臣们定睛一瞧，原来是一块闪闪发亮的石英石。

“好了，”金阳开口说道：“在下明白各位同僚的疑虑和担心了。上大等这边认为以张保皋卑微的出身，决不可能立其女为妃；而侍中这边又认为尽管张保皋出身低下，然而既已成王室婚约却无法违背。只是，我们不得不从中选择其一。那么首先容在下提出一个问题，这块石头是什么颜色？”

上大等礼征立即答道：“白色。”

“您是怎样知道这块石头是白色的？”

“用眼睛看的嘛。”

“那好。”然后，金阳又转向侍中义宗，“那请问侍中，这块石头是硬还是软？”

措手不及的侍中只得将那小石块儿摸了一下，说：“是硬的。”

“怎么知道是硬的呢?”

侍中义宗以为金阳明知故问，但仍回答说：“用手摸摸不就知道了。”

金阳好像在和大家猜谜一样，令群臣迷惑不解，而惟有金阳自己却早已洞察到每个人的心思，于是哈哈大笑，解开了谜底：“想必各位也都知道，这是一个闪着白色光芒的坚硬的石块。但是，上大等是用眼睛看到了石块儿的白色光芒，而眼睛却看不到它的软硬；侍中则用手摸出石块儿是坚硬的，却无法摸出它的颜色。既然上大等看到了白石块儿，侍中摸到了硬石块儿，这是两种不同的答案。那么，放在几案上的石头到底是一块还是两块?”

又是一道谜一般的问题。大臣们更加惊愕，个个全都瞠目结舌。

几案上的分明是一个石头，然而若要说是一个，却又悖理于金阳的理论；可是若回答是两个，却会落入金阳制造的诡辩之中。

诡辩。

形式上好像是运用正确的推理手段，实际上却违反逻辑规律，做出似是而非的推论。

金阳所言见于早在中国战国时期公孙龙的论辩之中：白石与坚石不属同一物质，即“坚白同异”。这是极其著名的一个诡辩之说。

“在下为各位例举坚白同异的典故是要表明，选择张保皋大使的女儿做王妃与这块白色而坚硬的石头是同一个道理。虽然这石头是白色而且坚硬，但却不是一次证明出来的。”

金阳的回答精妙绝伦。

虽然当初为了仰赖张保皋大使麾下的精兵强将平定内乱，才与其结下政治联姻，许诺日后定将张女立为王妃。但若果真遵守诺言，身份低微的张保皋将一手掌握朝廷军政大权，如此一来便会破坏新罗全朝贵族的原有秩序。所以，金阳认为只有采取坚白同异的诡辩战术，他们才能扳倒张保皋。

金阳犀利而可怕的思维实在令人无法捉摸，他慑服了在场的所有大臣。至此，他们只有战栗，连空气也凝重起来。

沉默良久，金阳重新开口发言：“在下还有一个问题：难道大王陛下因此就不立王妃了吗？”

“大人此言何意？”上大等礼征不禁问道：“当然希望大王陛下及早再立次妃以得后嗣，不是吗？”

据记载，此时文成王已立了正妃朴氏，只是朴氏未出子嗣。鉴于当年正是因为兴德大王无后，他的驾崩才导致了以后三十年的战乱，因此，群臣无不殷切盼望大王早日再立次妃，传宗接代。

“那么，”金阳斩钉截铁地说道：“现在就请各位提前一睹在下为大王陛下选择的王妃芳容，如何？”

就在此时此地见一个王妃的人选，金阳的言语激起了席间的层层波澜。如果能立即找出一个合适的王妃人选，那大王陛下与张保皋之女义英的婚约不就自然而然地烟消云散了吗？

“来了吗？”金阳环顾四周，高声叫道：“让德生进来吧。”

话音落地，屏风后面的门开了，一位少女宛然跃入大臣们的眼帘，她虽稚气未脱，才刚十岁，然而却如璀璨的明珠一般耀眼，令人过目难忘。

“为在座的每一位客人敬酒。”

于是少女双手捧杯，穿梭于席间。

“这是小女。”

即使金阳不解释，大臣们心里也都清楚这一定是他的女儿德生。

德生，就是那位早年间在柏栗寺被迫自尽的四宝夫人为金阳所生的独生女儿。母亲四宝死后，德生被柏栗寺的住持月如师傅偷偷收养，而金阳却一直不闻不问，使德生如孤儿一样在父母的抛弃下于寺内生活了几年，渐渐长成一个美丽的少女。

少女德生敬酒之际，群臣都以挑剔的目光打量着她。虽说成为大王陛下的王妃尚嫌年幼，然而年龄却根本构不成无法逾越的障碍。那些大臣们虽未开口评头论足，心中却默契地达成了一致。

他们之所以极力反对张保皋与王室联姻，不正是担心若天下的权势未能牢牢地掌握在贵族的手中，而让寒微的海岛之人张保皋总揽，那贵族的利益则岌岌可危，到那时他们只能望洋兴叹，拱手相让。然而，如果大王陛下册立的王妃不是张保皋的女儿而是金阳的女儿，斩断了这条张保皋争权的途径，那他们的担心又从何而起呢？

“小女如何？”金阳作了一个手势令女儿德生退下，对周围的客人问道：“各位不妨直言，在下的女儿够不够资格做大王陛下的王妃呢？”

面对金阳，群臣连连异口同声地回答：“当然，当然，完全够格。”

当深夜金阳送走了所有的客人，他却独自一人在寝宫里喝起酒来。他在谋划自己的未来。

抉择。

他在深夜宴请群臣正是要让他们在张保皋的女儿与自己的女儿之间拣选一个更能维护权贵利益的王妃，而抉择的结果正在他的意料之中，令他非常满意。

其实，在白天的御前会议上，当大王陛下征求金阳的时候，金阳之所以说出“无可无不可”令人琢磨不透的回答，正是因为他想起了自己的女儿德生。

如果女儿德生替代了张保皋的女儿义英成为大王陛下的次妃，那张保皋与王室的婚约不就是“无可无不可”的事情了吗？

金阳所谓借张保皋的兵力除旧布新、报仇雪耻，并不是为了国家，而是为了自己的野心。他为了拥有一个比张保皋更强大的后盾，才深谋远虑地使出浑身解数促成了金张两家的婚事。

然而，金阳却还记得一个古老的成语叫“得鱼忘筌”。

筌是捕鱼的工具，得到了鱼便忘掉了筌，指达到了目的以后就忘记了原来的凭借。在金阳的眼里，张保皋便是他手中的捕鱼之筌。如今他已不再有捕鱼之需，筌已经成了他的负担，那何不干脆一脚踢开呢？

因为倘若自己不抢先一步下手，等到大王陛下履行了与张家的婚约，那张保皋便一步登天，成为新罗的国舅。

国舅便是王妃的父亲。若张保皋真的成为国舅，就不仅仅是身份位居第一，连朝廷大权也都会被他一人独掌。这是金阳最无法容忍的结局。

金阳绝不可能任他人一手遮天。常言道：一山不容二虎。头顶的一方天空怎能出现两个太阳；脚踏的一片土地又怎能容下两位英雄。

在御前会议之上，金阳对周围的唇枪舌剑置若罔闻，顾自坠入深深的思索之中。突然，他的脑海里掠过一个画面，女儿德生正在花丛中向他微笑。与此同时，他脑海中又闪过一件事情，那便是很多年前朗慧和尚的谶语。

“必有三个女人解救你，你将因三女得世。”

三个女人。

朗慧和尚所说的三个女人，第一个便是自己的夫人四宝，金阳为了防止金祐徵起疑，逼死了四宝，以夫人的性命换得了金祐徵的信任。第二个女人又是谁呢？这第二个便是张保皋的女儿义英，金阳难道不是极力促成张保皋的女儿义英和金祐徵的婚约，以此换得张保皋的精兵才除掉金明，收复新罗的吗？

那么第三个女人呢？当金阳眼前浮现出女儿德生在花丛中追逐蝴蝶的身影，他立即毫不犹豫地认为，她便是自己的女儿德生！

不错。

必须选择德生来代替张保皋的女儿，这一定就是朗慧和尚为他所谶之言的三个女人中的第三个。如此说来，战争并没有结束，而是刚刚开始，只不过这次敌人不是在外而是在内，即内敌。这就是张保皋。

夏炉冬扇。

对金阳而言，如今的张保皋不正是夏日里的火炉，冬日里的蒲扇吗？金阳已经不再需要张保皋这样的人物，反而需要他从自己的眼前消失蒸发，永远不要再出现。借刀杀人之后，难道不该扔掉别人的刀吗？

于是金阳将朝廷的核心人物召集了来，在众人心目中将大王陛下的王妃由张保皋的女儿义英换成自己的女儿德生，为日后在没有硝烟的战争中取得胜利，提前做好了充分的准备。

金阳很清楚，这次备战是获胜的关键之所在，必须成功。

在金阳深思熟虑、环环相扣的策略中，事情果然如自己所希望的一样进展顺利。

然而，如此深夜，金阳仍然对影独酌。

金阳再次陷入深思之中。

不知不觉夜深了，初秋的明月挂在夜空，月光撒落在大地上，一片银白。

新的战争开始了。

若是自己的女儿德生替代张保皋的女儿义英成了王妃，张保皋一定不会善罢甘休，在清海镇起兵谋反也将不得而知。那样，朝廷就只好从中国请兵镇压了。因为身为统管全军的兵部令金阳比任何人都更清楚，一旦张保皋兴兵与自己对垒，若要正面冲突，自己绝不是他的对手。

但是，若要因此让自己放手则又绝不可能。

他这次要以天地做赌注一决胜负，与张保皋进行最后的争夺。

金阳一面独自干杯，一面咬牙切齿的发誓："我一定会赢，这是命中注定的。因为朗慧和尚的谶语，我定会因三女得势。我自己的女儿就是上天助我一臂之力的第三个女人。"

一夜未合眼的金阳终于下定了决心，派人将自己的心腹之臣阎长叫了来。于是，阎长便当夜躲过别人的眼目，秘密地进了金阳的官邸。

"您叫我，大人。"

阎长因自己毁坏的丑陋容貌，至今仍喜欢在黑夜里独来独往。在平定内乱的战斗中他战绩显赫，被金阳提拔，现任侍卫部军长一职。侍卫部是由精兵强将组成的以保护大王安全为主要职责的一支精锐部队。出于对阎长的宠爱与信任，金阳才下令阎长任此要职。

“大人有什么吩咐？”阎长望着金阳问道，双眼中流露出对金阳的无限忠心。

“叫你来是因为很久没有听过你的觱篥声了。”

金阳当然清楚，阎长虽曾经一时做过贩卖奴隶的海盗勾当，但他却是新罗第一吹觱篥高手。

“这么突然，是要叫小人吹奏一曲啊。”

阎长时时将觱篥作剑鞘插在剑外佩带于身，杀人时它是剑，舒怀时它便是觱篥。

“很想再听一次《无等山曲》。”

传说《无等山曲》是古时百济无等山圣人为表现太平盛世里百济人民富足悠闲的生活而作的一首曲子。

于是阎长吹了起来。一时间，悠扬的觱篥声融着幽幽的月色传到了远方。金阳则闭上眼睛享受着这美妙的音乐。

片刻，阎长奏罢，金阳在自己的杯里倒满酒，递给阎长，说道：“辛苦了，干了这一杯。”

阎长双手接过，背身一饮而尽。饮毕，阎长小心谨慎地问道：“这深夜里，大人因何事招呼小人？”

金阳笑了起来，说道：“我不是说了吗，很久没有听过你吹的觱篥声了。”

阎长却摇摇头，说：“不，不是只因为这个。”

于是金阳大笑起来，说道：“真是瞒得了鬼也瞒不过你啊。不错，我派人叫你来是为了报仇一事。现在我有一个不共戴天的仇敌，该如何是好呢？”

竟然又是一个同样的问题。

四年前为了刺杀金明，金阳私下将阎长叫到自己面前时，说的便是同样的话。那时，阎长这样回答：“杀掉。”

现在面对同样的问题，阎长思忖，金阳的意思是让自己再做一回刺客，可是哪里还有什么不共戴天的仇人呢？

“不过与大人不共戴天的敌人不是已经死了吗？人死了仇也报了，大人为何还说要报仇呢?”阎长毫无隐讳，直接问道。

因为阎长认为，主子的仇敌只有一人，那就是金阳发誓一定要杀的金明，但是金明不早就丧命了吗？

这时，金阳摇摇头，说道：“不，还有一仇未报，他不是我的仇人，而是你的仇人。”

金阳用手点着阎长胸口强调：“是让你感到彻骨之恨的仇敌。”

阎长被金阳弄糊涂了，他感到自己是一头雾水找不到答案。

“小人还能有什么痛恨的仇人?”

阎长低下了头，于是金阳回答：“你只能像这样在夜间来往是为什么？你平常总是戴着一个面具又是为什么？难道不是为了以黑夜，以面具遮挡你的面容吗？如今，你活着人不像人，鬼不像鬼，这又是谁一手造成的?”

立时，阎长茅塞顿开，终于明白金阳所指的这个令他彻骨痛恨的仇敌是谁了。

“在你的脸上黥刺无法消除的‘盗贼’二字，把你变成活着的死人，难道这不是你所痛彻的仇人吗?”

阎长完全领会金阳的意思，这一番话又令他想起了他作屠夫剔骨为生的那段悲惨的日子，想起他的老母过世时，是金阳找到他，出资给老母厚葬的。

不仅如此，金阳身为武州都督竟亲自上门拜访，想尽办法帮他消除了他脸上耻辱的黥字，使他从罪大恶极的盗贼改头换面成为一名副官，还替他更换了名字。从此，他不再是阎文而是阎长，一个脱胎换骨重新做人的新人。

然而，借刀杀人。

当时金阳之所以如此厚待阎长，难道不是为了有朝一日借他人之手来铲除张保皋吗？

“如今，”金阳低声说道：“你报仇雪恨的时候终于到了。”

沉默无语的阎长一言不发，只是洗耳恭听主人的命令：杀了张保皋。

“你的仇人现在成了全天下仇恨的敌人。”

“明白。”

阎长回答得干脆极了，接着又这样说道：“大人的意思小人完全明白。小人活着是大人的仆，死了是大人的鬼，不管什么事小人必遵从大人的意思。只是，小人有一个条件。”

“什么条件？”

得到允许，阎长立刻说：“常言道‘不入虎穴，焉得虎子’，所以小人要想报深仇大恨，一定要先入‘虎穴’清海镇，不是吗？”

阎长说的很对。

若要除掉张保皋，将他召到徐罗筏来伺机行事是极不可行的。因为先王神武王授予他“感义军使”之称，现今的文成王又赐予“镇海将军”之名，张保皋入京徐罗筏没有一次不是率其麾下数百名士兵而来的。所以，只有在清海镇才可能有下手的机会。阎长说的不无道理。

“那条件是什么？”

阎长毅然决然地回答：“裴萱伯的人头。”

阎长接着又补充了一句：“大人将裴萱伯的人头割下来给我，这是第一个条件。”

裴萱伯。

他就是曾射伤金阳，当年金明的铁杆亲信。后来，金阳收复王都的时候《三国史记》记载了他对裴萱伯说过的话“家犬的本质原是顺从主人，而对外人狂叫不止。你为你的主人袭击我，致使我受伤跌倒，表明你是一个义士。因此，我不会怪罪于你，你也大可不必心存疑虑和恐惧。”金阳不仅没有杀裴萱伯，反而授他军职，成为阎长的直属长官。

“为何单要裴萱伯的首级，是出于私人恩怨吗？”

阎长否定了金阳的猜测，说：

“小人与他无怨无仇。大人，只是小人恐怕到了‘虎穴’清海镇也得不到张保皋的信任，因为张保皋知道小人的真实身份。但是如果小人提着裴萱伯的人头，假装投降于他，小人以为张保皋不会不信的。”

如“依其行事”所言，第一个条件便是裴萱伯的人头。第二个条件则是大王诏告张保皋为叛贼的手谕。

对此，阎长解释道：“如果大王陛下不向全国宣告张保皋是叛贼，那就算小人割下他的人头，他的部下也不会容忍的，他们肯定要为自己的主人报仇，这就不可避免会有一场叛乱。”

刺客阎长提出的两个要求无不合情合理。

这夜之后，次日，金阳便派密使将裴萱伯召来，对他说：“古人云‘跖狗吠尧’，涂跖的家犬见到尧这样的圣人也会叫个不停。狗是为了维护主人，所以冲外人乱叫。当年，你为了你的主人才用箭射伤了我的大腿，也称得上是一名义士。那么，你的旧主已经死了，现在你认谁为主呢？”

“臣的主人只有大人一位。”

“那你也会为我冲锋陷阵吗？”

“在所不辞。”

“即使献出性命？”

裴萱伯毫不犹豫地回答：

“臣的性命是主人给的。臣已经死过一次，难道还怕再死一次吗？”

“那就拿你的命来。”

没等金阳语音落地，只见裴萱伯抽出刀来刎颈而死。

裴萱伯死后，金阳将其身首异处的尸体装殓，举行了极其盛大的葬礼，痛哭道：“你果然是一个忠心耿耿的忠臣啊。”

而此时，阎长便拿着裴萱伯的首级和大王陛下的手谕向清海镇迈出了脚步。

阎长出发的第二天，武州城内传开了几条爆炸性的新闻。

人们风传武州人阎长因不满于封赏，怀恨在心反叛朝廷。又有传言说，在阎长家中发现了裴萱伯的无首尸身。

消息传开后不久，朝廷便在庆州各地发下通告，通缉捉拿阎长。通告还说，拿住阎长者给予丰厚的奖赏，

然而此时，阎长已双足踏入清海镇内了。

第四章 血 花

1

破晓之前，大海如袭一身玄青，漆黑一片。

上元，即正月十五，凌晨六点，海面上吹来的海风寒冷刺骨。我穿了一件厚厚的外衣，寒风却仍从衣缝里钻进我的身体，使我不得不蜷缩起来。我是昨夜到达此地的，这儿的居民让我凌晨六点在海堤前等候。

“堂祭六点钟开始。”村里的里长告诉我。

于是我一早便来到海堤前。那时我才知道，为什么堂祭从凌晨六点就开始了。

原来，这是开放将佐里村通往将岛海路的时间。

海潮涨了一夜之后，海面升高很多。等到清晨，潮水便满意地开始徐徐消退，一点儿一点儿恢复成浅滩，裸露出原来的赤地。

还未完全退尽的潮水，哗啦哗啦，像浴缸被拔去了塞子一样，渐渐消失得无影无踪。很快，海路便可开放，村民们也可以返回岛上去了。

按南海的风俗，从正月十四的晚上起，满月光照大地可以给人带来好运，所以他们点燃每一盏灯，让家里的每一个角落都明亮起来，甚至连船上的人也要将船照得灯火通明。将佐里村一带都是如此，渔船在黑夜宛如点点繁星一般点缀着大海。

随后，像等待腊月最后一天的除夕一样，全村人都按捺不住激动的心情等待堂祭的开始。

每年正月十五的堂祭。

全体将佐里村和将岛周边地区居民参加的这种堂祭活动是一种古代部落祭，千百年来一直延续至今，形成一种当地独特的风俗景象。一九七五年，这种堂祭被定为地方民俗祭。

不，这又怎能被称为一种风俗呢？

这种堂祭是为了能够使死人的灵魂进入极乐世界而举行的赞美死人灵魂的一种巫术活动。然而这种安魂祭却不是由巫师动员发起的，而是村民们自发形成的。那么，数百年来村民到底是为了谁的亡灵举行这样盛大的安魂祭呢？

十王分尸。

佛教认为，人死之后进入由十大王统治的阴间，而其中十王负责审判死人生前的罪孽。人们为了祈求亡灵能在阴间得到冥福便举行这种堂巫活动。村民们究竟为何人举行这种每年正月十五一次的堂祭呢？

我国一向非常重视十五望月之日的意义，正月十五是这样，而八月十五又何尝不是呢？

我竖起外衣的领子，抬头望了一下黎明前的夜空。挂在天空的应该是十五前夕的月亮吧。然而，无论我怎样寻找，也始终没有见到月亮的影子。

此时，满天的乌云遮盖了天空，像要下雪似的令人感到阴沉。

张保皋。

新罗文成王三年，即公元 841 年辞世的人，一直被我国视为一个叛贼。

然而果真是这样吗？

通常，历史掌握在胜者的手中，而且只是胜者眼中的历史。而张保皋却因其在历史中谋反未果的叛贼身份，被深深地烙上了失败者的印记。最终的胜者是金阳，就是借张保皋的兵力平定东部，打败金明的那个金阳。在以金阳为首的那些新罗新兴贵族的眼中，难道张保皋不是一个败者吗？

如此，张保皋成为一个枉死的冤魂。为了安抚赞慰这个冤魂，千百年来，当地的村民自发形成了每年正月十五举行的安魂祭。

突然，一阵铜锣声打破了周围的静寂，堂祭开始了。

我将双手抄在衣袖里，在阵阵锣声中向曾是张保皋本营的将岛眺望。天仍未亮，在令人厌烦的黎明前的黑夜中，海面上微微涌着暗光，而容不得一丝光亮的黑暗竟固执地坚持着。光亮与黑暗之间的挑战最终汇于海中，大海成为他们的神明。

不。

我不禁摇摇头，陷入沉思中。

张保皋绝不是叛逆者。

张保皋被残忍地谋杀绝不是因为他怨恨自己的女儿未被立为王妃，绝不是因为自己得不到荣华富贵而起兵谋反的结果。他是为了决心医治伤痕累累的新罗朝廷，却不幸落入以金阳为代表的那些畏惧其权势的新兴贵族所设的阴谋诡计之中。

张保皋。

他分明是一个历史的失败者，却从未被人遗忘。人们在一千年的历史长河中一年又一年，一代又一代为这位海神传颂着祭奠失败者的安魂曲。人们正是在这种堂祭中，祈求海神张保皋的亡灵保佑村落世代平安与富足。

那么一千两百年前，清海镇军营中，即如今的将岛，究竟发生了什么？接授金阳暗杀张保皋密令的阎长，带着裴萱伯的首级假意投奔清海镇，他又怎么可能在戒备森严的清海镇军营中暗杀了张保皋呢？

文成王三年春。

当阎长的双脚一踏进清海镇，便被士兵抓了起来。守城的李顺行一眼便看出他是金阳的亲信阎长，将他送进了监所。

情急之下，阎长朝李顺行大声喊道："常言道：降者不死。不抓投降的人，也不杀投降的人，更何况我来投靠是为了遵守信义的。你怎么能这样待我？"

李顺行笑道："你怎么可能遵守信义，而且你又有什么信义可遵守。"

阎长听了，反而哈哈大笑，说道："请张保皋大使看看这个木匣，那么张大使便懂得我的信义了。"

于是，李顺行将阎长带来的木匣送禀张保皋，张保皋打开一看，赫然出现一颗人头。

"这是什么。"张保皋大惊失色。

这时，于吕系在一旁看了看说道："这是裴萱伯的首级。我听说阎长背叛朝廷杀了裴萱伯，逃往清海镇来了。朝廷已经贴下榜书捉拿阎长，拿到阎长者可得奖赏一万。"

张保皋又看了一下裴萱伯的人头，发现旁边附有一张字条，打开一看，字条上面写着："梦中许人觉且不背其信"。

"这又是什么意思？"张保皋问道。

于吕系回答说："这句话取自《新书》，意思是说即使做梦时定下的承诺，梦醒以后也应该履行，是表明守信重义的一句名言。"

"这么说，阎长很守信义了。"

"大人，"这时，李顺行站出来说道："那家伙不管怎么做也不可能遵守信义的。”

“等他来了，我自然会判断。”

于是张保皋下令将阎长带来，于吕系也不便阻拦，退在一旁。

不一会儿，阎长五花大绑被带了进来，只听张保皋问道：“你原来不是大将军的部下吗？可现在你又为何背叛了检尉卿大将军呢？”

只见阎长“噗通”一下跪在张保皋面前，说道：“是这样的，大人。臣原在大将军的麾下，不惜生命为大将军冲锋陷阵，成为大将军心腹中的心腹。大使大人，臣不仅仅是大将军的部下，而且也是赤胆忠心跟随大使大人的部下。臣作为大人所属的平东军里的一名军士，为了国家报仇雪耻，将自己的生命视为草芥，勇往直前，从不退缩。”

阎长顿了一下，接着又说：“在臣的心中，一直都以大将军和大使大人同为臣的主人，臣愿为主人赴汤蹈火，在所不辞。但是大人，臣如此忠心耿耿剿灭逆贼，拥戴新王，最后却得到不忍目睹的下场。曾经服侍逆贼的裴萱伯竟成了臣的上级官长，臣竟要直属逆贼的亲信之下。世间哪里还会有这样荒诞无稽的事情，颠倒黑白，天地倒置，地上的石头抛上天竟变成了星星？即使天翻地覆也不会出现这样的事情吧。臣实在忍无可忍，便杀了裴萱伯离开大将军，逃奔到清海镇来投靠大使大人。所以，这‘背叛’二字又从何说起，臣原也是大使大人的部下啊。”

阎长说道这里，连连叩首，长跪不起。

“恳求大使大人不要弃绝臣下。大使大人如今是臣的新主。古人云：取之无禁。拿无人认领的东西有谁会阻拦呢？现在，臣就是无主之物，求大使大人从心里容纳臣下。”

阎长的这一番看似肺腑之言的“高谈”，竟也令人萌生感动之意。

张保皋既已看到了阎长献上的裴萱伯的首级，又倾听了阎长的感受，他有些相信这是阎长的真心自白。

因为张保皋也有同感。他也听说金阳不仅赦免了裴萱伯的死罪，还任命他为全军核心的侍卫军的军长。这当然会令阎长感到怒不可遏。

启用原属逆贼心腹的裴萱伯为军长，而曾助金阳一臂之力历经无数争战同甘共苦的阎长却成为他的下级军长，即使换为张保皋，对此也无法不愤怒。

就这样，张保皋毫无戒心的接纳了阎长。

然而，策士于吕系却对张保皋如此进谏："大使大人，阎长是不可信的叛贼，不可存留。"

"为何不可？"张保皋不解。

于是于吕系答道："大使大人不记得十年前的事了吗？阎长原名阎文，是一个盗贼。大使大人剿灭海盗之时他是最后被抓捕的。虽然他脸上代表盗贼身份的黥字如今已被消除，然而不管怎样，他仍是盗贼中的盗贼，禽兽不如啊。"

"是的，"张保皋回答："我也一眼看出他了。但是，他既然已经被当时的武州都督金阳赦免，成为一名正式的军士，又消除了脸上的黥字，再也不是一个盗贼了。那么，我们怎能为以前的过错而出卖他呢？

古人云：去者任其去，来者任其来。他割下仇敌的首级降服而来，我们岂能猜疑而容不下他。况且，若我不接纳他，他又能向何人求救。"

《三国史记》中说张保皋"心存爱才之心"，所以接纳了阎长。其实，张保皋一向如此，早先金祐徵、金阳等流亡之时，不也是请为上宾吗？无论是谁，只要是前来投奔他的人，他以他博大的人文主义精神从不拒绝任何人。

当晚，张保皋立即命人在军营中为阎长摆设了酒席款待他。这酒席便是为阎长接风洗尘的宴会。

此时于吕系明白，他已经再也无法使张保皋改变主意了。

事实上，张保皋对新罗朝廷也一直心怀不满。他很清楚，正是因为新罗上层贵族的阻力，女儿义英与大王的婚事迟迟不能举行；他更清楚，那些权贵之所以百般阻挠，不就是因为他张保皋出身低寒吗？

恰恰此时，阎长带着裴萱伯的首级投奔他来，如同一缕清风吹来，令他倍感清爽。

“我要大摆宴席为阎长接风。”张保皋无视于吕系的劝言，命令下来。

张保皋的话如寒霜一般打在于吕系的心上，令他突然感到前路黯淡不清。

于是他急忙找到骁将李顺行，说道：“大事不好了，大使大人要设宴款待阎长，视其为上宾啊。”

“那您担心什么呢？”

“依在下来看，无论如何阎长也是不可信的。他曾倒戈反叛，是一个背信弃义的叛徒。有第一次便会有第二次，这种人总是会在信义面前犹豫徘徊，举棋不定。”

倒戈。

出于《书经》，意思是投降敌人，将矛头倒过来打自己人。

然而，事已至此，于吕系只好切切叮嘱李顺行，说道：“请军长务必谨慎，定要细细搜查阎长，任何可疑之物也不能放过。”

李顺行听罢，回答道：“您请放心，定照吩咐而行。”

“此外还要拜托一事。”

“您请说。”

“酒席之时，一定命阎长双膝跪行。”

双膝跪行。

不是以双足，而是以双膝着地，跪着走路。中国又称此为膝步。这是王室里用以防止那些反叛的近臣或奴仆袭击，遭到残杀的一种有效方法。

若双膝跪行，即便是天下最有名的刺客，他的剑也将成为无用武之地的废铜烂铁；即便是天下最有名的神剑，也只能成为一件装饰而已。

中国古代，武士之间决斗之后，最残忍的结局并不是胜者对败者一剑穿心，而是一剑削去败者膝盖正中的髌骨，令其再也无法站立。这对于一名武士来说犹如活埋一样，生不如死。

“明白。”李顺行十分清楚于吕系的用意，斩钉截铁地回答道：“在下一定命阎长双膝跪行。若阎长胆敢违抗，在下一定在他抬腿的那一瞬间出刀杀死。”

那日傍晚，清海镇里摆设了盛大的宴席请阎长作为上宾，同时，这对于清海镇来说也是一次决定乾坤的非同寻常的宴席。

2

村民们终于在狭窄的路口上出现了，大约三、四十人。他们穿着红、黄、绿三种颜色的衣服，头上戴着花花绿绿的农家帽子，猛一看还以为是常见的农乐民俗的行列，而不是郑重的堂祭队伍。队伍的最前面，一位旗手高举一面绿色的令旗，其上赫然几个大字“镇海将军张保皋”。

紧跟令旗之后的是乐队，以小锣、锣、长鼓等打击乐器为主。村民们在乐队的伴奏下缓缓地向前行进，进入退潮后的海岸赤地。这时，天际出现了一丝亮光，且越来越亮，漫漫长夜终于要过去了。

民俗性的表演通常排列成若干个几何图形组成一个队伍，而眼前，村民们只是围成一个个圆形，在不断的旋转中慢慢移进将岛的清海镇本营。从某种意义上讲，这种形式所展现的画面不由得令人联想到向敌营进军的军阵，而他们所演奏的音乐听起来也像是一种军鼓乐。

我站在这支队伍的最后跟随着他们。

一千多年以前，阎长为了刺杀张保皋也曾走过这条路，来到了将岛。但是，为什么大英雄张保皋最后竟惨败于一个刺客的剑下呢？

当他们一到达将岛，行列里的乐器声竟都戛然而止。原先那种喧嚣竟戏剧性的停了下来，甚至连脚步声也听不到。他们如同偷袭敌营的敌后特工队一般，屏住气息登上了岛屿。

一位猎手打扮的村民无不伤感地对我说："我们停止打鼓敲锣是为了暗中袭击敌人，我们不能让敌人发现我们啊。"

果然，村民们在队伍前的一位猎手的带领下，迅速爬上一个颇为陡峭的小山坡，急促的呼吸使他们口中呼出的白色哈气连成一片。

此时，天已大亮，完完全全是早晨了，黑暗不见了踪影。虽然太阳被云遮住了光芒，但仍挫败了刺骨寒冷的海风，令人感到暖和了许多。

不一会儿，队伍行进到一块平地上，在穿越了一大片芦苇丛之后，他们又不约而同敲响了铜锣长鼓，高唱起来。行列中大都是上了年纪的老人，当这种堂祭被定为地方民俗文化祭之后，这些代代传承堂祭的表演者渐渐年老，如今竟有些断代的迹象。

至此，队伍即将到达祀堂，祭祀的前奏好像应该结束了。那些巫师们奏响巫乐边舞边唱，围着祀堂转了三圈儿。

最后，巫师们供奉着张保皋的灵魂停在祀堂门口，歌舞的气氛达到了高潮。平素紧闭的祀堂此时敞开了大门，门口挂着禁止随意出入的链条。祀堂周围生长着一些郁郁葱葱的冬柏树，开满了红艳艳的花朵。

冬柏花竟绽放在如此萧瑟的严冬里。

我几乎不敢相信自己的眼睛。

挂在枝头的冬柏花不是零星的一朵、两朵，而是满眼的火红明艳。古代史学家文一平曾经这样解释："朝鲜南方生长一种冬柏树，能够在万物萧条的寒冬开放鲜红艳丽的花朵，独自炫耀春光。因其冬季开花，故名冬柏花。”

文一平所说的这种冬天吐蕊的冬柏花，在中国又因其生长在海边，称为海红花。

我也曾在别处见过这种与众不同的冬柏花，但是，我在这里，在举行慰藉张保皋灵魂的安魂祭的场所——张保皋的祀堂前，看到的却是以往没有感到过的如此华美而艳丽的冬柏花。那一瞬间，在我眼里，火红的冬柏花红得如同鲜血一般，冬柏树下落英缤纷，也仿佛一滴滴鲜红的血迹。透过这红色的海洋，我仿佛看到了从冤屈而死的张保皋的胸口流出的汩汩殷红的鲜血。

我怀着一种诗人般的感伤与惋惜，弯腰拾取了几片花瓣，珍藏在衣兜里。

这时，祭祀仪式开始了。身着祭服的里长打着手势招呼我，希望我这个远方的客人也做一次祭官，亲自参加祭祀仪式。我连连摆手推辞，却拗不过村民们的热情，被强拉了上去。于是，我脱下鞋走进祀堂。

祀堂里摆着三张祭台，分别朝着不同的方向。正中间的就是张保皋的灵台，上面竖着张保皋的神位。神位是用白纸做的，上面写着“显张清海大使保皋之神位”。

几炷香在神位前烟雾缭绕。

祀堂里同时供奉了四个人，除了摆在中间的张保皋以外，还有三个牌位分别是宋徵和惠一大师，以及张保皋的结义弟兄郑年。

宋徵是高句丽时代的人，出生于本地。他是一位义勇志士，据说其箭法高超，箭程竟远至六十里。还传说若是折断他的弓箭，从弓弦里竟能流出血来。至今，在将佐里村西面仍保留着一块名为射岘的磐石。听村里人讲，这石头上的印迹就是宋徵的箭痕，因此被称为射岘。

关于惠一大师知道的却甚少，只听说他是高句丽时代的一位高僧。至于张保皋的义弟郑年则无须更多的解释了。

担任祭主的里长头上戴了一块黑色的方巾，大概就是主持祭祀时所戴的行头吧。行了三遍大礼之后，祭主拿出一张事先准备好的祭文念了起来。然后，他开始焚烧烧纸。为了招附张保皋的灵魂，他将极薄的白色烧纸点着，抛向空中。这些烧纸在空中旋转了几下，飘下来，燃成灰烬。

看着这些烧纸的结局，我的心头思绪纷杂，内心充满了对死于非命的张保皋的无限悲悯之情。虽然我们的人生如同游子浪迹天涯的旅途一般，不知道为了什么我们开始，也不知道为了什么我们结束，但是，又有谁的一生能像张保皋一样如此坎坷，如此辉煌，又如此悲怆。张保皋的一生就像在虚空中燃烧的烧纸一样，短暂的闪亮之后转瞬间便成为灰烬陨落了。

究竟，在招待阎长的宴席上发生了什么？究竟，张保皋的生命是怎样结束的？

那一晚。

在阎长的接风酒席开始之前，李顺行照张保皋的策士于吕系的吩咐，仔细搜查了阎长，果真是任何可疑之物也不放过，一一细看。

不过，确实是什么也未查出。

阎长随身所带的惟有一支觱篥。

“这是什么?”李顺行问道。

“觱篥。”阎长拿出觱篥，说道。

李顺行不问也一眼可以看出那是一支觱篥，却仍然又问一句：“为什么随身携带觱篥?”

于是阎长回答说：“是为了给大使大人献上一曲而特意带的。”

其实，李顺行对大名鼎鼎的新罗第一吹觱篥高手也早有耳闻，但他仍然仔细端详了那支觱篥。

因为，他牢记着于的叮嘱：“古时吴国刺客典储刺杀吴王的时候，将匕首藏于鱼腹内。所以，阎长随身所带之物，要严加搜查，不能疏忽任何蛛丝马迹。”

李顺行时刻都不忘记于吕系的嘱咐，将阎长的觱篥在手中把弄了很久。没错，这的确是一支觱篥，没有任何一处能令李顺行感到疑心。他无可奈何地将觱篥还给阎长，却下命令道：“你必须双膝跪行进酒席入座，若不从则别怪我的刀不长眼。”

阎长听罢，眼前一片天旋地转。刚才他还暗自庆幸他的觱篥中剑逃过了李顺行狡黠的眼睛，他可以随身带入宴席内。然而他万万没有想到，李顺行却在他料想不到的地方给他设置障碍，使他无法按计行事。

对于刺客而言，双膝跪行意味着失败与死亡。因为只有站立着，调动身体的每一个细胞，才能找到出剑的机会。而在出剑的千钧一发间，不言而喻，抢先一拍甚至半拍才有更大的机会战胜对方。这一切只有站立才可能实现，所以，若双膝跪行则没有丝毫战胜的可能。

阎长无奈以膝步朝酒席走去，垂头丧气地长吁道：

“这可如何是好，全盘计划都要落空了。”

宴席盛大极了，张保皋和他手下的几位骁将如张弁、张建荣等都亲自到场为阎长接风。他们过去都与阎长同在平东军中，是并肩作战打败金明的战友，惟独郑年留在了徐罗伐，而这一点在阎长看来是不幸中的万幸。

当张保皋看到阎长双膝跪行，十分惊讶，问道：“你为何以膝代足走膝步？”

阎长跪在座位上缄默不言。这时，站在张保皋一旁全副武装的李顺行解释道：“这是臣下要求的。”

“为何如此要求？”

“严格遵行策士的命令。”

不曾想，张保皋竟因此怒道：

“难道我没有言明吗？要待阎长如上宾！”

上宾。

《三国史记》中分明记载“请为上宾”，即地位尊贵的客人。因此，上宾更要坐上座才是。

“我明明下令以阎长为上宾，摆设酒席为他接风，你们怎么让主宾如狗一般跪坐！”

张保皋的声音越来越大，他对阎长说道：“站起来，不要跪行。”

“不，不可！”李顺行大声阻止道。

“为何不可？”张保皋反问道。

于是李顺行朗声答道：“古人道：‘狼子野心’是不无道理的。豺狼的崽子再驯服也改变不了它野兽的本性。”

豺狼之子。

李顺行以豺狼之子形容阎长是一个没有信义、无恶不作的恶贼而蔑视他。

然而，张保皋竟愤然起身，让出上座，对阎长说道：“你是我的上宾，请上座。”

阎长跪在那里刚动了一下，张保皋便连忙走过去，亲手扶起阎长，说：“请宽恕部下的愚蠢和无礼。”

阎长礼让了几次之后，宴会终于开始了。

那是一次觥筹交错，酒兴异常高涨的宴会。除了阎长心怀不轨，小心翼翼之外，张保皋以及其下所有的军将们全都陶醉在欢乐的氛围里，喝得酩酊大醉。

当宴会的气氛达到了高潮，阎长认为是时候了。

“大使大人，”阎长取出怀里的觱篥，说道：“臣对觱篥略懂一二之外，无其他所长。大使大人为无才无德的小人摆设如此盛大的宴会，臣实在感激不尽，愿吹奏一曲散调以报答大人接纳之恩。”

张保皋听了兴高采烈，鼓起掌来。

“早就听说你的觱篥声远非他人能比，今天终于可以一饱耳福了。”

于是，阎长缓缓地吹起了小调，悠扬悦耳的觱篥声飘荡在席间。

阎长吹奏的是《无等山曲》，是古代百济无等山中流传的那首曲子。

动听的觱篥声止住了酒席上的喧闹，大家暂且将酒杯置于一边，侧耳聆听起来。

张保皋则干脆闭上眼睛，沉浸在美妙的旋律之中。

阎长一面吹着觱篥，一面机敏地观察全场。酒席上，人们多半都已酣醉到人事不醒的地步，连张保皋也已支撑不住自己的身体，斜靠在座位上。阎长苦苦等待的机会终于到来了。

只一剑，必须一剑致张保皋于死地。

阎长下了决心。

张保皋的身边只有一个守卫，就是全副武装的李顺行。阎长暗想，一定要在一剑刺死张保皋的同时，也结果了李顺行的性命。因为只有这样，此次行动才能算得上圆满完成。

阎长吹着觱篥，暗中已悄无声息地拔出了觱篥中的剑。

几乎同时，坐在座位上的阎长双足登地，身体向空中斜飞过去。

阎长如鸟般飞起来，在空中划了一条抛物线，径直指向张保皋，一剑刺中了张保皋的胸口。这一招叫逆麟刺。张保皋被阎长的剑刺中了心脏要害，还未来得及发出一声喊叫，便倒下了，鲜血从胸口喷涌而出。

一直严阵以待护卫张保皋的李顺行大惊失色，正欲出手之时，只见阎长变化莫测的身形，早已由刺杀张保皋时的弓步瞬间变为探海势。阎长又出一剑，划破了李顺行的铠甲，也刺进了他的胸膛。

这一切变化都发生在一瞬间。当那些在酒席上早已不辨东西南北的军将们猛然从大醉中清醒过来，意识到这不是一场离奇的梦境，而是活生生的事实，事情已经结束了。

面对极度惊愕，措手不及的军将们，阎长当场展示了大王陛下的亲笔圣谕，说道："大王陛下诏告天下，张保皋大使企图谋反朝廷，宣为逆贼。臣杀死张保皋绝无个人恩怨，完全是奉旨行命。希望在座的各位将领少安毋躁，不要轻举妄动触龙逆鳞。"

逆鳞。

长在龙眼目周围的细鳞。传说如果有人胆敢触到龙的逆鳞，会招致龙颜大怒，此人也必死无疑。后来人们以龙颜来比喻君主。

酒席上的人谁也无法相信这一切竟是事实，纷纷争看阎长手中的圣旨。阎长的话没错，那果然是大王陛下诏告天下的诏书。

众人就这样面对如此血淋淋的惨剧束手无策，谁也不敢阻挡阎长，不敢成为逆贼的同谋，他们眼睁睁地看着暗害镇海将军张保皋的凶手扬长而去。

3

堂祭结束之后，村民们还要一同分享祭肉。他们将祭台上的牛头肉切成大块，连着其他供奉神明的祭品一同分给大家。

那些参加祭祀的婆娘们端着食具，转遍了全村，成了全村人的大会餐。村里的男人则争相给我这个客人敬酒，我实在抵挡不住村民的热情，喝了三、四杯后竟有些醉意。

堂祭过后，天彻底亮了。尽管满天的乌云显得阴沉沉的，却阻挡不住大海的明朗。风渐渐小了，海上的波涛也平缓许多竟像一面湖水一样。

我端着纸杯离开了喧闹的人群，独自坐在土坝上抽起烟来。一个个小岛偶尔浮在平阔的海面上。我望着大海，视线却被天空飘落的什么东西遮挡了。

下雪了。

羽毛般轻柔的雪花飘飘扬扬散落下来。

正是在这样的地方，张保皋毫无意义地死了。

我喝了一口酒，沉浸在张保皋的世界里。

若是这样……

我抬头看看飞扬的雪花沉思。

那么，曾假意畏惧张保皋的金阳后来又如何呢？根据记载，刺杀了张保皋的阎长割下其首级，便径直返回庆州。听到这样的消息，恐怕没有人再比金阳更畅快了吧。

“辛苦了。”

金阳握住阎长的双手，微笑地说道：“你救了国家，真是忠心报国的功臣啊。”

说罢，金阳立即下令将阎长提升了官职。

就这样，阎长杀了张保皋不仅报了私仇，而且从一个卑微的海盗一跃成为国家的大功臣，新罗的贵族，重新开始了崭新的人生。

而金阳呢？据说有一日，他打开阎长带来的木匣，望着张保皋的人头，说道：“真是久违了，张大使。”

张保皋死不瞑目，瞪着眼睛。独自一人饮酒的金阳将酒倒满了酒杯，摆在张保皋的人头前，大笑了三声，说道：“你的躯体在哪里呢，怎么就只剩下一个脑袋了？”

身首异处。

面对被斩首而身首异处的张保皋，金阳内心获得了极大成就感。他又连笑三声自言自语起来。

金阳的女儿德生听到父亲奇怪的声音，走进来问道：“父亲，您在痛哭吗？”

金阳言道：“有句古语说：英雄未死心。全天下的大英雄张保皋大使竟未完成自己的心愿，就这样悲惨地死去了，我怎能不伤心而痛哭啊。可是他虽身死，心却未死，他将永远活在这个世上。所以，不用太过伤心，往生极乐吧。”

金阳给张保皋敬了三杯酒之后，转过身对女儿德生说道：“你将要入宫成为大王陛下的次妃了，应该保持身体和内心的贞洁，听到了吗？”

这样，金阳杀了张保皋，又成功地将自己的女儿取代了张保皋的女儿，成为文成王的王妃。到此，他终于完成了当年朗慧和尚“因三女得势”的谶语，得到了全天下的权势。

在平步青云的路上，金阳除掉了自己最大的障碍张保皋，全天下的权势终于集于金阳一人之手。从此，他再也没有对手了。

金阳的女儿成为王妃之后，他又以王妃父亲的身份成为国舅。大王陛下原已称赞金阳有功封为校判兼仓部令，随后又命其专任侍中兼兵部令。这样一来，新罗朝廷的重权全都被金阳牢牢地掌握在手中了。不仅如此，唐朝使节还送来聘书，因其拥有的强权，封其为“检校卫尉卿”。此时，金阳还不到不惑之年。

就在金阳飞黄腾达之时，传来了他的堂兄金昕辞世的消息。金昕曾率已故前王闵哀王的十万官兵，与金阳的平东军对战，战败而抛弃仕途，隐遁于少白山，从此不再踏进官场半步。

虽然金昕过着山野村夫的劳苦生活，他的脸上却从未失去微笑。夫人贞明面对常常满面笑容的金昕问道：“您为何总是如此喜悦?”

金昕回答说：“为何不喜悦呢?虽粗茶淡饭，枕臂而眠，我却从中感到快乐。那些不义之富贵钱财在我眼里不过都是些过往烟云罢了。如今我终于明白这个道理，怎能不喜悦呢?”

孔子曾称赞自己的学生颜回说：“贤哉，回也！一箪食，一瓢饮，在陋巷，人不堪其忧，回也不改其乐。贤哉，回也。（颜回真是有德行啊！用一个竹筐吃饭，用一个瓢喝水，住在简陋的巷子里，别人都忍受不了这种生活带来的愁苦，颜回却依然快乐。颜回真是有德行啊!)”

金昕如同孔子所称赞的颜回一样，过着“一箪食，一瓢饮”的惨淡生活，却依然微笑面对，没有失去追求真理的一颗赤诚的真心。

金昕就这样在隐居的生活中，从容地走完了自己的一生。

金阳一听到族兄去世的消息，立即身着丧服，亲自为金昕操办后事，举行了一个盛大的葬礼仪式，将其埋葬在奈灵郡，即今日永州郡南面的山坡上。

而当所有的仪式结束之后，金阳却私下派人将金昕的夫人贞明请来，对她说：“怎样，夫人?一切事宜都过去了，改嫁如何?”

金阳毫不掩饰，开门见山。他望着身穿白色丧服却掩饰不住风韵，依然美丽如昔的贞明夫人，明示他们两人之间过去曾有的婚约，说道："夫人难道忘了我们之间曾有的山盟海誓了吗？"

金阳从未将其原配夫人四宝以及四宝的自尽放在心上，不以为然。而贞明夫人却断然拒绝道："我如今已是将自己的一切交付于一个男人的女人，怎能再服侍第二个男人！"

不料，金阳缓缓说道："古时元晓大师悟得心法之后，自称小乘巨师，与丧夫寡居的尧夕公主同床共眠，生出了日后成为大学者的薛聪。连天下的高僧都如此，我们这些凡夫俗子又何必虚度年华呢？何况，夫人还膝下无子呢。"

据记载，面对如此露骨而不顾廉耻的求爱，贞明夫人冷静地站起来，说道："我抛开尘世的一切已经很久了。"

言毕，贞明夫人回到山林中，削发为尼。

那么，曾经与张保皋结义金兰的郑年又怎么样了呢？查遍所有的史书籍，对于郑年在张保皋被暗杀之后的记录却一无所获。然而后来，在几个单篇的野史里却意外地找到了郑年的行踪。

张保皋死时并未现身于清海镇的郑年，之后很长一段时间都了无踪影。许多人都认为郑年进入深山老林做了僧人，却无人能证实。后来据说，有一天，金阳来到四宝自尽的柏栗寺，请法师为妻子超度。毕竟妻子是为了自己的荣达而死的，她的死是自己一手造成的，所以金阳每年都来柏栗寺为妻子超度。当金阳在法堂上焚香之时，突然，旁边一个僧人向他猛冲了过来。只见僧人拔出藏在怀中的匕首，一把刺向金阳的胸膛。金阳本能地一闪，匕首刺在了他的肩膀上，周围的措手不及的士兵们急忙上前擒住了那个僧人。金阳捂着自己血流不止受了伤的肩膀，抬头怔怔地看着那个僧人，过了许久才开口说道："将军，很久不见了。"

然而，那僧人却双手合十，只是数着手中的念珠，无言无语。

"你的刀刺偏了，刺在我的肩上。看来，你的身手不比从前了。"

令周围士兵感到更惊奇的是，金阳说完，竟命令道：“放了他吧。”

士兵们执行了金阳的命令以后，忍不住问道：“为什么放走他？他竟胆敢威胁检校尉大人的性命呢。”

于是金阳呵呵一笑，说道：“你说他是杀人犯吗？不，他是一个忠臣。古人云：疾风知劲草。遇到强风才能看出劲草挺立的气节。而他，却是狂风暴雨中的介于石。”

介于石。

金阳称赞那个保持节操比坚硬的石头还要坚定的人，不是别人正是郑年。长久以来，郑年隐瞒自己的真实身份，一心一意等待机会要为义兄张保皋报仇。他事先打探到金阳每年都要来柏栗寺为死去的妻子做法事，于是来到这里，周密地计划了自己复仇的行动。

金阳心中清楚，郑年迟早会出现在他面前的。果然，他的预想应验了。

后来又过了几年。一日，金阳入宫之后正在返回官邸，途中路过一条行人稀少的小街。走着走着，一个路人突然向金阳的马车袭来。驾车的马儿受到惊吓骚动不安，使得刺客没有得逞，反被护卫的士兵擒住了。刺客的手里握着一把匕首，只是没能刺到金阳的身上，一直在手里攥着。

马车停下来，金阳又怔怔看着被士兵带到面前的那个路人，随后说道：“久违了，将军。这些年来你老了许多啊。”

路人衣衫褴褛，披头散发，却掩藏不住一双炯炯有神的眼睛里透露出的一种坚毅的目光。他仰首直视着金阳。

当金阳问道：“如何处置好啊，将军。将你送到监牢斩首吗？”

这路人却简短地回答：“只要再给我一次机会。”

“原来，你一直希望杀了我报仇，是吗？”

“只要再给我一次机会，我一定会杀了你的。”

“若那时仍未如你所愿，如何？”

“那么，”路人回答：“是死是活随意处置。”

金阳默默地望着路人，开口说道："放他走吧。"

金阳对惊讶的士兵下了命令之后，看着路人渐渐消失的背影，自言自语地叹息道："古人有'岁寒松柏'一说，松树和侧柏树即是在严冬也不会变色，依然碧绿如故。他真正是一棵松树啊。"

转眼之间，又到了文成王十九年。

张保皋死后第十六载，那年夏天。

金阳正在射兽台打猎。平生极爱射箭，而且箭法高超被称为神箭手的金阳已经进入五十知天命的年纪，身体衰老，箭法也大不如以前了。尽管如此，金阳依旧热爱射箭。

金阳瞄准目标射了一箭，却没有射中，他便对部下解释说："射箭的乐趣不在于命中目标的那一刻，而在于射箭本身的全部过程。所以，每射一箭都自有这一箭的意义。难道只有坐正身体射中靶心才算好吗?"

正在这时，从树林中飞出一支冷箭，那箭朝金阳飞来，正中前胸。金阳大叫一声，栽了下去。周围的护卫兵大惊失色，赶忙跑上前去一看，金阳却完好无损，并未受伤。原来万幸的是，金阳穿了一件铠甲，暗箭正射在铠甲上，未能伤及金阳。之后，士兵们开始在林中搜捕向他们的主子射暗箭的刺客。刺客是一位白发苍苍的老人，老人手里握着一支桐介箭。金阳一看到老人，又呆住了，喃喃地说道："你箭法依旧，若不是我穿了铠甲，你的箭一定会插在我的心脏上。"

"啊——啊——"老人立时跪在地上悲痛地长吁短叹，说："我以为箭一定会射穿你的心脏，啊呀，你竟穿了铠甲。"

接着，只见老人一下折断了手中的桐介箭。

"你，"金阳见了问道："你为何折箭。"

于是，老人回答说："结束了，全都结束了。你给我的惟一一次千载难逢的好机会就这样完了。这箭再也不需要了。好吧，我的性命交给你，是死是活，随意处置。"

老人的眼里流出了血泪。金阳凝视着这滴血泪，说道："你愿死在我的手上，还是想死在自己手里？”

“无论如何性命也是自己的，若你允许，我愿自行了结。”

金阳毫不犹豫地答应了老人的要求，说：“走吧，再也不要出现在我面前。”

老人站了起来，默默地看着金阳。两人对视良久之后，老人忽然从怀中掏出一件小东西。老人将这个东西递给金阳，说道：“请替我保管好这个，可以吗？”

金阳仔细一看，原来是一尊佛头。刹那间，金阳想起这尊佛头他在清海镇见到过，这时张保皋送给郑年的信物。

“如今，我再也没有能力保管它了，就请你替我珍藏吧。”说罢，郑年双手合十，低头念道：“南无阿弥陀佛，观世音菩萨。”

然后，老人便消失在树林中。金阳知道，老人郑年再也不会出现在他面前了；他更清楚，郑年一定会为了自己的名誉而在林中结束自己的生命。

金阳又言中了。

几日后，即八月的某一天，金阳做了一个梦，在梦中他见到了郑年。郑年向金阳拉开了弓箭，并且说道：‘天地的神明保护了尘世中的你，而我在阴曹地府射的这一箭，你再也躲不过去了。’果然，金阳躲来闪去，终于没能避开郑年射来的那一箭，正中前胸。

这时，金阳从梦中惊醒，出了一身冷汗。他喃喃自语道：“郑年终于死了。”接着又长叹一声，说：“先王就是在梦中被利弘射了一箭之后患病驾崩的。看来，我也一样，生命已经走到尽头了。”

正如金阳所叹息的一样，几日后，他咽下了最后一口气。那时是文成王十九年，即公元 857 年，八月十三日。金阳五十岁。

年轻时就梦想立身扬名，最终如己所愿得以陪葬太宗武烈王，凭借武烈王的后裔而重新荣耀家门的金阳；借张保皋的兵力得到天下之后，又伺机铲除他眼中最大的敌人张保皋，倚靠朗慧和尚的“因三女得世”的预言，掌握新罗生杀大权的金阳。

然而，这位乱世奸雄最终却消失在历史的长河里。

4

祭祀以后，巫师们从祀堂出来走向海边，分别坐上预先准备好的五只小船。但是他们并没有直接划走，而要以一种特殊的民俗形式来结束堂祭。

听村民说，这些精彩地完成了堂祭，微微带着醉意的人们，要划船在将岛周围绕行三圈。船以绳索首尾相接，民俗乐手坐在最前面的船头上敲起了喧闹的小锣，喜气洋洋的民俗音乐立时在海面上向四方传开。

这时，先前的飘舞的雪花已变成了粗大的颗粒，像霰弹一样扑簌扑簌纷纷坠落在大海里。

我也醉意微醺，有些支撑不住自己的身体，背靠着岸边一只小船的船舷坐着，观望着那些村民们上演的地方民俗祭的最后一幕，再一次陷入深深的思索中。

一千两百年以前。

张保皋死后，居住在清海镇的人们怎样了呢？后来我才得知，那些清海镇的士兵和商人们全部被迁移至碧骨郡，即今天的金邸郡。

碧骨郡堤坝修建于比流王二十七年（公元 330 年），是我国历史上修建最早的一座大堤。此堤在统一新罗时期的元成王六年（公元 790 年）得到扩建。再后来由于年久失修，堤坝严重破损。为了重修这座古堤坝，清海镇的军民被强制迁移到碧骨郡，成为修筑古堤的劳工苦力，并从此生活在新罗朝廷的严格监控之下。

自古以来，若要消除一个国家，必先使其内部发生叛乱，而后将其居民疏散至陌生的他乡异地，才能使这个国家彻底灭亡。以张保皋为王的清海镇居民以修筑堤坝的借口，集体迁居出清海镇。从此，清海镇消失了，我们的民族再也找不回那片海洋了。

是啊。

我望着一望无际，碧波荡漾的大海，一面沉思。

随着张保皋的死，我们民族永远失去了那片海洋。

此时，我想起了希腊历史学家惠罗道图斯（音译）。这位曾最早记录人类历史，被称为人类历史学之父的惠罗道图斯（音译）说过："我们拥有世界上最强大的船队，因此，我们拥有全世界。"

位于地中海边的半岛国家希腊正是因为拥有强大的船队，从一个小国一跃成为强国，像一颗宝石一样在地中海边熠熠闪光，并产生了世界上最为灿烂的古代文明和古代文化。

雄辩大师克格罗（音译）则说："谁能主宰海洋，他就一定能统治一个帝国"。

正如克格罗（音译）所说的那样，张保皋率领一支天下无敌的船队，统治着那一片南海领域；又如莱莎渥所言，成为海洋帝国的一代帝王。

然而，一切都随着这位英雄的陨落而逝去了。

张保皋，在历史中重新复活的张保皋。

当看到被海盗贩卖为奴的同族新罗人民，他愤怒不已，担负起一名人文主义者的历史使命；而当佛教史上以达摩新法为宗旨的九山禅门首次传入我国时，他又积极予以支持，成为一名宗教改革家和思想家。虽然他以一个卑微的海岛之人出生于摇摇欲坠的百济王国，但是，对于自己低贱的身份他却从不绝望。为了梦想他只身来到中国，在唐朝的募义军中立下赫赫战功，被封为军中小将。后来为能使居留在唐朝的新罗人团结一心，他又建造了赤山法华院，从此成为一位民族领袖。

今天，21 世纪，阶级、国家等意识形态正在逐渐消亡，惟有经济实力超越一切。在这样一个经济时代里，张保皋这位伟大的贸易之王毫无疑问应该是我们效法的历史前贤。

张保皋不仅与唐朝通商，还开拓了与远在阿拉伯半岛国家之间的贸易航线，创建了一个多国往来的庞大的贸易帝国。他游戏于“贸易之人间”，成功地将兴德大王的改革思想付诸于现实。

张保皋，如莱莎渥所言一个“建立了商业帝国的伟大的贸易王”，是我国历史上绝无仅有的一位国际人。

五艘小船在海面上巧妙地穿梭往来，围绕着将岛转来转去。

终于，纷飞的雪花如鹅毛般铺天盖地地袭来，分不清哪儿是天，哪儿是地，一片白茫茫的。我将手伸进海水里，海水并没有想像般那么寒冷。

忽然，我又想起了希腊神话里的海神波塞冬。

如果说地中海诞生了驾驭着金光闪闪的宝马战车，驰骋于大海的海神波塞冬，那么，我们的多岛海就诞生了张保皋，集智慧、情谊、正义于一身的完人张保皋。

古希腊哲学家苏格拉底曾言：“我不属于雅典，不属于希腊，我属于全世界。”

同样，张保皋不属于清海镇，不属于新罗，他属于全世界，是我国历史上独一无二的伟大的世界籍人。

张保皋开辟了从清海镇通往世界各国的海上航线，他所建立的海上帝国是一扇通向世界的大门，而清海镇则是一扇开启的窗户，可以眺望全世界。

虽死犹荣的新罗明神张保皋，在我国历史上演绎了海洋神话，空前绝后的英雄人物张保皋。

我敢说张保皋就是海神，海洋之神！

我想起了祀堂前的冬柏花，掏出先前拾取的冬柏花鲜红的花瓣，一片，两片，将其撒落在大海里。纷纷扬扬的雪花融进了碧蓝的大海里，象征着张保皋精神的花瓣在海面上悠悠地旋转着，漂流着，越来越远。

看着这些鲜红的花瓣，我的脑海中浮现出俞帜涣（音译）的一首诗来：

为了你

放声痛哭的青春化成了一朵花

在千年的蓝天下

无声无息地开放

那日我的青涩消失在一张揉碎的纸里

因为年少

付出了应有的代价

冤痛纵然如天一般

为了你

再也不再也不遗憾

啊我青春的血花

我将最后一瓣冬柏花丢进蔚蓝的大海里，喃喃地念出来。

如同俞帜涣（音译）的诗一样，在千年的蓝天下无声无息开放的你，张保皋呵，终于可以走好了。你的冤痛纵然如天一般，再也不，再也不要感到遗憾。因为，痛哭早已化成了鲜红的血花，永远绽放在严冬里，绽放在人们的心中。

图书在版编目（CIP）数据

王道/(韩)崔仁浩著;洪梅等译.—北京:新世界出版社,2004.9

ISBN 7-80187-428-5

Ⅰ.王…　Ⅱ.①崔…②洪…　Ⅲ.长篇小说-韩国-现代

Ⅳ.I312.645

中国版本图书馆 CIP 数据核字(2004)第 092353 号

王　道

策 划 人:梅　雨　刘　娜
责任编辑:陈晓云
装帧设计:门乃婷
营销推广:北京世纪博宇文化传播有限公司(010-64803339)
出版发行:新世界出版社
社　　址:北京市百万庄大街 24 号(100037)
总编室电话:(010)68995424　(010)68326679(传真)
发行部电话:(010)68995968　(010)68998733(传真)
网　　址:www.newworld-press.com
www.nwp.com.cn
邮箱地址:publie@nwp.com.cn
nwpcn@publie.bta.net.cn
版 权 部:frank@nwp.com.cn
印　　刷:北京新丰印刷厂印刷
经　　销:新华书店
开　　本:680×960　1/16
字　　数:320 千字
印　　张:22.5
版　　次:2004 年 10 月第 1 版　2004 年 10 月第 1 次印刷
书　　号:ISBN 7-80187-428-5/I·155
定　　价:32.00 元

P.31[?] P41[?1][?2] P.43[?] P.50 P.51 P62